A ESTRANHA ORDEM DAS COISAS

ANTÓNIO DAMÁSIO

A estranha ordem das coisas
As origens biológicas dos sentimentos e da cultura

Tradução
Laura Teixeira Motta

5ª reimpressão

Copyright © 2018 by António Damásio

Grafia atualizada segundo o Acordo Ortográfico da Língua Portuguesa de 1990, que entrou em vigor no Brasil em 2009.

Título original
The Strange Order of Things: Life, Feeling, and the Making of Cultures

Capa
Kiko Farkas e Gabriela Gennari / Máquina Estúdio

Preparação
Duda Albuquerque

Índice remissivo
Luciano Marchiori

Revisão
Carmen T. S. Costa
Clara Diament

Dados Internacionais de Catalogação na Publicação (CIP)
(Câmara Brasileira do Livro, SP, Brasil)

Damásio, António
    A estranha ordem das coisas : As origens biológicas dos sentimentos e da cultura / António Damásio ; tradução Laura Teixeira Motta. — 1ª ed. — São Paulo : Companhia das Letras, 2018.

Título original : The Strange Order of Things : Life, Feeling, and the Making of Cultures.
ISBN 978-85-359-3111-2

1. Cérebro – Evolução 2. Ciências 3. Emoções – Aspectos psicológicos 4. Neurociências 5. Neuropsicologia 6. Sentimentos I. Título.

| 18-14395 | CDD-152.4 |

Índice para catálogo sistemático:
1 Emoções e sentimentos : Psicologia   152.4

Todos os direitos desta edição reservados à
EDITORA SCHWARCZ S.A.
Rua Bandeira Paulista, 702, cj. 32
04532-002 — São Paulo — SP
Telefone: (11) 3707-3500
www.companhiadasletras.com.br
www.blogdacompanhia.com.br
facebook.com/companhiadasletras
instagram.com/companhiadasletras
twitter.com/cialetras

Para Hanna

Eu vejo porque sinto.
Gloucester a Lear
Shakespeare, *Rei Lear*, ato 4, cena 6

O fruto é cego. Quem vê é a árvore.
René Char

Sumário

Princípio... 11

PARTE I: SOBRE A VIDA E SUA REGULAÇÃO (HOMEOSTASE)

1. Sobre a condição humana......................... 19
2. Em uma região de dessemelhança.................. 45
3. Variedades de homeostase........................ 57
4. De células únicas a sistemas nervosos e mentes......... 67

PARTE II: A MONTAGEM DA MENTE CULTURAL

5. A origem das mentes............................. 87
6. Mentes em expansão............................. 101
7. Afeto... 118
8. A construção de sentimentos..................... 138
9. Consciência..................................... 167

PARTE III: A MENTE CULTURAL EM AÇÃO

10. Culturas. 191
11. Medicina, imortalidade e algoritmos. 223
12. Sobre a condição humana hoje 242
13. A estranha ordem das coisas 267

Agradecimentos 281
Notas. 285
Índice remissivo 321

Princípio

1

Este é um livro sobre um interesse e uma ideia. Há muito tempo me interesso pelo afeto humano, o mundo das emoções e sentimentos, e há anos o estudo: por que e como temos emoções e sentimentos? Usamos sentimentos para construir nossa individualidade? Como os sentimentos auxiliam ou solapam as nossas melhores intenções? Por que e como nosso cérebro interage com o corpo para sustentar essas funções? Tenho novos fatos e interpretações a compartilhar sobre todas essas questões.

Quanto à ideia, ela é muito simples: os sentimentos não têm recebido o crédito que merecem, como motivos e monitores das proezas culturais do homem. Os humanos se distinguem de todos os outros seres vivos por criarem uma coleção espetacular de objetos, práticas e ideias conhecida coletivamente como cultura. Ela inclui as artes, a investigação filosófica, sistemas morais e crenças religiosas, justiça, governança, instituições econômicas e tecnologia e ciência. Por que e como esse processo começou? Uma resposta frequente a essa questão invoca uma faculdade importante da mente humana — a linguagem verbal —, junto de características distintivas, como a sociabilidade acentuada e o intelecto superior. Para quem é atento à perspectiva biológica, a resposta também inclui a atuação da seleção natural no nível dos genes. Não duvido que intelecto, sociabilidade e linguagem desempenhem papéis fundamentais nesse processo, e nem é preciso dizer que, graças à seleção natural e à transmissão genética, os humanos são dotados de organismos capazes de invenção cultural, juntamente com as faculdades específicas usadas na invenção, mas acredito que foi necessário algo mais para dar a partida na saga das culturas humanas. Esse algo mais foi um motivo. Refiro-me especificamente a sentimentos, desde dor e sofrimento até bem--estar e prazer.

Consideremos a medicina, um dos mais significativos empreendimentos culturais humanos. A combinação de tecnologia e ciência na medicina começou como uma resposta para as dores e os sofrimentos causados por todo tipo de doenças, desde traumas físicos e infecções até cânceres, em contraste com o oposto da dor e do sofrimento: bem-estar, prazeres, a perspectiva de prosperar. A medicina não nasceu como um esporte intelectual destinado a exercitar o raciocínio com um quebra-cabeça diagnóstico ou um mistério fisiológico. Ela surgiu como uma consequência de sentimentos específicos de pacientes e dos primeiros médicos: a compaixão gerada pela empatia. Esses motivos permanecem até hoje. O leitor já deve ter reparado como as idas ao dentista e os procedimentos cirúrgicos mudaram para melhor em nossa geração. O principal motivo desses aperfeiçoamentos — por exemplo, anestésicos eficientes e instrumentação precisa — é a administração das sensações de incômodo. A atividade de engenheiros e cientistas tem um papel louvável nesse esforço, mas há uma razão para isso. O lucro das indústrias de medicamentos e instrumentos também tem uma parte significativa, pois as pessoas precisam reduzir seu sofrimento, e as indústrias respondem a essa necessidade. A busca do lucro é impulsionada por diversos anseios — pelo desejo de progredir, de ter prestígio, pela cobiça —, e tudo isso são sentimentos. É impossível compreender o esforço intenso para encontrar a cura do câncer ou da doença de Alzheimer sem levar em conta os sentimentos como motivos, monitores e agenciadores desse processo. Assim como não é possível compreender, sem levar em conta a respectiva rede de sentimentos motivadores e inibidores, o imenso empenho de culturas ocidentais para descobrir a cura da malária na África, ou controlar a narcodependência em quase toda parte, por exemplo. Linguagem, sociabilidade, conhecimento e razão são os inventores e executores desses processos complexos. Mas são sentimentos que os motivam e que permanecem para aferir os resultados.

A ideia, em essência, é que a atividade cultural começa e permanece profundamente alicerçada em sentimentos. Precisamos reconhecer a interação favorável *e* desfavorável dos sentimentos com o raciocínio se quisermos compreender os conflitos e as contradições da condição humana.

2

Como os seres humanos vieram a ser, ao mesmo tempo, sofredores, mendigos, celebradores da alegria, filantropos, artistas e cientistas, santos e criminosos, senhores benevolentes do planeta e monstros decididos a destruí-lo? A resposta a essa questão certamente demanda contribuições de historiadores e sociólogos, bem como de artistas, cuja sensibilidade costuma intuir os padrões ocultos do drama humano; além disso, requer contribuições de vários ramos da biologia.

Ao ponderar sobre como os sentimentos puderam não só impulsionar o primeiro caudal de culturas como também permanecer indissociáveis da evolução delas, procurei um modo de relacionar a vida humana como a conhecemos hoje — dotada de mente, sentimentos, consciência, memória, linguagem, sociabilidade complexa e inteligência criativa — com os primórdios da vida, 3,8 bilhões de anos atrás. Para estabelecer essa relação, precisei sugerir uma ordem e uma cronologia para o desenvolvimento e o aparecimento dessas faculdades fundamentais na longa história da evolução.

A verdadeira ordem de surgimento de faculdades e estruturas biológicas que descobri é demasiadamente estranha e viola expectativas tradicionais. Na história da vida, os acontecimentos não seguem as noções convencionais que nós, humanos, formamos a respeito de como construir o belo instrumento que chamo de mente cultural.

No intuito de contar uma história do conteúdo e das consequências do sentimento humano, acabei por reconhecer que os nossos modos de pensar a respeito de mentes e culturas não estão sintonizados com a realidade biológica. Quando um organismo vivo age de modo inteligente e vencedor em um cenário social, supomos que seu comportamento decorre de antevisão, deliberação e complexidade, contando com a ajuda de um sistema nervoso. Agora, porém, está claro que comportamentos assim podem surgir com base no singelo equipamento de uma única célula: uma bactéria, nos primórdios da biosfera. "Estranha" é uma palavra fraca demais para descrever essa realidade.

Podemos conceber uma explicação que comece a admitir as descobertas contrárias à intuição. Ela se baseia nos mecanismos da própria vida e nas condições de sua regulação: uma coleção de fenômenos geralmente designada pela palavra "homeostase". Os sentimentos são as expressões mentais da homeostase, enquanto esta, atuando sob o manto dos sentimentos, é a linha funcional que liga as primeiras formas de vida à extraordinária parceria de corpos e sistemas nervosos. Essa associação é responsável pelo surgimento de mentes dotadas de consciência e sentimentos, e essas mentes, por sua vez, são responsáveis por aquilo que é mais distintivo no ser humano: cultura e civilização. Os sentimentos são o cerne do livro, mas extraem seu poder da homeostase.

Associar as culturas a sentimento e homeostase reforça suas ligações com a natureza e aprofunda a humanização do processo cultural. Sentimentos e mentes culturais criativas são frutos de um longo processo no qual a seleção genética guiada pela homeostase teve papel de destaque. A associação opõe-se à crescente dissociação de ideias, práticas e objetos culturais dos processos da vida.

Deve ser evidente que as ligações aqui indicadas não diminuem a autonomia que os fenômenos culturais adquirem historicamente. Não estou reduzindo fenômenos culturais às suas raízes biológicas, nem tentando explicar através da ciência todos os aspectos do processo cultural. Sem a luz das artes e das humanidades, as ciências não podem iluminar sozinhas a totalidade da experiência humana. Muitas discussões sobre a formação de culturas engalfinham-se em torno de duas interpretações conflitantes: uma na qual o comportamento humano resulta de fenômenos culturais autônomos e outra na qual o comportamento humano é consequência da seleção natural dirigida por genes. Contudo, não é necessário preferir uma interpretação à outra. Em grande medida, o comportamento humano resulta de ambas as influências, em proporções e ordem variadas. Curiosamente, descobrir as raízes de culturas humanas na biologia não humana não diminui nem um pouco a condição excepcional dos seres humanos. Tal condição deriva da importância única do sofrimento e da prosperidade no contexto das nossas lembranças do passado e das memórias que construímos a respeito do futuro que antevemos.

3

    Nós, humanos, somos contadores de histórias natos, e muito nos satisfazemos contando histórias sobre como tudo começou. Temos um êxito razoável quando narramos um projeto ou um relacionamento; casos de amor e amizade dão ótimos temas para histórias sobre origens. Por outro lado, quando o assunto é o mundo natural, não somos tão bons. Como a vida começou? Como foi o início das mentes, dos sentimentos, da consciência? Quando surgiram culturas e comportamentos sociais? Uma empreitada dessas não tem nada de fácil. Note que, quando o premiado físico Erwin Schrödinger voltou sua atenção para a biologia e escreveu seu livro clássico *O que é vida?*, não o intitulou *"Origens" da vida*. Ele sabia reconhecer uma missão impossível.

    No entanto, a missão é irresistível. Este livro destina-se a apresentar alguns fatos por trás da formação de mentes que pensam, criam narrativas e significado, recordam o passado e imaginam o futuro, e, por trás do mecanismo do sentimento e consciência responsável pelas conexões recíprocas entre mentes, o mundo exterior e sua respectiva vida. Os seres humanos, em sua necessidade de lidar com o coração em conflito, em seu desejo de conciliar as contradições advindas do sofrimento, do medo e da raiva com a busca do bem-estar, entregaram-se a conjeturas e deslumbramentos, descobrindo, assim, como fazer música, dança, pintura e literatura. Continuaram seus esforços criando os épicos; muitos deles belos, alguns batidos — que atendem por nomes como crença religiosa, investigação filosófica e governança política. Do berço ao túmulo, esses foram alguns dos modos pelos quais a mente cultural enfrentou o drama humano.

PARTE I
SOBRE A VIDA E SUA REGULAÇÃO (HOMEOSTASE)

1. Sobre a condição humana

UMA IDEIA SIMPLES

Quando nos ferimos e sentimos dor, podemos fazer alguma coisa a respeito, independentemente da causa do ferimento ou do perfil da dor. A gama de situações que podem nos causar sofrimento inclui não só ferimentos físicos, mas também aqueles causados pela perda de um ente querido ou quando somos humilhados. A abundante evocação de memórias relacionadas sustenta e amplifica o sofrimento. A memória ajuda a projetar a situação no futuro imaginado e nos permite visualizar as consequências.

Os humanos decerto foram capazes de reagir ao sofrimento, ao tentar entender seus problemas e inventar compensações, correções ou soluções radicalmente eficazes. Além de sofrerem dores, eles podiam sentir o oposto: prazer e entusiasmo, em uma grande variedade de situações, triviais ou sublimes, desde os prazeres que constituem as respostas a gostos e aromas, alimento, vinho, sexo e confortos físicos, até o fascínio de brincar, o assombro e a vitalidade que advêm de contemplar uma paisagem ou de admirar e sentir grande afeição por outra pessoa. Os humanos também descobriram que exercer poder, dominar, causar tumulto, saquear e até destruir seu semelhante podiam gerar prazer. Também nisso devem ter sido capazes de usar esses sentimentos para um propósito prático: como um motivo para questionar por que a dor existe e, talvez, para se intrigar com o estranho fato de que, em certas circunstâncias, o sofrimento alheio podia ser gratificante. Talvez usassem os sentimentos relacionados — medo, surpresa, raiva, tristeza, compaixão, entre outros — como um guia para imaginar modos de contrabalançar sofrimentos e suas fontes. Devem ter percebido que, dentre os diversos comportamentos sociais disponíveis, alguns — como fraternidade, amizade, zelo, amor — eram exatamente opostos da agressão e da violência e se associavam claramente não só ao bem-estar dos outros, mas ao deles mesmos.

Por que os sentimentos conseguiriam mover a mente de maneira tão vantajosa? Uma razão advém do que eles realizam *na* mente e o que eles fazem *com* a mente. Em circunstâncias comuns, os sentimentos comunicam à mente, sem o uso de palavras, se a direção do processo da vida é boa ou má, em qualquer momento, no respectivo corpo. Ao fazerem isso, eles naturalmente qualificam o processo da vida como conducente ou não ao bem-estar e à prosperidade.[1]

Outra razão para os sentimentos terem sido bem-sucedidos onde as ideias diretas fracassaram relaciona-se à sua natureza única. Um sentimento não é uma fabricação independente do cérebro. É resultado de uma parceria cooperativa entre o corpo e o cérebro, que interagem por meio de moléculas químicas livres e vias nervosas. Esse sistema particular e tão desconsiderado garante que os sentimentos perturbem o que, sem eles, poderia ser um fluxo mental indiferente. A fonte do sentimento é a vida na corda bamba, equilibrando-se entre a prosperidade e a morte. Em consequência, os sentimentos são agitações mentais, perturbadoras ou deliciosas, delicadas ou intensas. Eles podem nos agitar com sutileza, de um modo intelectualizado, ou com grande intensidade e perceptivelmente, chamando, imperiosos, a atenção de seu possuidor. Mesmo em suas versões mais positivas, eles tendem a perturbar a paz e romper a quietude.[2]

Portanto, a ideia simples é que sentimentos dolorosos e sentimentos prazerosos, dos vários graus de bem-estar aos de mal-estar e doença, foram os catalisadores dos processos de questionar, entender e solucionar problemas, que distinguem mais profundamente a mente humana da mente de qualquer outra espécie viva. Questionando, entendendo e solucionando problemas, os humanos têm sido capazes de criar soluções fascinantes para as dificuldades *e* de construir os meios para promover sua prosperidade. Aperfeiçoaram modos de nutrir-se, vestir-se e abrigar-se, de tratar ferimentos físicos e dar início à invenção daquilo que viria a ser a medicina. Quando a dor e o sofrimento eram causados por outros — por como eles se sentiam em relação a outros, como achavam que esses se sentiam a respeito deles —, ou quando a dor era causada por pensarem em suas próprias condições — por exemplo, ao confrontarem a inevitabilidade da morte —, os humanos usaram seus crescentes recursos individuais e coletivos para inventar uma variedade de respostas, desde prescrições morais e princípios de justiça até modos de organização social e governança, manifestações artísticas e crenças religiosas.

Não é possível saber exatamente quando esses avanços podem ter ocorrido. Seu ritmo variou significativamente, dependendo de populações específicas e suas localizações geográficas. Sabemos com certeza que, por volta de 50 mil anos atrás, esses processos já estavam bem adiantados no entorno do Mediterrâneo, na Europa central e meridional e na Ásia, regiões onde o *Homo sapiens* estava presente, embora não sem a companhia dos neandertalenses. Isso foi muito depois do surgimento dos primeiros *sapiens*, cerca de 200 mil anos atrás ou ainda mais cedo.[3] Portanto, os primórdios da cultura humana situam-se entre os caçadores-coletores, muito antes da transição para a agricultura, surgida por volta de 12 mil anos atrás, e antes da invenção da escrita e do dinheiro. As datas em que surgiram os sistemas de escrita em vários lugares ilustram bem o quanto os processos de evolução cultural foram multicêntricos. A escrita foi criada pela primeira vez na Suméria (sul da Mesopotâmia) e no Egito, entre 3500 e 3200 a.C. Mais tarde, porém, foi desenvolvido um sistema de escrita diferente na Fenícia, depois usado por gregos e romanos. Por volta de 600 a.C., a escrita também se desenvolveu independentemente na Mesoamérica, sob a civilização maia, na região do atual México.

Devemos agradecer a Cícero e à Roma antiga pela aplicação da palavra "cultura" ao universo das ideias. O orador e pensador romano usou esse termo para denotar o cultivo da alma — "*cultura animi*" —, provavelmente numa associação com o preparo da terra e seu resultado, o aperfeiçoamento e a melhora do crescimento das plantas. O que se aplicava à terra podia muito bem se aplicar à mente.

Hoje, não há dúvida quanto à principal acepção do termo "cultura". Os dicionários nos dizem que cultura se refere às manifestações de realização intelectual, consideradas coletivamente, e, salvo especificação em contrário, a palavra relaciona-se à cultura *humana*. As artes, a investigação filosófica, as crenças religiosas, as faculdades morais, a justiça, a governança política e as instituições econômicas — mercados, bancos —, a tecnologia e a ciência são as principais categorias de empenho e realização denotadas pela palavra "cultura". Ideias, atitudes, costumes, práticas e instituições que distinguem um grupo social de outro pertencem ao escopo geral da cultura, assim como a noção de que as culturas são transmitidas entre as pessoas e as gerações pela linguagem e pelos próprios objetos e rituais que as culturas criaram. Sempre que me refiro neste livro a culturas ou à mente cultural, essa é a esfera dos fenômenos que estou levando em consideração.

Há mais um uso comum para a palavra "cultura". Curiosamente, ele diz respeito à cultura em laboratório de micro-organismos como as bactérias: alude a bactérias *em* cultura, e não a comportamentos "culturais" de bactérias, dos quais trataremos em breve. De um modo ou de outro, as bactérias estavam destinadas a fazer parte da grandiosa história da cultura.

SENTIMENTOS E A FORMAÇÃO DE CULTURAS

Sentimentos contribuem de três modos para o processo cultural:

1. como *motivos* da criação intelectual
   a) estimulando a detecção e o diagnóstico de deficiências homeostáticas;
   b) identificando estados desejáveis que merecem esforço criativo;

2. como *monitores* do êxito ou do fracasso de instrumentos e práticas culturais;

3. como participantes na *negociação* de ajustes requeridos pelo processo cultural ao longo do tempo.

SENTIMENTO VERSUS INTELECTO

Por convenção, o empreendimento cultural humano é explicado em termos do nosso intelecto excepcional, uma magnífica pluma adicional no chapéu de organismos montados ao longo do tempo evolucionário por programas genéticos desprovidos de raciocínio. Os sentimentos raramente são mencionados. A expansão da inteligência e da linguagem humanas e o grau excepcional de sociabilidade na nossa espécie são as estrelas do desenvolvimento cultural. À primeira vista, há boas razões para aceitar essa interpretação como razoável. É impensável explicar as culturas humanas sem levar em conta a inteligência por trás dos novos instrumentos e práticas que chamamos de cultura. Nem é preciso dizer que as contribuições da linguagem são decisivas para o desenvolvimento e a transmissão das culturas. Quanto à sociabilidade, cuja contribuição muitas vezes foi desconsiderada, hoje é evidente seu papel indispensável. As práticas culturais dependem de fenômenos sociais nos quais os humanos adultos se destacam — por exemplo, o modo como dois indivíduos contemplam juntos um mesmo objeto e compartilham uma intenção para com esse objeto.[4] No entanto, parece estar faltando alguma coisa na interpretação baseada no intelecto. É como se a inteligência criativa houvesse se materializado sem uma poderosa incitação e prosseguido sem um motivo fundamental além da pura razão. Sugerir a sobrevivência como um motivo não adianta, pois isso remove as razões pelas quais a sobrevivência seria alvo de consideração. É como se a criatividade não se alicerçasse no complexo edifício do afeto. E também é como se a continuidade e a monitoração do processo de invenção cultural tivessem sido possíveis apenas por meios cognitivos, sem que o verdadeiro valor *sentido* dos resultados da vida, bons ou maus, tivesse influência sobre os acontecimentos. Se a sua dor é medicada com o tratamento A ou B, você depende de sentimentos para declarar qual deles a torna menos intensa, igual ou totalmente eliminada. Os sentimentos atuam como *motivos* para respondermos a problemas e como *monitores* do êxito ou do fracasso da resposta.

Os sentimentos, e, de modo mais geral, o afeto de qualquer tipo e grau de intensidade, são as presenças não reconhecidas na mesa de conferência cultural. Todo mundo na sala sente sua presença, mas ninguém fala com eles. Não são mencionados pelo nome.

No panorama complementar que estou traçando, na ausência de poderosas justificativas, o excepcional intelecto humano não teria sido impelido, individual e socialmente, a inventar práticas e instrumentos culturais inteligentes. Sentimentos de todos os tipos e matizes, causados por eventos reais ou imaginados, devem ter fornecido os motivos e recrutado o intelecto. As respostas culturais devem ter sido criadas por seres humanos decididos a mudar para melhor a situação de sua vida, em direção ao mais confortável, ao mais agradável, ao mais conducente a um futuro com bem-estar e com menos dos problemas e das perdas que inspiraram essas criações, essencialmente e na prática, tendo em vista não apenas a maior probabilidade de sobreviver no futuro, mas também um futuro mais bem vivido.

Os primeiros humanos que criaram o princípio de que devemos tratar os outros como desejamos que eles nos tratem formularam esse preceito com a ajuda daquilo que sentiam quando eram maltratados, ou do que viram quando presenciaram maus-tratos a terceiros. A lógica teve seu papel, pois foi aplicada a fatos, é claro; porém, alguns dos fatos cruciais foram sentimentos.

Sofrimento ou prosperidade, nos extremos opostos do espectro, devem ter sido motivadores primordiais da inteligência criativa que produziu culturas. Mas provavelmente também podemos atribuir esse mesmo papel às experiências de afetos relacionados a desejos fundamentais — fome, desejo sexual, companheirismo social — ou a medo, raiva, ânsia de poder e prestígio, ódio, impulso de destruir oponentes e tudo o que eles possuíam ou coletavam. De fato, encontramos afeto por trás de muitos aspectos da sociabilidade, guiando a constituição de grupos grandes e pequenos e manifestando-se nos laços que indivíduos criaram em torno de seus desejos e do fascínio de brincar, e também por trás de conflitos por recursos e parceiros reprodutivos, expressos em agressão e violência.

Outros motivadores poderosos devem ter sido as experiências de exaltação, reverência e transcendência que surgem em quem contempla a beleza, natural ou fabricada, divisa a perspectiva de encontrar meios para trazer prosperidade a si mesmos e a outros, chega a uma solução possível para mistérios metafísicos e científicos, ou mesmo quando simplesmente confronta mistérios não solucionados.

EM QUE MEDIDA A MENTE CULTURAL HUMANA FOI ORIGINAL?

Surgem agora várias questões intrigantes. Com base no que acabo de escrever, o empreendimento cultural originou-se como um projeto humano. Mas os problemas que as culturas resolvem são exclusivamente humanos ou também afetam outros seres vivos? E quanto às soluções que a mente cultural engendra? São uma invenção humana totalmente original ou foram usadas, ao menos em parte, por seres que nos precederam na evolução? O confronto com a dor, o sofrimento e a certeza da morte, contrastados com a possibilidade inatingida de bem-estar e prosperidade, podem muito bem ter estado — e muito provavelmente estiveram — por trás de alguns dos processos criativos humanos que ensejaram os instrumentos culturais hoje assombrosamente complexos. No entanto, será que essas construções humanas não teriam sido auxiliadas por estratégias e instrumentos biológicos mais antigos que as precederam? Quando observamos os grandes primatas não humanos, sentimos a presença de precursores da nossa humanidade cultural. Sabemos que, em 1838, Darwin ficou espantado quando observou pela primeira vez o comportamento de Jenny, uma fêmea de orangotango recém-chegada ao zoológico de Londres. A rainha Vitória também se impressionou. Ela achou que Jenny era "incomodamente humana".[5] Chimpanzés criam ferramentas simples, usam-nas de modo inteligente para se alimentar e até transmitem visualmente sua invenção a outros. Alguns aspectos de seus comportamentos sociais (em especial nos bonobos) são sem dúvida culturais. E o mesmo podemos dizer de comportamentos de espécies tão díspares quanto elefantes e mamíferos marinhos. Graças à transmissão genética, os mamíferos possuem um elaborado aparelho afetivo que, em muitos aspectos, assemelha-se ao nosso em seu elenco de emoções. Já não é possível negar aos mamíferos os sentimentos ligados à sua emocionalidade. Sentimentos também devem ter tido um papel motivador que explique as manifestações "culturais" de espécies não humanas. É importante salientar que a razão de suas realizações culturais serem tão modestas deve estar associada ao menor desenvolvimento ou mesmo à ausência de características como a intencionalidade compartilhada e a linguagem verbal e, de modo mais geral, à simplicidade de seu intelecto.

No entanto, as coisas não são tão simples assim. Considerando a complexidade e a enorme abrangência das consequências positivas e negativas de práticas e ferramentas culturais, seria razoável esperar que sua concepção só teria sido intencional e possível em criaturas dotadas de mente, como certamente são os primatas não humanos, talvez depois que uma santa aliança entre sentimento e inteligência criativa pudesse se dedicar aos problemas suscitados pela existência de um grupo. Antes que fosse possível surgirem manifestações culturais na evolução, deve ter sido necessário, primeiro, aguardar o desenvolvimento evolucionário de mentes e sentimentos — além da consciência, para que os sentimentos pudessem ser experienciados subjetivamente — e então esperar mais um pouco pelo desenvolvimento de uma considerável dose de criatividade direcionada pela mente. Assim diz a sabedoria convencional, porém não é verdade.

COMEÇO HUMILDE

A governança social teve um começo humilde, e, em seu nascimento natural, nem a mente do *Homo sapiens* nem a de nenhuma outra espécie mamífera esteve presente. Organismos unicelulares muito simples dependiam de moléculas químicas para *sentir e responder* — em outras palavras, para detectar certas condições em seu ambiente, inclusive a presença de outros, e guiar as ações necessárias para organizar e manter sua vida em um ambiente social. Sabemos que bactérias que crescem em terreno fértil, rico em nutrientes de que elas necessitam, podem dar-se ao luxo de levar uma vida relativamente independente, ao passo que aquelas que vivem em terrenos onde os nutrientes são escassos devem se agrupar. Sem o auxílio de nenhum tipo de raciocínio, elas são capazes de perceber números nos grupos que formam e avaliar a força do grupo; também podem, dependendo da força do conjunto, entrar ou não em uma batalha pela defesa de seu território. Podem se alinhar fisicamente formando uma barreira e secretar moléculas que formam um véu fino, uma película que protege seu agrupamento e provavelmente tem certo papel na resistência das bactérias à ação de antibióticos. A propósito, é isso que costuma ocorrer em nossa garganta quando ficamos resfriados e temos faringite ou laringite. Quando as bactérias ganham bastante território na garganta, ficamos roucos e perdemos a voz. O chamado *quorum sensing* [percepção de quórum] é o processo que as auxilia nessas aventuras. Essa é uma façanha tão espetacular que nos faz pensar até em capacidades como sentimento, consciência e deliberação racional, embora as bactérias sabidamente não as possuam. Eu diria que lhes falta a expressão mental desses antecedentes. Bactérias não se dedicam à fenomenologia.[6]

Elas são uma forma de vida mais antiga, surgida há quase 4 bilhões de anos. Seu corpo consiste em uma célula, que nem sequer tem núcleo. Não possuem cérebro, nem mente, no sentido em que o leitor e eu temos. Parecem levar uma vida simples, funcionando de acordo com as regras da homeostase, porém não há nada de simples em suas propriedades químicas flexíveis, que lhes permitem respirar o irrespirável e comer o incomestível.

Na complexa dinâmica social que elas criam, apesar da ausência de mente, as bactérias podem cooperar com seus pares, sejam ou não genomicamente aparentadas. E, em sua existência sem mente, elas até mesmo assumem o que só podemos chamar de uma espécie de "atitude moral". Os membros mais próximos de seu grupo social — sua família, digamos assim — são mutuamente identificáveis pelas moléculas superficiais que produzem ou pelas substâncias químicas que secretam, as quais, por sua vez, são relacionadas aos seus genomas individuais. Acontece que os grupos de bactérias precisam enfrentar a adversidade de seus ambientes, e com frequência têm de competir com outros grupos para ganhar território e recursos. Para que um grupo tenha êxito, seus membros precisam cooperar, e o que pode ocorrer durante o esforço conjunto é fascinante. Quando bactérias detectam "desertoras" em seu grupo — o que significa, na prática, que certos membros deixam de ajudar no esforço de defesa —, repudiam-nas, mesmo se forem genomicamente aparentadas e, portanto, parte de sua família. Em outras palavras, bactérias traidoras são rejeitadas. Mesmo assim, estas conseguem, ao menos por algum tempo, acessar recursos de energia e defesa que o resto do grupo obtém a um grande custo. A variedade de possíveis "condutas" bacterianas é notável.⁷ Em um experimento revelador concebido pelo microbiologista Steven Finkel, várias populações de bactérias tinham de se empenhar por recursos no interior de frascos abastecidos com diferentes proporções de nutrientes. Em uma condição específica, ao longo de várias gerações, o experimento revelou três grupos distintos de bactérias bem-sucedidas: dois que lutaram um contra o outro até a morte e sofreram grandes perdas nesse processo, e um que sobreviveu discretamente com o passar do tempo, sem nenhum confronto direto. Os três grupos conseguiram garantir sua existência no futuro — um futuro de 12 mil gerações. Não é preciso grandes rasgos de imaginação para perceber padrões análogos em sociedades de criaturas de grande porte. Logo pensamos em sociedades de traidores ou de cidadãos pacíficos e respeitadores da lei. É fácil evocar um sortido elenco de personagens: malandros, valentões, assassinos e ladrões, mas também dissimuladores circunspectos que se dão muito bem, e por último, mas não menos importantes, os admiráveis altruístas.⁸

Seria uma tremenda tolice reduzir a complexidade das regras morais e da aplicação da justiça desenvolvidas pelos humanos ao comportamento espontâneo de bactérias. Não devemos confundir a formulação e a aplicação pensadas de um conjunto de leis com a estratégia esquemática usada pelas bactérias quando unem forças com um elemento cooperativo não aparentado, que normalmente seria um inimigo, em vez de se aliarem a um parente, que normalmente seria um amigo. Em sua orientação imponderada para a sobrevivência, elas se aliam a outras que trabalham pelo mesmo objetivo. A resposta do grupo a ataques gerais, seguindo a mesma regra indeliberada, consiste em buscar automaticamente a força nos números, obedecendo ao equivalente do princípio da mínima ação.⁹ Sua obediência aos imperativos homeostáticos é rigorosa. Os princípios morais e as leis obedecem às mesmas regras fundamentais, mas não exclusivamente: eles são resultado de análises intelectuais das condições que os humanos enfrentam e do manejo do poder pelo grupo que inventa e promulga as leis. Baseiam-se em sentimentos, conhecimento e raciocínio, além de serem processados em um espaço mental com o uso da linguagem.

Entretanto, também seria tolice não reconhecer que simples bactérias têm governado suas vidas por bilhões de anos de acordo com um esquema automático, o qual prenuncia vários comportamentos e ideias usados pelos humanos na construção de culturas. Em nossa mente humana dotada de consciência, nada nos diz claramente que essas estratégias existiram por tanto tempo na evolução, nem quando elas surgiram pela primeira vez; no entanto, quando temos um momento de introspecção e buscamos na mente o modo como seria aconselhável agir, encontramos "pressentimentos e tendências", que são inspirados por sentimentos ou que *são* sentimentos. Com delicadeza ou com ímpeto, esses sentimentos guiam nossos pensamentos e ações em certa direção, constituindo o andaime para as elaborações do intelecto e até mesmo sugerindo justificativas para nossas ações — por exemplo, acolher e proteger quem nos ajuda quando necessitamos, rejeitar quem é indiferente aos nossos problemas, punir quem nos abandona ou nos trai. Mas nunca saberíamos que as bactérias fazem coisas engenhosas que atuam nessa mesma direção sem a ciência atual, que nos revelou esse fato. Nossas tendências naturais de comportamento guiam-nos para uma elaboração consciente de princípios básicos e não conscientes de cooperação e luta, que estão presentes no comportamento de numerosas formas de vida. Esses princípios também têm guiado, ao longo de enormes decursos de tempo e em numerosas espécies, a montagem evolucionária do afeto e seus componentes fundamentais: todas as respostas emotivas geradas pela percepção de vários estímulos internos e externos que desencadeiam impulsos despertadores de apetites — sede, fome, desejo sexual, afeição, solicitude, companheirismo

— e pelo reconhecimento de situações que requerem respostas emocionais como alegria, medo, raiva ou compaixão. Esses princípios — reconhecidos com facilidade em mamíferos, como já mencionamos — são onipresentes na história da vida. É evidente que a seleção natural trabalhou arduamente moldando e esculpindo esses modos de reagir em ambientes sociais até construir o andaime da mente cultural humana. Juntos, os sentimentos subjetivos e a inteligência criativa atuaram nessa montagem, criando instrumentos culturais que atendem às necessidades da nossa vida. Se isso for mesmo verdade, o inconsciente humano literalmente remonta a formas de vida primitivas, em um grau mais profundo e há mais tempo do que Freud ou Jung jamais sonharam.

DA VIDA DOS INSETOS SOCIAIS

Agora, pense no seguinte. Um pequeno número de espécies invertebradas, meros 2% do total de espécies de insetos, é capaz de apresentar comportamentos sociais que rivalizam em complexidade com muitas proezas sociais humanas. Formigas, abelhas, vespas e cupins são exemplos notáveis.[10] Sua constituição genética e seus hábitos inflexíveis permitem a sobrevivência do grupo. Esses insetos dividem inteligentemente o trabalho entre os membros do grupo para lidar com problemas como encontrar fontes de energia, transformá-las em produtos úteis para sua vida e gerir o fluxo desses produtos. E, para fazer isso, chegam ao ponto de mudar o número de trabalhadores encarregados de tarefas específicas, dependendo das fontes de energia disponíveis. Agem de modo aparentemente altruísta sempre que é necessário um sacrifício. Em suas colônias, constroem ninhos que parecem projetos arquitetônicos urbanos admiráveis e criam, com muita eficiência, abrigo, padrões de tráfego e até sistemas de ventilação e remoção de resíduos, sem falar na guarda de segurança da rainha. Só faltava mesmo saberem acender o fogo e inventarem a roda. Sua diligência e disciplina deixam no chinelo, em qualquer época, os governos das nossas principais democracias. Esses seres adquiriram tais comportamentos sociais complexos por meio de sua biologia, e não em escolas montessorianas ou em universidades de elite. Porém, apesar de terem adquirido essas espantosas habilidades há nada menos do que 100 bilhões de anos, formigas e abelhas, individualmente ou como colônias, não choram a perda de companheiras quando elas desaparecem, nem indagam qual é o seu lugar no universo. Não especulam sobre sua origem, muito menos sobre seu destino. Seu comportamento aparentemente responsável, socialmente bem-sucedido, não é guiado por um senso de responsabilidade — nem consigo mesmos nem com terceiros —, tampouco por um conjunto de reflexões filosóficas acerca da condição de inseto. É guiado pela atração gravitacional das necessidades de regulação de vida, uma atração que atua sobre o sistema nervoso e produz certos repertórios de comportamento selecionados no decorrer de numerosas gerações, que evoluíram sob o controle de seus genomas primorosamente sintonizados. Os membros de uma colônia não pensam, agem — com isso quero dizer que, ao registrarem uma necessidade específica, do indivíduo, de seu grupo ou de sua rainha, eles não ponderam, de algum modo comparável ao que nós fazemos, as alternativas de como irão atender a essa necessidade. Eles simplesmente a atendem. Seu repertório de ações é restrito e, em muitos casos, limita-se a uma opção. O esquema geral de sua elaborada sociabilidade de fato se assemelha ao de culturas humanas, porém é um esquema fixo. E. O. Wilson refere-se aos insetos sociais como "robóticos", e por uma boa razão.

Agora voltemos aos humanos. Nós ponderamos as alternativas de comportamento, pranteamos a morte de alguém, desejamos fazer alguma coisa a respeito das nossas perdas e da maximização dos nossos ganhos, indagamos sobre nossa origem e destino e sugerimos respostas, e somos tão desorganizados em nossa criatividade esfuziante e conflitante que não raro causamos confusão. Não sabemos exatamente quando os seres humanos começaram a enlutar-se, a reagir a perdas e ganhos, a elucubrar sobre sua condição e a fazer perguntas inconvenientes sobre de onde veio e para onde vai a sua vida. Sabemos, com base em artefatos de cemitérios arqueológicos e cavernas já explorados, que há 50 mil anos alguns desses processos já estavam bem estabelecidos. No entanto, note que isso é um ínfimo instante na evolução quando comparamos, digamos, 50 *mil* anos de humanidade com 100 *milhões* de anos de vida de insetos sociais, sem falar nos bilhões de anos de história das bactérias.

Apesar de não sermos descendentes diretos de bactérias ou insetos sociais, acho instrutivo refletir sobre estas três linhas de evidência: bactérias desprovidas de cérebro ou mente que defendem seu território, fazem guerra e agem de acordo com algo equivalente a um código de conduta; insetos empreendedores que criam cidades, sistemas de governo e economias funcionais; e humanos que inventam flautas, escrevem poesia, acreditam em Deus, conquistam o planeta e o espaço próximo, combatem doenças para evitar sofrimento, ao mesmo tempo que são capazes de destruir outros humanos em proveito próprio, inventam a internet, descobrem modos de transformá-la em um instrumento de progresso e de catástrofe e, ainda por cima, fazem perguntas sobre bactérias, formigas, abelhas e sobre si mesmos.

HOMEOSTASE

Como podemos conciliar a ideia — aparentemente razoável — de que sentimentos motivaram soluções culturais inteligentes para problemas trazidos pela condição humana com o fato de que bactérias desprovidas de mente apresentam comportamentos socialmente eficazes, cujos contornos prenunciam algumas respostas culturais humanas? Qual é a linha que une esses dois conjuntos de manifestações biológicas que são temporalmente separados por bilhões de anos de evolução? Acredito que o terreno comum e a linha podem ser encontrados na dinâmica da *homeostase*.

Homeostase é o conjunto fundamental de operações no cerne da vida, desde seu início mais antigo — e há muito tempo desaparecido nos primórdios da bioquímica — até o presente. É o imperativo poderoso, impensado, tácito, cujo cumprimento permite, a cada organismo vivo, pequeno ou grande, nada menos do que perdurar e prevalecer. A parte do imperativo homeostático que diz respeito a "perdurar" é clara: ele permite a sobrevivência e é considerado indiscutível, sem nenhuma referência ou reverência específica quando se fala em evolução de qualquer organismo ou espécie. A parte da homeostase que diz respeito a "prevalecer" já é mais sutil e raramente reconhecida. Ela assegura que *a vida é regulada não apenas em uma faixa compatível com a sobrevivência, mas também conducente à prosperidade, a uma projeção da vida no futuro de um organismo ou espécie*.

Os sentimentos são a própria revelação, a cada mente individual, da condição da vida no respectivo organismo, expressa ao longo de uma faixa que vai do positivo ao negativo. A homeostase deficiente expressa-se por sentimentos em grande medida negativos, enquanto sentimentos positivos expressam níveis apropriados de homeostase e ensejam aos organismos oportunidades vantajosas. Sentimentos e homeostase relacionam-se mutuamente em um grau acentuado e de um modo consistente. Sentimentos são as experiências subjetivas do estado da vida, isto é, da homeostase, em todas as criaturas dotadas de mente e de um ponto de vista consciente. Podemos dizer que os sentimentos são os representantes mentais da homeostase.[11]

Lamentei que eles tenham sido negligenciados na história natural das culturas, mas a situação é ainda pior quando falamos em homeostase e vida, que se veem totalmente deixadas de lado. É bem verdade que Talcott Parsons, um dos mais renomados sociólogos do século XX, invocou a noção de homeostase em relação a sistemas sociais, porém, em suas mãos, o conceito não foi associado à vida ou a sentimentos. Parsons é um bom exemplo da negligência dos sentimentos na concepção das culturas. Para ele, o cérebro foi o alicerce orgânico da cultura, por ser o "órgão primário para controlar operações complexas, notavelmente as habilidades manuais, e coordenar as informações visuais e auditivas". Acima de tudo, o cérebro foi "a base orgânica da capacidade de aprender e manipular símbolos".[12]

A homeostase guiou, de modo não consciente e não deliberado, sem nenhum desígnio prévio, a seleção de estruturas e mecanismos biológicos capazes não só de manter a vida, mas também de promover a evolução de espécies encontradas nos diversos ramos da árvore evolucionária. Essa concepção, a que mais condiz com as evidências físicas, químicas e biológicas, é notavelmente diferente da concepção convencional e mais pobre de homeostase, que se limita à regulação "equilibrada" das operações da vida.

A meu ver, o inelutável imperativo da homeostase é o governador onipresente da vida em todos os seus aspectos. A homeostase vem sendo a base do valor na seleção natural, a qual, por sua vez, favorece os genes — e, consequentemente, os tipos de organismos — que apresentam a homeostase mais inovadora e eficiente. O desenvolvimento do aparelho genético, que ajuda a regular a vida no nível ótimo e a transmiti-la aos descendentes, não é concebível sem a homeostase.

Considerando o que foi dito, podemos propor uma hipótese de trabalho sobre a relação entre sentimentos e culturas. *Os sentimentos, como representantes da homeostase, são os catalisadores das respostas que iniciaram as culturas humanas.* Isso é plausível? É concebível que sentimentos possam ter motivado as invenções intelectuais que deram aos seres humanos (1) as artes, (2) a investigação filosófica, (3) as crenças religiosas, (4) as regras morais, (5) a justiça, (6) o sistema de governança política e as instituições econômicas, (7) a tecnologia e (8) a ciência? Diria veementemente que sim. Posso argumentar que as práticas ou os instrumentos culturais em cada uma dessas oito áreas necessitaram que fosse sentida uma situação real ou antevista de declínio homeostático (por exemplo, dor, sofrimento, grande carência, ameaça, perda) ou de possível benefício homeostático (algum resultado recompensador), e que sentimentos funcionaram como o motivo para explorar, usando os instrumentos do conhecimento e da razão, as possibilidades de reduzir uma necessidade ou de aproveitar a abundância denotada por estados recompensadores.

Mas esse é apenas o começo da história. A consequência de uma resposta cultural bem-sucedida é o declínio ou o cancelamento do sentimento motivador, um processo que requer a *monitoração* de mudanças na situação homeostática. Por sua vez, a adoção das respostas intelectuais e sua inclusão em um corpus cultural — ou seu abandono — são um processo complexo que resulta de interações de vários grupos sociais no decorrer do tempo. Esse processo depende de numerosas características dos grupos, desde tamanho e história passada até localização geográfica e relações internas e externas de poder. Envolve etapas subsequentes nas esferas do intelecto e do sentimento — por exemplo, quando surgem conflitos culturais, entram em cena sentimentos negativos e positivos, que contribuem para resolver ou agravar os conflitos. O processo faz uso da seleção cultural.

PRENUNCIAR MENTES E SENTIMENTOS NÃO É O MESMO QUE GERAR MENTES E SENTIMENTOS

A vida não seria viável sem as características impostas pela homeostase, e sabemos que ela existe desde que a vida começou. Mas os sentimentos — as experiências subjetivas do estado momentâneo de homeostase em um corpo vivo — não nasceram com o surgimento da vida. Minha hipótese é que eles surgiram só depois que organismos foram dotados de sistema nervoso, um avanço bem mais recente, que teve início por volta de 600 milhões de anos atrás.

Os sistemas nervosos permitiram gradualmente um processo de mapeamento multidimensional do mundo ao redor e, com isso, possibilitaram as mentes e os sentimentos que elas ensejam. Esse mapeamento baseava-se em várias capacidades sensoriais, que por fim passaram a ser compostas de olfato, paladar, tato, audição e visão. Como ficará claro nos capítulos 4 a 9, a formação das mentes — e dos sentimentos em particular — é alicerçada em *interações* do sistema nervoso com seu organismo. *Um sistema nervoso não forma uma mente por conta própria, e sim em cooperação com o resto de seu organismo.* Isso destoa da noção tradicional de que o cérebro é a única fonte da mente.

Embora o surgimento dos sentimentos seja muito mais recente do que o princípio da homeostase, ainda assim ele ocorreu muito antes que os humanos entrassem em cena. Nem todas as criaturas são dotadas de sentimentos, mas *todos* os seres vivos são equipados com os mecanismos reguladores que foram os precursores dos sentimentos (alguns dos quais são discutidos nos capítulos 7 e 8).

Quando examinamos o comportamento de bactérias e insetos sociais, percebemos que a vida primitiva é modesta apenas no nome. O verdadeiro começo daquilo que viria a ser a vida humana, a cognição humana e o feitio da mente que chamo de cultural remonta a um ponto extremamente longínquo da história da Terra. Não é suficiente dizer que nossa mente e nossos sucessos culturais estão alicerçados em um cérebro que tem numerosas características em comum com os de nossos parentes mamíferos. Temos de acrescentar que nossa mente e nossas culturas estão ligadas aos modos e meios da antiquíssima vida unicelular e de muitas formas de vida intermediárias. Poderíamos dizer, figurativamente, que nossa mente e nossas culturas fizeram muitos empréstimos do passado, sem constrangimento, nem desculpas.

OS PRIMEIROS ORGANISMOS E AS CULTURAS HUMANAS

É importante frisar que identificar ligações entre processos biológicos, de um lado, e fenômenos mentais e socioculturais, de outro, não significa que a forma das sociedades e a composição das culturas podem ser totalmente explicadas pelos mecanismos biológicos que estamos delineando. Com certeza, desconfio que o desenvolvimento de códigos de conduta, independentemente de onde e quando surgiram, foi inspirado pelo imperativo homeostático. De forma generalizada, esses códigos se voltaram para a redução de riscos e perigos para indivíduos e grupos sociais, e de fato resultaram em uma redução do sofrimento e na promoção do bem-estar humano. Eles fortaleceram a coesão social, e esta, em si, já favorece a homeostase. Porém, além do fato de terem sido concebidos por humanos, o Código de Hamurabi, os Dez Mandamentos, a Constituição dos Estados Unidos e a Carta das Nações Unidas foram moldados pelas especificidades das circunstâncias de sua época e lugar e pelos humanos específicos que elaboraram esses códigos. Não existe uma fórmula universal e abrangente, embora partes da fórmula sejam universais.

Fenômenos biológicos podem impelir e moldar eventos que se tornam fenômenos culturais, e devem ter feito isso também por ocasião do nascimento de culturas, via interação de afeto e razão, em circunstâncias específicas definidas pelos indivíduos, pelos grupos, sua localização e seu passado etc. A intervenção do afeto não se limitou a um motivo inicial. Ela foi recorrente, monitorou o processo, continuou a intervir no futuro de muitas invenções culturais, como requerem as intermináveis negociações entre afeto e razão. Contudo, os fenômenos biológicos críticos — sentimento e intelecto em mentes culturais — são apenas parte da história. A seleção cultural precisa ser considerada na equação, e para isso necessitamos de conhecimentos de história, geografia e sociologia, entre muitas outras disciplinas. Ao mesmo tempo, precisamos reconhecer que as adaptações e as faculdades usadas por mentes culturais foram resultado de seleção natural e transmissão genética.

Os genes foram instrumentais nas travessias da vida primitiva até a vida humana do presente. Isso é uma verdade muito óbvia, mas exige que expliquemos como eles surgiram e como puderam ter esse efeito. Uma resposta mais completa, talvez, seja que, mesmo no ponto mais primordial, há muito desaparecido, as condições físicas e químicas do processo da vida foram responsáveis por estabelecer a homeostase no amplo sentido do termo, e todo o resto, inclusive o mecanismo dos genes, decorreu desse fato. Isso aconteceu em células sem núcleo (procariotas). Mais tarde, a homeostase fundamentou a seleção de células com núcleo (eucariotas). Posteriormente, surgiram organismos complexos dotados de muitas células. Por fim, esses organismos multicelulares adquiriram "sistemas corporais globais" — o circulatório, o imune e o nervoso. Estes possibilitaram movimentos complexos, mente, sentimentos, consciência e o mecanismo do afeto. Sem esses sistemas corporais globais, os organismos multicelulares não teriam sido capazes de executar sua homeostase "global".

Os cérebros que ajudaram os organismos humanos a inventar ideias, práticas e instrumentos culturais foram montados pela herança genética, produtos da seleção natural ao longo de bilhões de anos. Em contraste, a mente cultural do ser humano e a história do homem nos foram transmitidas, em grande medida, por meios culturais, e sujeitas, em alto grau, à seleção cultural.

Na marcha em direção à mente cultural humana, a presença de sentimentos deve ter permitido que a homeostase desse um salto espetacular, pois os sentimentos podiam representar mentalmente o estado da vida no interior do organismo. Assim que eles foram adicionados à mistura mental, o processo homeostático foi enriquecido pelo conhecimento direto e consciente do estado da vida. Por fim, cada mente consciente guiada por sentimentos passou a ter a capacidade de representar, com referência explícita ao sujeito que a possuía, dois conjuntos cruciais de fatos e eventos: (1) as condições do mundo interno de seu próprio organismo; (2) as condições do ambiente do organismo. Estas últimas incluíam, com destaque, os comportamentos de outros organismos em uma variedade de situações complexas, geradas por interações sociais e por intenções compartilhadas, muitas delas dependentes de impulsos, motivações e emoções individuais dos participantes. Conforme o aprendizado e a memória avançaram, os indivíduos tornaram-se capazes de estabelecer, evocar e manipular memórias de fatos e eventos, abrindo caminho para a inteligência baseada no conhecimento e no sentimento. Nesse processo de expansão intelectual surgiu a linguagem verbal, que fornece correspondências facilmente manipuláveis e transmissíveis entre ideias e palavras ou sentenças. A partir daí, a inundação criativa não pôde ser contida. A seleção natural havia acabado de conquistar mais um teatro de operações, o das ideias por trás de certas ações, práticas e artefatos. A evolução cultural pôde, então, juntar-se à evolução genética.

A prodigiosa mente humana e o cérebro complexo que a possibilita desviam nossa atenção da longa linha de antecedentes biológicos que explicam a presença deles. O esplendor das proezas da mente e do cérebro permite imaginar que os organismos e as mentes humanas poderiam ter surgido completamente formados, como uma fênix, de ascendência desconhecida ou muito recente. No entanto, por trás desses prodígios estão longas cadeias de precedências e graus impressionantes de competição e cooperação. É muito fácil negligenciar, na história da nossa mente, o fato de que a vida em organismos complexos só poderia ter resistido e prevalecido se fosse supervisionada, e de que os cérebros acabaram por ser favorecidos na evolução porque se tornaram muito bons na tarefa da supervisão, especialmente depois que passaram a ser capazes de ajudar os organismos a fabricar uma mente consciente rica em sentimentos e pensamentos. No fim, a criatividade humana é alicerçada na vida e no fascinante fato de que esta vem equipada com uma determinação precisa: resistir e projetar a si mesma no futuro, custe o que custar. Quando lidamos com as instabilidades e incertezas do presente, pode ser útil levar em consideração essas origens humildes mas poderosas.

Contidas no imperativo da vida e em sua homeostase aparentemente mágica, enovelada como era, havia instruções para a sobrevivência imediata: a regulação do metabolismo e o reparo de componentes celulares, regras de comportamento em grupo e padrões de medida para afastamentos positivos e negativos em relação ao equilíbrio homeostático, a fim de possibilitar respostas apropriadas. Mas o imperativo também continha a tendência de buscar a segurança futura em estruturas mais complexas e robustas, um mergulho inexorável no futuro. A realização dessa tendência foi alcançada por um sem-número de cooperações, juntamente com as mutações, as variações e a competição feroz que ensejavam a seleção natural. A vida primitiva prenunciou muitos avanços futuros que hoje podemos observar nas mentes humanas imbuídas de sentimentos e consciência e enriquecidas pela cultura que construíram. Mentes complexas, conscientes, dotadas de sentimento inspiraram e guiaram a expansão da inteligência e da linguagem, gerando instrumentos inovadores de regulação homeostática dinâmica externos aos organismos vivos. As intenções expressas por esses novos instrumentos ainda condizem com o antigo imperativo da vida, ainda têm por fim não apenas resistir, mas prevalecer.

Então, por que os resultados desses avanços tão extraordinários são tão inconsistentes, para não dizer erráticos? Por que tanta homeostase descarrilada e tanto sofrimento na história humana? Uma resposta preliminar, da qual trataremos mais adiante neste livro, é que os instrumentos culturais se desenvolveram primeiro em relação às necessidades homeostáticas de indivíduos e de grupos pequenos, como famílias nucleares e tribos. A extensão a círculos humanos mais abrangentes não foi e não podia ter sido projetada. Em círculos humanos mais amplos, grupos culturais, países e até blocos geopolíticos costumam funcionar como organismos individuais, não como partes de um organismo maior, sujeito a um controle homeostático único. Cada um usa seus respectivos controles homeostáticos para defender os interesses do *seu* organismo. A homeostase cultural é meramente uma obra em andamento, muitas vezes solapada por períodos de adversidade.

Poderíamos nos arriscar a dizer que o êxito da homeostase cultural depende, em última análise, de um frágil esforço civilizatório, destinado a conciliar diferentes objetivos reguladores. É por isso que a serena desesperança de F. Scott Fitzgerald — "e assim avançamos, botes contra a corrente, impelidos incessantemente para o passado" — continua a ser um modo presciente e apropriado de descrever a condição humana.[13]

2. Em uma região de dessemelhança

VIDA

A vida, pelo menos aquela da qual descendemos, parece ter começado por volta de 3,8 bilhões de anos atrás, muito depois do tão famoso Big Bang, sem alarde, discretamente, sem fanfarra para anunciar seu espantoso começo, no planeta Terra, sob a proteção do nosso Sol, na circunscrição geral da Via Láctea.

Estiveram presentes a crosta da Terra, seus oceanos e atmosfera, condições particulares do ambiente, como a temperatura, e certos elementos essenciais: carbono, hidrogênio, nitrogênio, oxigênio, fósforo e enxofre.

Protegidas por uma membrana envoltória, algumas estruturas se formaram e compuseram uma região de dessemelhança apartada, conhecida como célula.[1] A vida começou dentro dessa primeira célula — *era* essa célula —, como uma extraordinária reunião de moléculas com afinidades específicas e suas resultantes reações químicas autoperpetuadoras, palpitando, pulsando, repetindo ciclos. Por conta própria, a célula reparava os desgastes que ocorriam. Quando uma parte era danificada, ela a substituía, com maior ou menor exatidão, e assim as estruturas internas da célula eram mantidas, e a vida persistia. "Metabolismo" é a designação das vias químicas que realizavam essa façanha: o processo pelo qual a célula, com a maior eficiência possível, extraía a energia necessária de fontes em seu ambiente para, com igual eficiência, reconstruir o mecanismo quebrado e eliminar os produtos residuais. Metabolismo, uma palavra cunhada recentemente (fins do século XIX), derivada do termo grego que designa "mudança", abrange os processos de catabolismo — uma degradação de moléculas que resulta na liberação de energia — e anabolismo — um processo de construção que consome energia. O termo "metabolismo", usado no inglês e nas línguas românicas, é muito obscuro, ao contrário de seu equivalente em alemão, "*Stoffwechsel*", ou "troca de material". Na sagaz observação de Freeman Dyson, a palavra alemã sugere o que o metabolismo realmente faz.[2]

Mas o processo da vida era mais do que uma manutenção de equilíbrio equitativa. Em um número de possíveis "estados estacionários", a célula, no auge de seus poderes, tendia naturalmente ao estado estacionário mais conducente a balanços de energia positivos, um superávit com o qual a vida podia ser otimizada e projetada no futuro. Com isso, a célula podia prosperar. Nesse contexto, "prosperar" significa um modo mais eficiente de viver e reproduzir-se.

A coleção de processos coordenados necessária para executar o desejo impensado e involuntário da vida — persistir e avançar no futuro, a todo custo — é conhecida como homeostase. Sei que "involuntário", "impensado" e "desejado" são termos aparentemente conflitantes; porém, não obstante esse aparente paradoxo, esses são os modos mais convenientes de fazer referência ao processo. Nenhum processo exatamente comparável parece ter existido antes do começo da vida, embora possamos deixar que a imaginação vislumbre alguns precursores no comportamento de moléculas e átomos. Ainda assim, o emergente estado da vida parece ligado a tipos específicos de substrato e processo químico. É razoável supor que a homeostase teve origem no nível celular, o nível mais simples da vida, cujo principal representante são as bactérias de todas as formas e tamanhos. A homeostase diz respeito ao processo pelo qual a tendência da matéria a derivar para a desordem é combatida de modo a manter-se a ordem, porém em um novo nível: aquele permitido pelo estado estacionário mais eficiente. Esse combate tira proveito do princípio da mínima ação — enunciado pelo matemático francês Pierre Maupertuis —, segundo o qual a energia livre será consumida do modo mais eficiente e rápido possível. Visualize o impressionante trabalho de um malabarista, que não pode descansar em sua tarefa de manter todas as bolas no ar, sem deixar nenhuma cair, e você terá uma representação teatral da vulnerabilidade e do risco da vida. Agora, pense que o malabarista também quer impressionar você com elegância, rapidez e brilhantismo, e você perceberá que ele já está cogitando uma exibição ainda melhor.[3]

Em resumo, cada célula dali por diante passou a manifestar a "intenção" poderosa e aparentemente inexorável de manter-se viva e perdurar no futuro. Essa intenção só falha em circunstâncias de doença ou envelhecimento, quando a célula literalmente implode em um processo chamado apoptose. Quero frisar que não penso que as células têm intenções, desejos ou vontade do mesmo modo que os seres dotados de mente e consciência, mas elas podem se comportar como se os tivessem, e assim fizeram. Quando nós, humanos, temos uma intenção, desejo ou vontade, podemos representar vários aspectos do processo explicitamente na forma *mental*; as células individuais não têm essa capacidade, pelo menos não da mesma maneira. Ainda assim, de modo não consciente, suas ações são voltadas para a persistência no futuro, e essas ações são consequências de substratos e interações químicas específicos.

Essa intenção inexorável corresponde à "força" que o filósofo Espinosa intuiu e chamou de "*conatus*". Hoje, compreendemos que ela está presente na escala microscópica de cada célula viva e podemos visualizá-la projetada, na escala macroscópica, por toda parte na natureza: em nosso organismo inteiro, composto de trilhões de células, na mente que surge no cérebro contido em nosso corpo, nos incontáveis fenômenos culturais que as coletividades de organismos humanos vêm construindo e modificando há milênios.

A tentativa contínua de alcançar um estado de vida regulado positivamente é um aspecto definidor da nossa existência — a primeira realidade da nossa existência, como dizia Espinosa quando se referia ao inquebrantável comportamento de cada ser para preservar a si mesmo. Uma combinação de esforço, afinco e tendência reflete aproximadamente o significado do termo latino *conatus* como ele foi usado pelo filósofo nas proposições 6, 7 e 8 de *Ética*, parte III: "Cada coisa, na medida do seu poder, esforça-se por perseverar no seu ser" e "o esforço através do qual cada coisa tende a perseverar no seu ser nada mais é do que a essência dessa coisa". Interpretando com a vantagem que nos dá o conhecimento atual, vemos que ele quer dizer que o organismo vivo é construído de modo a manter a coerência de suas estruturas e funções pelo máximo tempo possível contra as ameaças que se apresentarem. É interessante notar que Espinosa chegou a essas conclusões antes de Maupertuis ter proposto o princípio da mínima ação. Caso não tivesse morrido quase um século antes, ele teria apreciado a corroboração.[4]

Apesar das transformações que o corpo sofre enquanto se desenvolve, renova as partes que o constituem e envelhece, o *conatus* insiste em manter o mesmo indivíduo, respeitando o plano arquitetônico original, e, com isso, permite o tipo de animação associado a esse plano. A animação pode variar em abrangência, correspondendo aos processos vitais suficientes para meramente sobreviver ou para atingir processos vitais ótimos.

O poeta Paul Éluard escreveu sobre o "*dur désir de durer*", outro modo de descrever o *conatus*, com a beleza aliterante de uma memorável coleção de sons franceses. Uma tradução insípida seria "o duro desejo de durar". E William Faulkner escreveu sobre o desejo humano de "perdurar e prevalecer". Também ele se referia, com uma intuição notável, à projeção do *conatus* na mente humana.[5]

A VIDA EM MOVIMENTO

Hoje temos uma profusão de bactérias à nossa volta, em cima e dentro de nós, mas não restou nenhum exemplar daquelas antiquíssimas de 3,8 bilhões de anos atrás. Para termos uma noção de como elas eram, de como de fato foi a vida primitiva, precisamos reunir diferentes linhas de evidências. Entre o princípio e o agora, existem lacunas esparsamente documentadas. Como a vida surgiu, precisamente, só pode ser alvo de conjeturas bem fundamentadas.

À primeira vista, na esteira da descoberta da estrutura do DNA, da elucidação do papel do RNA e do deciframento do código genético, tinha de parecer que a vida só podia provir do material genético. No entanto, essa ideia deparou com uma grande dificuldade: a probabilidade quase nula de moléculas tão complexas constituírem-se espontaneamente como o primeiro passo na construção da vida.[6]

A perplexidade e o equívoco eram compreensíveis. A descoberta (por Francis Crick, James Watson e Rosalind Franklin) da estrutura em dupla hélice do DNA, em 1953, foi e continua a ser um dos maiores momentos da ciência, e merecidamente influenciou as formulações posteriores sobre a vida. O DNA inevitavelmente foi visto como a molécula da vida e, por extensão, a molécula do seu início. Mas como uma molécula tão complexa poderia ter se formado espontaneamente na sopa primordial? Sob essa perspectiva, a probabilidade do surgimento espontâneo da vida era tão ínfima que justificava o ceticismo de Crick quanto à possibilidade de a vida ter-se originado na Terra. Crick e seu colega Leslie Orgel, do Instituto Salk, supunham que a vida poderia ter vindo do espaço cósmico, trazida por naves de rocha não tripuladas. Essa era uma versão da ideia de Enrico Fermi, segundo a qual seres de outros planetas teriam vindo à Terra e trazido vida com eles. Por mais fascinante que pudesse ser essa suposição, ela simplesmente empurrava o problema para outro planeta. Os alienígenas teriam desaparecido, nesse meio-tempo, ou talvez estivessem aqui sem serem reconhecidos. O físico húngaro Leo Szilard especulou que obviamente eles estavam entre nós, "mas se intitulam húngaros".[7] Isso é ainda mais engraçado porque outro húngaro ilustre, o biólogo e engenheiro químico Tibor Gánti, criticava a ideia de que a vida fora trazida de outros rincões do universo, uma noção que Crick acabou por abandonar.[8] Ainda assim, a complicada questão do surgimento da vida produziu ideias tremendamente divergentes por parte de alguns dos mais renomados biólogos do século XX. Jacques Monod, por exemplo, era um "cético da vida", e acreditava que o universo não era "prenhe de vida", enquanto Christian de Duve pensava o oposto.

Hoje, ainda deparamos com duas visões concorrentes: uma que podemos chamar de "replicador primeiro", e outra, de "metabolismo primeiro". A primeira é atrativa porque o mecanismo da genética é razoavelmente bem compreendido e, portanto, cativante. Quando alguém se põe a pensar sobre a origem da vida — algo surpreendentemente raro —, a interpretação mais imaginada é a do replicador primeiro. Se os genes gerem a vida e podem transmiti-la, por que não teriam dado o pontapé inicial no jogo? Richard Dawkins, por exemplo, defende essa suposição.[9] A sopa primordial teria gerado moléculas replicadoras, as quais teriam gerado corpos vivos, que então trabalhariam como escravos por um período de vida determinado, protegendo a integridade dos genes e de sua triunfante marcha seletiva ao longo da evolução. Stanley Miller e Howard Urey haviam informado, também em 1953, que o equivalente a uma tempestade de raios no interior de um tubo de ensaio podia produzir aminoácidos, as unidades básicas que compõem as proteínas, e com isso tornaram plausível um começo químico.[10] Por fim, teriam surgido corpos complexos como o nosso, equipados com cérebro, mente e inteligência criativa, também para servir aos genes. Achar essa hipótese plausível ou cativante é uma questão de gosto. A dificuldade não deve ser menosprezada, pois nada é assim tão transparente na questão das origens da vida. Em favor dessa ideia, supôs-se um cenário no qual as condições geológicas de aproximadamente 3,8 bilhões de anos atrás teriam sido compatíveis com a formação espontânea de alguns dos nucleotídeos do RNA. O mundo de RNA explicaria os ciclos autocatalisadores que definem o metabolismo e a transmissão genética. Em uma variante desse tema, RNAs catalisadores executariam a dupla tarefa de replicar-se e incumbir-se da química.

Mas a versão dos acontecimentos que considero mais persuasiva diz que o metabolismo veio primeiro. No princípio era a química pura, como supunha Tibor Gánti. A sopa primordial continha ingredientes básicos, e havia condições suficientes e favoráveis, como chaminés termais e tempestades de raios, ou seja lá o que for, para que certas moléculas e vias químicas se formassem e iniciassem suas incessantes operações protometabólicas. A matéria viva teria começado como um truque de ilusionismo químico, um resultado da química cósmica e sua inevitabilidade, mas seria imbuída da homeostase imperativa, e isso determinaria o rumo das coisas. Além das forças que selecionaram conformações moleculares e celulares cada vez mais estáveis, as quais alcançaram a persistência da vida e balanços de energia positivos, houve um conjunto adicional de eventos fortuitos que levou à geração de moléculas autocopiadoras, como os ácidos nucleicos. Esse processo realizou duas façanhas: um modo de regulação interna da vida com organização central e um modo de transmissão genética da vida que suplantou a simples divisão celular. O aperfeiçoamento do mecanismo genético de dupla tarefa nunca mais parou.

Essa versão do princípio da vida foi formulada persuasivamente por Freeman Dyson e é a preferida de vários químicos, físicos e biólogos, entre eles J. B. S. Haldane, Stuart Kauffman, Keith Baverstock, Christian de Duve e P. L. Luisi. A autonomia do processo, o fato de que a vida é gerada a partir "de dentro", autoiniciada e automantida em todos os seus aspectos, também foi bem descrita pelos biólogos chilenos Humberto Maturana e Francisco Varela no processo que eles chamaram de autopoiese.[11]

Curiosamente, na hipótese do metabolismo primeiro, a homeostase "diz" à célula, digamos assim, que faça o seu trabalho com a maior perfeição possível para que a vida *da célula* possa persistir. É a mesma exortação que se supõe que os genes façam à célula viva na hipótese do replicador, com a diferença de que o objetivo do gene é sua própria persistência, e não a vida da célula. No fim, não importa como exatamente as coisas começaram; o imperativo homeostático manifestou-se não só no mecanismo metabólico das células, mas também no mecanismo da regulação e replicação da vida. Em um mundo de DNA, dois tipos distintos de vida — células isoladas e organismos multicelulares — acabaram por ser dotados com um mecanismo genético capaz de reproduzir-se e gerar descendentes; mas o aparelho genético que auxiliava os organismos na reprodução também acabou por auxiliá-los na regulação fundamental do metabolismo.

De modo simples, a região de improbabilidade que chamamos de vida, no nível das humildes células — sem e com núcleo — ou de grandes organismos multicelulares como o dos humanos, pode ser definida por estas duas características: a capacidade de regular *sua* vida, mantendo estruturas e operações internas pelo maior tempo possível, e a possibilidade de se reproduzir e tentar perpetuar-se. É como se, de uma maneira extraordinária, cada um de nós, cada uma de nossas células e de outras células, fosse parte de um organismo único, gigantesco, supertentacular, que surgiu há 3,8 bilhões de anos e por aqui continua.

Analisando bem, isso tudo condiz com a definição de vida de Erwin Schrödinger. Em 1944, o premiado físico aventurou-se no campo da biologia, e os resultados foram notáveis. Sua concisa obra-prima, intitulada *O que é vida?*, anteviu a provável organização da pequena molécula necessária para o código genético, e suas ideias influenciaram decisivamente Francis Crick e James Watson. Quanto à resposta para a pergunta do título de seu livro, vejamos algumas passagens fundamentais.[12]

"A vida parece ser um comportamento da matéria que é ordenado e regido por lei, baseado não exclusivamente em sua tendência de passar da ordem à desordem, e sim, em parte, na ordem existente que é mantida." A ideia da "ordem existente que é mantida" é puro Espinosa, o filósofo que Schrödinger cita no começo de seu livro. O *conatus* é a força que, nas palavras do físico, contrabalança "a tendência natural das coisas à desordem", uma resistência que se expressava em organismos vivos e na molécula da hereditariedade que ele previa.

"O que caracteriza a vida? Quando se diz que uma porção de matéria está viva?", Schrödinger indaga, e responde:

> Quando ela continua a "fazer alguma coisa", mover-se, trocar material com seu meio etc., e a fazer isso por um período muito mais longo do que esperaríamos em uma porção de matéria inanimada em circunstâncias semelhantes. Quando um sistema não vivo é isolado ou colocado em um meio uniforme, geralmente todo movimento passa bem depressa à imobilidade, em consequência de vários tipos de atrito; as diferenças de potencial elétrico ou químico igualam-se, substâncias que tendem a formar um composto químico formam-no, a temperatura torna-se uniforme pela condução térmica. Depois disso, o sistema todo declina gradualmente até se tornar um amontoado de matéria morta e inerte. É alcançado um estado permanente, no qual não ocorrem eventos observáveis. O físico chama isso de equilíbrio termodinâmico, ou "entropia máxima".

O metabolismo bem cuidado, isto é, aquele guiado pela homeostase, teria definido o princípio da vida e seu avanço, tornando-se a força propulsora da evolução. A seleção natural, que é guiada pela extração mais eficiente de nutrientes e energia do ambiente, fez o resto, o que incluiu a regulação metabólica centralizada e a replicação.

Como não parece ter existido nada parecido com a vida e seu imperativo antes de aproximadamente 4 bilhões de anos atrás, quando a dissipação do calor produziu água em estado líquido, isso significa que foi preciso quase 10 bilhões de anos para que surgisse a química certa, no lugar certo, não muito depois de a Terra ter se formado e ter tido tempo para resfriar-se. E então a novidade da vida pôde surgir e dar início ao seu incessante curso rumo à complexidade e a espécies diversificadas. A questão de existir ou não vida em outras partes do espaço continua sem resposta, a ser decidida por meio de uma exploração adequada. Pode até ser que existam outros tipos de vida com uma base química diferente. O fato é que não o sabemos.

Ainda não conseguimos criar vida em um tubo de ensaio a partir do zero. Conhecemos os ingredientes da vida, sabemos como os genes a transmitem a novos organismos e como ela é gerada no interior do organismo, e somos capazes de criar substâncias químicas orgânicas em laboratório. É possível implantar com êxito um genoma em uma bactéria que teve seu genoma removido. O genoma recém-inserido gerenciará a homeostase da bactéria e permitirá que ela se reproduza mais ou menos perfeitamente. Poderíamos dizer que o novo genoma é habitado por seu próprio *conatus* e é capaz de pôr em prática as suas intenções. Mas criar a vida do zero, a vida química pura, pré-genes, como ela deve ter sido naquela primeira região de dessemelhança, isso ainda foge à nossa capacidade de compreensão.[13]

Organizar a química para que ela resulte em vida não é para os fracos.

Compreensivelmente, a maioria das conversas sobre a ciência da vida gira em torno do assombroso mecanismo dos genes, hoje responsável por transmitir e regular parcialmente a vida. Porém, quando falamos da vida em si, não podemos tratar apenas dos genes. Na verdade, é razoável supor que o imperativo homeostático, como ele existia nas primeiras formas de vida, foi seguido pelo material genético, e não vice-versa. Isso teria sido alcançado como resultado de seu empenho constitutivo, mas não declarado para otimizar a vida, o imperativo que está por trás da seleção natural. O material genético teria auxiliado o imperativo homeostático da melhor forma possível: ao ser responsável pela geração de descendentes — o que constitui uma tentativa de garantir a perpetuidade —, ele teria viabilizado as consequências supremas da homeostase.

As estruturas e operações biológicas responsáveis pela homeostase incorporam o valor biológico com base no qual a seleção natural atua. Esse modo de dizer ajuda na questão das origens e situa o processo fisiológico crucial em condições específicas no processo da vida e de sua química fundamental.

Dizer onde os genes se encaixam na história da vida não é uma tarefa trivial. A vida, seu imperativo homeostático e a seleção natural sugerem o aparecimento de processos genéticos e se beneficiam deles. Explicam ainda o surgimento evolucionário de comportamentos inteligentes, inclusive sociais, em organismos unicelulares, bem como o desenvolvimento, por fim, em organismos multicelulares, de sistemas nervosos e mentes dotados de sentimento, consciência e criatividade. Estes últimos são os dispositivos com base nos quais, para o bem ou para o mal, os seres humanos acabam questionando sua condição, em todas as suas dimensões, e potencialmente apoiam ou combatem o mesmo imperativo homeostático que os dotou da capacidade de questionar. Mais uma vez, não estão em questão a importância, a eficiência e até a relativa tirania dos genes, mas sim sua posição na ordem das coisas.

VIDA NA TERRA

Começo da Terra	+/- 4,5 bilhões de anos
Química e protocélulas	4,0 a 3,8 bilhões de anos
Primeiras células	3,8 a 3,7 bilhões de anos
Células eucariotas	2 bilhões de anos
Organismos multicelulares	700 a 600 milhões de anos
Sistemas nervosos	+/- 500 milhões de anos

3. Variedades de homeostase

Um dos primeiros passos no ritual também conhecido como check-up médico é a medida da pressão arterial. Todos os leitores prudentes costumam medir regularmente sua pressão arterial e estão a par do fato de que existem faixas de variação para os números que o médico informa, para as medidas "diastólica" e "sistólica". Alguns até já terão sofrido episódios de pressão alta ou baixa e ouvido recomendações para mudar a dieta ou tomar medicamentos a fim de trazer a mensuração para a faixa aceitável. Por que tanta preocupação? Porque existe uma faixa de variação permissível para a pressão arterial, e somente são permitidas variações limitadas. O organismo deve regular automaticamente o processo e evitar desvios excessivos em direção aos limites inferior e superior. Mas, quando esse dispositivo de segurança natural falha, e o grau dessa falha é alto, temos problemas, às vezes imediatos. Se a falha persistir, gera consequências graves para o futuro do organismo. O que o seu médico está vendo são evidências de que um dentre os vários sistemas do seu organismo está ou não está funcionando como deve.

Homeostase e regulação da vida geralmente são vistas como sinônimos. Isso condiz com o conceito tradicional de homeostase, que se refere à capacidade, presente em todos os organismos vivos, de manter de modo contínuo e automático as suas operações funcionais, químicas e fisiológicas gerais dentro de uma faixa de valores compatível com a sobrevivência. Esse conceito restrito não faz jus à complexidade e ao alcance dos fenômenos aos quais o termo se refere.

Decerto é verdade que, independentemente de estarmos falando de formas de vida unicelulares ou de organismos complexos como o nosso, pouquíssimos aspectos do funcionamento de um organismo escapam da obrigação de manter-se sob controle. Por isso, no começo, os mecanismos da homeostase foram conceitualizados como rigorosamente automáticos e pertinentes apenas ao estado do ambiente interno de um organismo. Com base nessa definição, muitos explicavam o conceito fazendo uma analogia com o termostato: quando uma temperatura previamente determinada é atingida, o dispositivo ordena a si mesmo que ou suspenda a operação em curso — resfriamento ou aquecimento —, ou a inicie, conforme apropriado. No entanto, a definição tradicional, bem como as explicações típicas que ela inspirava, não reflete a gama de circunstâncias nas quais ela pode ser aplicada a sistemas vivos. Explicarei a seguir por que a noção tradicional não é ampla o suficiente.

Em primeiro lugar, o processo homeostático busca mais do que um mero estado estacionário. Analisando em retrospectiva, é como se células únicas ou organismos multicelulares se empenhassem por uma classe específica de estado estacionário conducente à prosperidade. Essa é uma regulação natural positiva, que pode estar voltada para o futuro do organismo, uma inclinação para projetar-se no tempo por meio da *otimização* da regulação da vida e de uma possível progênie. Poderíamos dizer que os organismos querem saúde e algo mais.

Em segundo lugar, as operações fisiológicas raramente se atêm a pontos determinados, como faz um termostato. Ao contrário: existem matizes e graus de regulação, bem como degraus ao longo de escalas que correspondem, em última análise, à maior ou menor perfeição do processo regulatório. Esse processo corresponde ao que comumente se conhece como sentimentos, e as duas questões estão fortemente ligadas: a primeira, a relativa qualidade boa ou ruim de um dado estado da vida, é a base da segunda, isto é, dos sentimentos. Isso posto, é de admirar que, em geral, não precisamos ir ao médico para descobrir se está tudo bem com as bases da nossa saúde. Tampouco necessitamos de exames de sangue para esse propósito. Sentimentos nos fornecem a cada momento uma perspectiva do nosso estado de saúde. Os graus de bem-estar ou mal-estar são sentinelas. Evidentemente, é possível que os sentimentos possam deixar passar despercebido o início de muitas doenças, e que os sentimentos emocionais possam mascarar os homeostáticos, impedindo-os de transmitir uma mensagem clara. Contudo, o mais das vezes, os sentimentos nos dizem o que precisamos saber. Não há razão para que fiquemos na dependência apenas deles para nos cuidar. Mas é importante salientar seu papel fundamental e seu valor prático, a razão indubitável de eles terem sido preservados na evolução.

Em terceiro lugar, uma visão abrangente da homeostase tem de incluir a aplicação do conceito a sistemas nos quais mentes conscientes e deliberativas, individualmente e em grupos sociais, podem interferir em mecanismos de regulação automática *e* criar novas formas de regulação da vida que têm o mesmo objetivo da homeostase automática básica, isto é, alcançar estados da vida viáveis, positivamente regulados, que tendem a favorecer a prosperidade. *A meu ver, o esforço de construir culturas humanas é uma manifestação dessa variedade de homeostase.*

Em quarto lugar, independentemente de falarmos em organismos unicelulares ou multicelulares, a essência da homeostase é a formidável tarefa de administrar a energia — obtê-la e alocá-la para funções cruciais como reparação, defesa, crescimento e participação na geração e manutenção de descendentes. Esse é um empreendimento monumental para um organismo, e mais ainda para organismos humanos, considerando a complexidade de sua estrutura, organização e variedade ambiental.

A escala do empreendimento é tão grande que seus efeitos podem começar em um nível fisiológico inferior e manifestar-se nos níveis de função superiores, ou seja, na cognição. Por exemplo, sabemos que, quando as temperaturas ambientes sobem, não só precisamos ajustar nossa fisiologia interna à perda de água e eletrólitos, mas também nosso funcionamento cognitivo piora. Não é de surpreender que esse mau ajustamento da fisiologia interna leve a doenças e à morte. Sabemos que o número de mortes aumenta durante prolongadas ondas de calor e que estas também geram mais assassinatos e violência sectária.[1] O desempenho dos estudantes em exames é significativamente pior, e a civilidade também está atrelada ao termostato.[2] A relação entre homeostase e fisiologia aplica-se a todos os níveis da economia dos seres vivos, do mais alto ao mais baixo. As respostas culturais inteligentes às ondas de calor, muito provavelmente concebidas à sombra, começaram com o abanador e terminaram com o ar-condicionado. Temos aí um bom exemplo de desenvolvimentos tecnológicos impelidos pela homeostase.

AS VARIEDADES DE HOMEOSTASE

O conceito tradicional e restrito de homeostase não conjura com facilidade, nem usualmente, o fato de que evoluíram na natureza no mínimo duas variedades de controle do meio interno, e de que o termo pode referir-se a cada uma dessas variedades ou a ambas. Consequentemente, é fácil a importância extraordinária desse avanço evolucionário passar despercebida. O uso comum do termo chama a atenção para uma forma não consciente de controle fisiológico que opera de modo automático, sem subjetividade ou deliberação por parte do organismo. Obviamente, essa categoria de homeostase pode funcionar bem inclusive em organismos desprovidos de sistema nervoso, como vimos no caso das bactérias.

De fato, a maioria dos organismos é capaz de procurar alimento ou hidratação quando suas fontes de energia se esgotaram, sem que haja uma intervenção voluntária por parte do organismo; se o alimento ou líquido não estiver disponível no ambiente, a maioria dos organismos também lida automaticamente com o problema. Hormônios quebrarão automaticamente açúcares armazenados em certas células e os enviarão para o sangue conforme a necessidade, para compensar a deficiência de energia imediata. Ao mesmo tempo, o organismo é impelido automaticamente a intensificar sua busca por fontes de energia. O principal resultado dessas medidas é a sobrevivência, enquanto a solução requerida — ingerir alimento — não estiver disponível. De modo semelhante, quando o equilíbrio hídrico é baixo, os rins automaticamente interrompem ou desaceleram seu funcionamento. Isso impede ou reduz a diurese e restaura o nível de hidratação enquanto o organismo espera por tempos melhores. A hibernação é uma estratégia natural de enfrentamento toda vez que a temperatura e a disponibilidade de energia são insuficientes.[3]

No entanto, para muitos seres vivos, incluindo nós, esse uso restrito do termo "homeostase" representa uma versão incompleta da realidade. É verdade que ainda fazemos bom uso e nos beneficiamos imensamente de controles automáticos — como já vimos, o valor da glicose na corrente sanguínea pode ser corrigido automaticamente para uma faixa ótima por um conjunto de operações complexas que não requerem a interferência consciente do indivíduo; a secreção de insulina por células pancreáticas, por exemplo, ajusta o nível de glicose; de forma análoga, a quantidade de moléculas de água em circulação pode ser ajustada automaticamente pela diurese. Contudo, no ser humano e em numerosas outras espécies dotadas de um sistema nervoso complexo, existe um mecanismo suplementar envolvendo experiências mentais que expressam um valor. A chave desse mecanismo, como vimos, são os sentimentos. Porém, como sugerem os termos "mental" e "experiência", os sentimentos, no sentido pleno aqui implícito, só poderiam surgir quando existissem mentes e os respectivos fenômenos mentais, e quando elas pudessem ser conscientes e ter experiências.[4]

HOMEOSTASE AGORA

O tipo de homeostase automática que encontramos em bactérias, animais simples e plantas precede o desenvolvimento de mentes que, mais tarde, seriam dotadas de sentimentos e consciência. Esses avanços deram a elas a possibilidade de interferir deliberadamente em mecanismos homeostáticos pré-ajustados e, mais tarde ainda, permitiram que a invenção inteligente e criativa expandisse a homeostase para a esfera sociocultural. Porém, curiosamente, a homeostase automática, começando pelas bactérias, incluiu e, na verdade, requereu as capacidades de sentir e responder, as humildes precursoras das mentes e da consciência. A capacidade de sentir funciona no nível de moléculas químicas presentes nas membranas das bactérias, e também é encontrada em plantas. Estas podem sentir a presença de certas moléculas no solo — de fato, as extremidades de suas raízes são órgãos sensitivos — e agir segundo essas informações: crescer na direção do terreno onde há maior probabilidade de que existam moléculas demandadas pela homeostase.[5]

A noção popular de homeostase — se o leitor puder perdoar a incongruente presença das palavras "popular" e "homeostase" na mesma sentença — conjura a ideia de "equilíbrio" e "estabilidade". Mas de modo algum queremos equilíbrio no que respeita à vida, pois, termodinamicamente falando, equilíbrio significa diferença térmica zero e morte. (Nas ciências sociais, o termo "equilíbrio" é mais benigno: significa simplesmente a estabilidade que resulta de forças opostas comparáveis.) Também não queremos usar "estabilidade", porque a palavra dá uma ideia de estagnação e tédio! Durante anos, defini homeostase dizendo que ela não correspondia a um estado neutro, mas a um estado no qual as operações da vida davam a sensação de que eram reguladas positivamente em direção ao bem-estar. A vigorosa projeção no futuro era indicada pelo sentimento básico de bem-estar.

Encontrei recentemente uma visão semelhante nas formulações de John Torday, que também rejeita a visão quase estática de homeostase, a da manutenção do statu quo. Em vez disso, ele vê a homeostase como um motor da evolução, um caminho para a criação de um espaço celular protegido, no qual ciclos catalíticos possam fazer seu trabalho e literalmente ganhar vida.[6]

AS RAÍZES DE UMA IDEIA

A ideia que inspirou o conceito da homeostase veio do fisiologista francês Claude Bernard, no século XIX. Ele fez uma observação seminal: para que a vida pudesse continuar, os sistemas vivos precisavam manter numerosas variáveis de seu meio interno dentro de faixas razoavelmente estreitas.[7] Na ausência desse controle rigoroso, a mágica da vida simplesmente desaparecia. A essência do meio interno (*millieu intérieur,* no original) é um grande número de processos químicos em interação. As personagens de destaque nesses processos químicos são certas moléculas que podem ser encontradas na corrente sanguínea, nas vísceras, onde elas auxiliam o metabolismo, em glândulas endócrinas, como o pâncreas ou a tireoide, e em certas regiões e circuitos do sistema nervoso onde ocorre a coordenação de aspectos da regulação da vida — o hipotálamo é o principal exemplo dessas regiões. A troca de mensagens químicas possibilita a transformação de fontes de energia na própria energia, assegurando que água, nutrientes e oxigênio estejam presentes em tecidos vivos conforme a necessidade. Isso é um requisito para que as células que compõem todos os tecidos e órgãos do corpo mantenham sua vida individual. O organismo, que é o todo integrado de todas essas células, tecidos, órgãos e sistemas vivos, só pode sobreviver se os limites homeostáticos forem rigorosamente observados. Desvios do nível requerido de certas variáveis acima ou abaixo de determinados valores críticos resultam em doença. Se não ocorrer uma correção mais ou menos rápida, o resultado radical é a morte. Todos os organismos vivos são dotados de mecanismos reguladores automáticos. Eles são providenciados prontamente, e vêm com uma garantia assinada por seu genoma.

O termo "homeostase" foi cunhado meio século depois de Claude Bernard, pelo fisiologista americano Walter Cannon.[8] Cannon também se referia a sistemas vivos, e, quando nomeou o processo, escolheu o radical grego *homeo-* [semelhante] e não *homo-* [igual] porque estava pensando em sistemas engendrados pela natureza, cujas variáveis frequentemente apresentam faixas de viabilidade — hidratação, glicose no sangue, sódio no sangue, temperatura etc. Obviamente, ele não pensava em pontos de ajuste fixos, que muitas vezes encontramos em sistemas criados pelo homem, como o termostato. Os termos "alostase" e "heterostase", sinônimos de homeostase, foram introduzidos mais tarde, com o intuito de chamar a atenção para a questão das faixas de variação, o fato de que a regulação da vida funciona tendo como referência faixas de valores, e não pontos de ajuste.[9] No entanto, a ideia que fundamenta as cunhagens mais recentes condiz com a ideia comunicada por Bernard e batizada por Cannon com o termo original. Esses termos mais recentes não entraram para o uso comum.[10]

Tenho mais simpatia por outro, "homeodinâmica", cunhado por Miguel Aon e David Lloyd.[11] Sistemas homeodinâmicos, como certamente são os sistemas vivos, organizam suas próprias operações quando perdem a estabilidade. Nesses pontos de bifurcação, eles apresentam comportamentos complexos com características emergentes, como mudanças biestáveis, limiares, ondas, gradientes e rearranjos moleculares dinâmicos.

A ideia de Claude Bernard sobre a regulação do meio interno estava tão à frente de seu tempo que se referia não só a animais, mas também a plantas. Até o título de seu livro de 1897 ainda hoje é notável: *Leçons sur les phenomènes de la vie communs aux animaus et vegetaux* [Lições sobre os fenômenos da vida comuns a animais e plantas].

Os reinos vegetal e animal foram tradicionalmente concebidos por seus respectivos estudiosos como muito separados. Mas Bernard compreendeu que plantas e animais apresentam requisitos básicos semelhantes. Plantas são organismos multicelulares que precisam de água e nutrientes, tanto quanto os animais; possuem metabolismo complexo; não têm neurônios, músculos, nem muitos movimentos perceptíveis, embora haja algumas exceções brilhantes, mas têm ritmos circadianos; e sua regulação homeostática usa algumas das mesmas moléculas usadas pelo nosso sistema nervoso — serotonina, dopamina, noradrenalina etc. Muitos supõem que as plantas são imóveis, mas há mais movimento nelas do que os olhos conseguem captar. Não me refiro apenas à dioneia, planta carnívora que fecha depressa suas pétalas para prender insetos incautos. Nem ao fato de que certas flores se abrem à luz do sol e pudicamente se fecham quando a noite cai. O próprio crescimento de raízes ou troncos de plantas nada mais é do que movimento gerado pela adição de elementos físicos. Isso pode ser demonstrado com facilidade acelerando os quadros do filme de uma planta crescendo, documentado pacientemente.

Bernard também percebeu que, tanto nas plantas como nos animais, a homeostase se beneficiava de relações simbióticas. Um bom exemplo: as flores cujo aroma atrai abelhas, as quais precisam visitá-las para produzirem o mel e realizam a polinização, que fornecerá as sementes da planta ao mundo.

Agora estamos descobrindo que a gama de arranjos simbióticos é muito maior do que Claude Bernard previu. Ela inclui, para animais e plantas, organismos de outro reino, o das bactérias, o vasto e diversificado domínio das procariotas. Trilhões de bactérias vivem em conjuntos habitacionais bem administrados dentro do nosso organismo, contribuindo com benefícios para nossa vida e, em troca, recebendo moradia e comida.

4. De células únicas a sistemas nervosos e mentes

DESDE A VIDA BACTERIANA

Peço ao leitor que, por um momento, deixe de lado a mente e o cérebro humano e pense na vida bacteriana. O objetivo é ver onde e como a vida em células únicas se encaixa na longa história que leva à espécie humana. De início, isso pode parecer um exercício um tanto abstrato, pois não estamos acostumados a ver bactérias a olho nu. Mas não há nada de abstrato nos micro-organismos quando os vemos ao microscópio e descobrimos as coisas espantosas que eles fazem.

Não há dúvida de que as bactérias foram as primeiras formas de vida e de que existem até hoje. Mas dizer que ainda estão por aqui porque foram bravas sobreviventes seria subestimá-las em altíssimo grau. Acontece que elas são os mais numerosos e diversificados habitantes da Terra. E não só isso: muitas espécies são verdadeiramente parte de nós, seres humanos. No decorrer de longos períodos de evolução, várias espécies de bactérias incorporaram-se em células maiores do nosso corpo, e muitas vivem conosco, numa simbiose em grande medida harmoniosa. Cada organismo humano contém mais células bacterianas do que humanas. A diferença é estarrecedora: 10 vezes mais. Só em nosso intestino existem normalmente cerca de 100 trilhões de bactérias, enquanto em um ser humano como um todo há apenas cerca de 10 trilhões de células, considerando todos os tipos. A microbiologista Margaret McFall-Ngai tem toda a razão quando diz que "as plantas e os animais são um verniz do mundo microbiano".[1]

Esse sucesso fenomenal tem suas razões. Bactérias são criaturas inteligentíssimas, não há como dizer de outro modo, ainda que sua inteligência não seja guiada por uma mente dotada de sentimentos, intenções e ponto de vista consciente. Elas são capazes de sentir as condições de seu ambiente e reagem de maneiras que são vantajosas para a continuidade de sua vida. Entre essas reações, incluem-se comportamentos sociais elaborados. Elas podem comunicar-se entre si — não com palavras, é verdade, mas por meio das moléculas que elas usam para sinalizar. Os cálculos que executam permitem-lhes avaliar sua situação e, conforme for, viver independentemente ou juntarem-se caso a necessidade assim o exija. Não existe sistema nervoso no interior desses organismos unicelulares, tampouco uma mente análoga à que possuímos. No entanto, elas têm variedades de percepção, memória, comunicação e governança social. As operações funcionais que sustentam toda essa "inteligência sem cérebro ou mente" dependem de redes químicas e elétricas do tipo que os sistemas nervosos por fim vieram a possuir, desenvolver e explorar mais tarde na evolução. Em outras palavras, mais tarde, muito mais tarde na evolução, neurônios e circuitos neuronais passaram a fazer bom uso de invenções mais antigas que dependiam de relações moleculares e de componentes do corpo celular conhecidos como citoesqueleto — literalmente, o esqueleto dentro da célula — e membrana.

Historicamente, o mundo das bactérias — células sem núcleo, conhecidas como procariotas — foi seguido, 2 bilhões de anos depois, pelo mundo muito mais complexo das células nucleadas, as eucariotas. Surgiram em seguida organismos multicelulares, ou metazoários, entre 600 e 700 milhões de anos atrás. Esse longo processo de evolução e crescimento é repleto de exemplos de cooperações poderosas, embora os relatos dessa história costumem dar grande destaque à competição. Por exemplo, células bacterianas cooperam com outras na criação de organelas de células mais complexas (as mitocôndrias são exemplos de organelas, miniórgãos dentro de um organismo celular). Tecnicamente falando, algumas das nossas células começaram incorporando bactérias em sua estrutura. Por sua vez, células nucleadas cooperam para constituir tecidos que, posteriormente, cooperam para formar órgãos e sistemas. O princípio é sempre o mesmo: organismos abrem mão de alguma coisa em troca de algo que outros podem lhes oferecer; a longo prazo, isso torna a vida deles mais eficiente e aumenta a probabilidade de sobrevivência. Em geral, as bactérias, ou células nucleadas, abrem mão é da sua independência; o que recebem em troca é acesso ao "rossio", aos produtos que são gerados por um arranjo cooperativo, compostos de nutrientes indispensáveis ou condições gerais favoráveis, por exemplo, acesso a oxigênio ou vantagens climáticas. Lembre-se disso da próxima vez que ouvir alguém dizer que os acordos internacionais de comércio são má ideia. A renomada bióloga Lynn Margulis defendeu a ideia da simbiose na construção da vida complexa em uma época em que essa noção quase não era levada em consideração.[2]

O imperativo homeostático impele os processos de cooperação e também tem papel importante no surgimento de sistemas "gerais", onipresentes nos organismos multicelulares. Sem esses sistemas "corporais globais", as complexas estruturas e funções dos organismos multicelulares não seriam viáveis. Os principais exemplos desses avanços são os sistemas circulatório, nervoso, imune e endócrino (encarregados de distribuir hormônios a tecidos e órgãos).[3] O sistema circulatório possibilita a distribuição de moléculas de nutrientes e oxigênio a cada célula do corpo. Distribui as moléculas que resultam da digestão feita em um sistema gastrointestinal e que precisam ser entregues a todo o organismo. As células não podem sobreviver sem as moléculas, e o mesmo se aplica ao oxigênio. Pense no sistema circulatório como o negócio original da Amazon. Ele também faz algo notável: recolhe a maioria dos resíduos que resultam de trocas metabólicas e consegue livrar-se deles. Por fim, capacita duas assistentes essenciais da homeostase: a imunidade e a regulação hormonal. Mas a culminância dos sistemas dedicados à homeostase no corpo como um todo é o sistema nervoso, do qual tratarei a seguir.

SISTEMA NERVOSO

Quando o sistema nervoso entrou na marcha evolucionária? Uma boa estimativa é no período Pré-Cambriano, que terminou entre 540 e 600 milhões de anos atrás — um tempo remoto, decerto, mas não tanto quando comparado à idade das primeiras formas de vida. A vida, inclusive multicelular, saiu-se razoavelmente bem sem o sistema nervoso por cerca de 3 bilhões de anos. Devemos refletir sobre essa cronologia antes de decidir quando percepção, inteligência, sociabilidade e emoções fizeram sua estreia no palco mundial.

Analisando da perspectiva atual, quando o sistema nervoso entrou em cena, permitiu que organismos multicelulares complexos administrassem melhor a homeostase no organismo como um todo e, assim, ensejou expansões físicas e funcionais desses organismos. Surgiu como funcionário do resto do organismo — do corpo, para ser mais preciso —, e não o contrário. É bem possível que, em certa medida, ele continue funcionário.

O sistema nervoso destacou-se por várias características. A mais importante relaciona-se às células que melhor o definem: os neurônios. Eles são *excitáveis*. Isso significa que, quando um neurônio se torna "ativo", pode produzir uma descarga elétrica que segue do corpo celular para o axônio — o prolongamento filamentoso do corpo celular — e causa a liberação de moléculas de uma substância, conhecida como neurotransmissor, no ponto onde o neurônio entra em contato com outro neurônio ou com uma célula muscular. Nesse ponto, chamado de sinapse, o neurotransmissor liberado ativa a célula subsequente, seja ela outro neurônio, seja uma célula muscular. Poucos outros tipos de célula do corpo são capazes de uma proeza comparável, isto é, de combinar um processo eletroquímico para fazer outra célula ativar-se; os exemplos típicos são os neurônios, as células musculares e algumas células sensoriais.[4] Podemos ver essa façanha como um abrilhantamento da sinalização bioelétrica que primeiro surgiu modestamente em organismos unicelulares simples, como as bactérias.[5]

Outra característica por trás da singularidade do sistema nervoso provém do fato de que as fibras nervosas — os axônios que se projetam do corpo celular do neurônio — têm terminações em quase todos os pontos do corpo, em órgãos internos individuais, vasos sanguíneos, músculos, pele etc. Para isso, muitas fibras nervosas percorrem longas distâncias a partir do corpo da célula-mãe, localizada centralmente. Mas há uma reciprocidade apropriada para a presença desse remoto enviado terminal. Em sistemas nervosos evoluídos, um conjunto recíproco de fibras nervosas viaja na direção oposta; elas vão de incontáveis partes do corpo até o componente central do sistema nervoso, que, nos humanos, é o cérebro. A tarefa das fibras que seguem do sistema nervoso central para a periferia é, em essência, incitar ações como a secreção de uma molécula química ou a contração de um músculo. Pense na importância extraordinária dessas ações: quando entrega à periferia uma molécula química secretada, o sistema nervoso altera o funcionamento dos tecidos que a recebem; quando contrai um músculo, o sistema nervoso gera movimento.

Enquanto isso, as fibras que viajam na direção oposta, do interior do organismo até o cérebro, executam uma operação conhecida como interocepção (ou viscerocepção, pois seu trabalho está fortemente relacionado ao que acontece nas vísceras). Qual o propósito dessa operação? Resumidamente, é fiscalizar o estado da vida, um gigantesco trabalho de bisbilhotar e relatar, para que o cérebro saiba o que está acontecendo em outra parte do corpo e possa intervir quando necessário e apropriado.[6]

Devemos salientar alguns detalhes nesse processo. Primeiro, o trabalho de fiscalização neural da interocepção é herdeiro de um sistema mais antigo e mais primitivo, que permite a moléculas químicas em trânsito pelo sangue agirem *diretamente* sobre estruturas nervosas centrais e periféricas. Essa rota antiga de interocepção química informa ao sistema nervoso o que está acontecendo no corpo propriamente dito.* Claramente, essa rota antiga tem reciprocidade, no sentido de que moléculas químicas originadas no sistema nervoso entram na corrente sanguínea e podem influenciar aspectos do metabolismo.

Em segundo lugar, em seres conscientes como nós, a primeira linha de sinais de viscerocepção é entregue abaixo do nível de consciência, e as respostas corretivas que o cérebro produz com base na fiscalização inconsciente também não são, em grande medida, conscientemente deliberadas. Por fim, como veremos, o trabalho de fiscalização produz sentimentos conscientes e entra na mente subjetiva. É só além desse ponto de capacidade funcional que as respos-

---

* O que o autor chama de "corpo propriamente dito" compõe-se, segundo a definição em seu livro *E o cérebro criou o homem*, de sistema musculoesquelético, órgãos internos e meio interno. (N. T.)

tas podem ser influenciadas por deliberação consciente, enquanto ainda se beneficiam do processo não consciente.

Em terceiro lugar, a vasta fiscalização das funções do organismo, um avanço vantajoso para a homeostase adequada em organismos multicelulares complexos, é a precursora natural das tecnologias de fiscalização baseadas no "Big Data" que os humanos se orgulham tão despudoradamente de ter inventado. A fiscalização é útil em dois aspectos: informa diretamente o estado do corpo e, por afinidade, prediz e pressente estados futuros.[7] Eis mais um exemplo da estranha ordem na qual fenômenos biológicos surgiram na história da vida.

Em resumo, o cérebro age sobre o corpo enviando moléculas químicas específicas ou para uma determinada região do corpo ou para o sangue em circulação, que subsequentemente as encaminha a diversas regiões corporais. O cérebro *age* ainda mais literalmente sobre o corpo ativando os músculos. Tanto os que movemos quando *queremos* — podemos decidir quando andar ou correr, quando pegar uma xícara de café — como também os que o cérebro põe em ação quando necessário, sem interferência da nossa vontade. Por exemplo, se você estiver desidratado e sua pressão arterial cair, o cérebro ordena que os músculos lisos nas paredes de seus vasos sanguíneos se contraiam, elevando sua pressão arterial. Analogamente, os músculos lisos em nosso sistema gastrointestinal comportam-se com autonomia e se encarregam da digestão e absorção de nutrientes com pouca ou nenhuma interferência da nossa parte. O cérebro executa compensações homeostáticas, das quais nos beneficiamos sem esforço. Um nível um tanto mais complexo de movimento involuntário entra em ação quando sorrimos, gargalhamos, bocejamos, respiramos ou soluçamos espontaneamente: ações involuntárias que requerem músculos estriados. O coração é um músculo estriado controlado de maneira engenhosa e involuntária.

* * *

O começo do sistema nervoso não foi tão complicado; na verdade, foi bem modesto. Ele consistia, literalmente, em redes nervosas, um *retículo*, ou rede de fios (o termo deriva do latim *rete*). As redes nervosas daqueles idos lembravam a estrutura das "formações reticulares" que podemos encontrar ainda hoje na medula espinhal e no tronco encefálico de tantas espécies, inclusive a humana. Nesse sistema nervoso simples não existe uma distinção nítida entre componentes "centrais" e "periféricos". Eles consistem em uma malha de neurônios que se entrecruzam no corpo.[8]

Redes nervosas surgiram primeiramente em espécies como os cnidários, no período Pré-Cambriano. Seus "nervos" projetam-se da camada celular externa do corpo, o ectoderma, e sua distribuição ajuda a realizar, de modo simples, algumas das principais funções que um sistema nervoso complexo viria a executar muito mais adiante na evolução e ainda executa. Os nervos mais superficiais servem a propósitos perceptuais elementares, sendo estimulados a partir de fora do organismo. Eles sentem as imediações do organismo. Outros nervos podem ser usados para mover o organismo, em resposta, por exemplo, a um estímulo externo. É um tipo simples de locomoção — um nado, na verdade, no caso das hidras. Ainda outro grupo de nervos pode incumbir-se de regular o ambiente visceral do organismo. No caso das hidras, que são dominadas pelo seu sistema gastrointestinal, as redes nervosas encarregam-se de toda a sequência de operações gastrointestinais: ingerir água com nutrientes, fazer a digestão e excretar os resíduos. O segredo dessas operações é o peristaltismo. As redes nervosas entregam os produtos ativando contrações musculares em sequência ao longo do tubo digestório e produzindo ondas peristálticas — o que não difere do que ocorre conosco, pensando bem. Curiosamente, as esponjas, que outrora supúnhamos desprovidas de sistema nervoso, possuem uma variedade ainda mais simples de fibras que controlam o calibre de suas cavidades tubulares e assim permitem, mais uma vez, a entrada de água com nutrientes e sua expulsão com resíduos. Em outras palavras, as esponjas distendem-se e se abrem, ou se contraem e se fecham. Quando elas se contraem, "tossem" ou "arrotam", por assim dizer.

É fascinante, nesse contexto, pensar que o sistema nervoso entérico — a complexa malha de nervos presente em nosso trato gastrointestinal — assemelha-se tanto às estruturas das redes nervosas do passado remoto. Essa é uma das razões que me levaram a suspeitar que o sistema nervoso entérico foi realmente o "primeiro" cérebro, e não o "segundo", como ele é popularmente conhecido.

Provavelmente, foram necessários milhões de anos adicionais — durante a explosão do Cambriano e depois — para que se desenvolvesse o sistema nervoso complexo de inúmeras espécies, culminando, por fim, no dos primatas, em especial o dos humanos. Embora as redes nervosas das hidras possam coordenar numerosas operações e harmonizar as necessidades homeostáticas com as condições do ambiente externo, suas capacidades são limitadas. Elas podem *sentir* a presença de certos estímulos no ambiente, para que algumas respostas convenientes possam ser acionadas. As capacidades sensitivas das hidras são, para ser generoso, uma versão muito pobrezinha do tato humano. Na interpretação mais benigna que podemos oferecer, as redes nervosas dão conta de uma percepção muito básica. E também se incumbem da regulação visceral, uma espécie de sistema nervoso autônomo principiante, executam a locomoção e coordenam todas essas funções.

É igualmente importante entendermos o que as redes nervosas não são capazes de fazer. Sua capacidade sensitiva permite respostas úteis e quase instantâneas. Os neurônios que verdadeiramente sentem e agem são modificados por sua atividade e, assim, aprendem alguma coisa com respeito aos eventos nos quais foram envolvidos, porém retêm poucos conhecimentos baseados na existência cotidiana de seus respectivos organismos — um modo de dizer que sua memória é limitada. Sua percepção também é simples. A estrutura da rede nervosa não possui nada que permita um mapeamento dos aspectos constitutivos de um estímulo — uma forma, uma textura — ou de suas consequências para o organismo. Tal estrutura não lhes permitiria representar o padrão que configura um objeto tocado. Falta-lhes a capacidade de mapear, e isso também significa que as redes nervosas não podem gerar as imagens que finalmente constituiriam as mentes que os sistemas nervosos criam tão prolificamente. A ausência das capacidades de mapeamento e formação de imagens traz outras consequências fatais: a consciência não pode surgir na ausência da mente, e o mesmo se aplica à classe muito especial dos processos chamados de sentimentos, constituídos por imagens fortemente interligadas a operações do corpo. Em outras palavras, na minha perspectiva, e no sentido amplo e técnico dos termos, a consciência e os sentimentos dependem da existência da mente. A evolução teve de esperar por dispositivos nervosos mais refinados para que os cérebros fossem capazes de percepções multissensoriais complexas, baseadas no mapeamento de numerosas características componentes. Só então, a meu ver, o caminho ficou livre para a criação de imagens e para a construção de mentes.[9]

Por que era tão importante ter imagens? O que realmente se podia fazer com elas? A sua presença significava que cada organismo era capaz de criar *representações internas* baseadas em suas descrições sensoriais contínuas de eventos externos *e* internos. Essas representações, geradas no sistema nervoso do organismo, mas com a cooperação do corpo propriamente dito, faziam muita diferença para o organismo específico no qual esses processos ocorriam. Acessíveis *apenas* àquele organismo, elas podiam, por exemplo, guiar o movimento de um membro ou do todo com precisão. Movimentos guiados por imagens — visuais, sonoras ou táteis — eram mais benéficos para o organismo, com maior probabilidade de produzir resultados vantajosos. Desse modo, a homeostase era melhorada e, com ela, a sobrevivência.

Em resumo, as imagens eram vantajosas mesmo que o organismo não fosse consciente daquelas que se formavam dentro de si. Ele ainda não seria capaz de subjetividade, e não poderia inspecionar as imagens na mente, mas, apesar disso, elas poderiam guiar automaticamente a execução de um movimento; este seria mais preciso com relação ao seu alvo e teria maior probabilidade de êxito do que de fracasso.

Quando se desenvolveu, o sistema nervoso adquiriu uma elaborada rede de sondas periféricas — os nervos periféricos, que se distribuem por todas as partes do interior do corpo e por toda a superfície, bem como por dispositivos sensoriais especializados que permitem ver, ouvir, sentir pelo tato, olfato e paladar.

Outra aquisição elaborada foi uma coleção de processadores centrais agregados ao sistema nervoso, chamada convencionalmente de "cérebro".[10] Este inclui (1) a medula espinhal; (2) o tronco encefálico e o hipotálamo, estreitamente relacionados; (3) o cerebelo; (4) vários núcleos localizados acima do tronco encefálico — no tálamo, núcleos da base e prosencéfalo basal; e, finalmente, (5) o córtex cerebral, o componente mais moderno e refinado do sistema. Esses processadores centrais gerenciam o armazenamento de todo tipo de sinais de aprendizado e memória, coordenam a execução de respostas complexas a estados interiores e a estímulos vindos de fora — uma operação essencial que inclui impulsos, motivações e emoções propriamente ditas, e gerenciam o processo de manipulação de imagens que conhecemos como pensar, imaginar, raciocinar e tomar decisões. Por último, gerenciam a conversão de imagens e suas sequências em símbolos e, por fim, em linguagens — sons e gestos codificados, cujas combinações podem significar qualquer objeto, qualidade ou ação, e cujo encadeamento é governado por um conjunto de regras denominado gramática. Equipados com linguagem, os organismos podem gerar traduções contínuas de elementos não verbais em elementos verbais e construir narrativas bidirecionais sobre esses elementos.

Especialmente notáveis são certas disposições sobre a divisão de funções principais, organizadas e coordenadas por diferentes componentes cerebrais. Por exemplo, vários núcleos do tronco encefálico, hipotálamo e telencéfalo encarregam-se de produzir os comportamentos que mencionei, conhecidos como impulsos, motivações e emoções, com os quais o cérebro responde a uma variedade de condições internas e externas com programas de ações preestabelecidos (secreção de certas moléculas, movimentos).

Outro importante esquema divisório relaciona-se à execução de movimento e ao aprendizado de suas sequências. O cerebelo, os núcleos da base e os córtices sensitivo-motores são os protagonistas nessas tarefas. Existem também divisões principais, relacionadas ao aprendizado e à evocação de fatos e eventos baseados em imagens — o hipocampo e o córtex cerebral, cujos circuitos fornecem dados a essas divisões e delas recebem dados, têm o papel principal. Outra divisão permite construir traduções em linguagem verbal das imagens não verbais que o cérebro gera e transmite em narrativas.

É ao sistema nervoso, equipado com toda essa complexidade e capacidade, que a faculdade de sentir por fim é conferida, como um prêmio cobiçado pelas proezas de mapear e formar imagens de estados internos. E é a esses organismos mapeadores e formadores de imagens que o dúbio prêmio da consciência também será atribuído.

Os prodígios da mente humana, a imensa capacidade de memorizar, de sintonizar sentimentos, traduzir qualquer imagem e relação de imagens em códigos verbais e gerar todo tipo de respostas inteligentes, só podem vir mais tarde nessa história de avanços numerosos e paralelos no sistema nervoso.

É justo dizer que sabemos muito a respeito do sistema nervoso como um todo e que foi elucidada de modo geral a principal função de muitos dos componentes que acabei de enumerar. Mas também está claro que desconhecemos numerosos detalhes do funcionamento de circuitos neurais microscópicos e macroscópicos, e que a integração funcional dos componentes anatômicos não foi totalmente conceitualizada. Por exemplo, pelo fato de podermos dizer que os neurônios estão ou não ativos, seu funcionamento presta-se à descrição em termos da álgebra booleana: zero ou um. Essa é a principal crença que fundamenta a analogia do cérebro com um computador.[11] No entanto, o funcionamento neural em microcircuitos revela complexidades inesperadas que solapam essa ideia simples. Por exemplo, em certas circunstâncias, neurônios podem comunicar-se com outros diretamente, sem usar sinapses, e também interagir abundantemente com a glia que lhes dá suporte.[12] O resultado desses contatos atípicos é uma modulação dos circuitos neuronais. Seu funcionamento não pode mais amoldar-se ao esquema ligado/desligado, e não pode ser explicado pelo esquema digital simples. Além disso, não compreendemos inteiramente a relação entre o tecido cerebral e o corpo no qual o cérebro está inserido. No entanto, essa relação é a chave para chegarmos à explicação completa de como sentimos, como a consciência é construída e como nossa mente produz criações inteligentes, os aspectos da função cerebral que são mais importantes para explicar nossa condição humana.

Na busca de respostas a essas questões, a meu ver é importante analisar o sistema nervoso humano de uma perspectiva histórica apropriada, que deve levar em conta os seguintes aspectos:

1. o desenvolvimento do sistema nervoso foi indispensável para possibilitar a vida em organismos multicelulares complexos;

ele é um funcionário da homeostase do corpo inteiro, embora suas células também dependam desse mesmo processo da homeostase para sobreviver; essa reciprocidade integrada muitas vezes é desconsiderada em discussões sobre comportamento e cognição;

2. o sistema nervoso é parte do organismo a quem ele serve; especificamente, uma parte do corpo, e com este ele tem interações próximas, cuja natureza é totalmente diferente daquela que ele tem com o ambiente que circunda o organismo; a particularidade dessa relação privilegiada também tende a ser desconsiderada; discorrerei mais sobre essa questão crucial na parte II;

3. o desenvolvimento extraordinário do sistema nervoso abriu caminho para a homeostase mediada por neurônios — uma adição à variedade química/visceral; mais tarde, depois que surgiram mentes conscientes capazes de ter sentimentos e inteligência criativa, abriu-se o caminho para a criação, no espaço social e cultural, de respostas complexas cuja existência começou inspirada pela homeostase, mas que depois transcendeu as necessidades homeostáticas e ganhou autonomia considerável; aí identificamos o começo, mas não o meio ou o fim, da nossa vida cultural; mesmo nos níveis mais elevados de criação sociocultural, há vestígios de processos simples relacionados à vida encontrados nos mais humildes exemplares de organismos vivos: as bactérias;

4. as várias funções complexas do sistema nervoso superior têm suas raízes funcionais em operações mais simples dos dispositivos inferiores do próprio sistema; por essa razão, por exemplo, não é produtivo procurar as bases dos sentimentos e da consciência primeiro nas operações do córtex cerebral; em vez disso, a operação de núcleos do tronco encefálico e do sistema de nervos periféricos oferece oportunidades melhores de identificar os precursores dos sentimentos e da consciência.

O CORPO VIVO E A MENTE

É comum encontrarmos explicações sobre a vida mental — percepções, sentimentos, ideias, memórias com as quais percepções e ideias podem ser registradas, imaginação e raciocínio, palavras usadas para traduzir narrativas internas, invenções etc. — nas quais essas coisas são vistas como produtos exclusivos do cérebro. O sistema nervoso frequentemente é o herói desses relatos, o que é uma simplificação e também um equívoco. É como se o corpo fosse um mero espectador, um suporte para o sistema nervoso, o barril onde o cérebro está contido.

Não há dúvida de que é o sistema nervoso que possibilita a nossa vida mental. O que falta nas tradicionais explicações centradas nos neurônios, no cérebro e até no córtex cerebral é levar em conta o fato de que o sistema nervoso começou sua existência como assistente do corpo, como coordenador do processo da vida em corpos complexos e diversificados o suficiente para que a articulação funcional de tecidos, órgãos e sistemas, bem como sua relação com o ambiente, requeresse um sistema dedicado para cuidar da coordenação. Ele foi o meio para obter essa coordenação e, assim, tornar-se um elemento indispensável da vida multicelular complexa.

Uma explicação mais sensata sobre nossa vida mental diria que tanto os aspectos simples como as suas façanhas extraordinárias são subprodutos parciais de um sistema nervoso que fornece, em um nível fisiológico altamente complexo, o que há muito tempo tem sido fornecido a formas de vida mais simples, desprovidas de sistema nervoso: a regulação homeostática. Na tentativa de possibilitar a vida em um corpo complexo, o sistema nervoso desenvolveu estratégias, mecanismos e capacidades que não só atendiam necessidades homeostáticas vitais, mas também produziam muitos outros resultados. Estes ou não eram imediatamente necessários para a regulação da vida ou eram menos claramente relacionados a essa regulação. Mentes dependem da presença de um sistema nervoso incumbido de ajudar a gerenciar a vida com eficiência, em seu respectivo corpo, e de numerosas interações do sistema nervoso com o corpo. Não existe mente sem corpo. Nosso organismo contém um corpo, um sistema nervoso *e* uma mente, que é derivada de ambos.

As mentes podem ir muito além de sua missão fundamental e gerar produtos que, à primeira vista, não têm relação com a homeostase.

A história da relação entre corpo e sistema nervoso precisa ser revista. O corpo, que muitas vezes tratamos com indiferença ou até menosprezo quando falamos a respeito da sublime mente, é parte de um organismo imensamente complexo, composto de sistemas cooperativos, os quais são compostos por órgãos cooperativos, que por sua vez são compostos por células cooperativas, as quais são compostas de moléculas cooperativas, as quais são compostas por átomos cooperativos, formados por partículas cooperativas.

De fato, uma das características mais distintivas dos organismos é o grau extraordinário de cooperação que vemos em seus elementos constituintes, juntamente com a não menos extraordinária complexidade resultante. Assim como a vida surgiu de relações particulares entre elementos celulares, também a crescente complexidade dos organismos resulta em novas funções. As funções e qualidades que surgem não podem ser explicadas simplesmente examinando os componentes individuais. Em poucas palavras, a complexidade caracteriza-se pelo aparecimento de funções conforme vamos passando de porções menores para maiores da estrutura global. O principal exemplo é o surgimento distintivo da própria vida em elementos celulares. Outro bom exemplo de cooperação, do qual trataremos mais adiante, é o surgimento de estados mentais subjetivos.

A vida de um organismo é mais do que a soma das vidas de cada célula que o compõe. Existe a vida do organismo por inteiro, a vida global, digamos assim, resultante da integração em alta dimensão das vidas contribuintes que ele contém. Essa vida transcende a de suas células, tira proveito delas e retribui o favor, sustentando-as. Essa integração de "vidas" reais é o que faz um organismo como um todo estar vivo, precisamente no mesmo sentido em que uma complexa rede de computadores dos nossos dias não está. Vida do organismo significa que *cada célula componente* ainda precisa usar seus elaborados componentes microscópicos — e ter capacidade de usá-los — para transformar em energia os nutrientes obtidos de seu ambiente, e fazer isso segundo complexas regras de regulação homeostática, e obedecendo ao imperativo homeostático de preservar-se contra todos os reveses e perdurar. No entanto, a extraordinária complexidade de um organismo vivo, sendo a variedade humana o melhor exemplo, só poderia ter surgido com a ajuda de mecanismos de apoio, coordenação e controle do sistema nervoso. Todos esses sistemas são inteiramente parte do corpo ao qual eles servem. Cada um deles também é feito de células vivas, como todo o resto. Suas células também requerem ser nutridas regularmente para preservar sua integridade, e também correm o risco de doença e de morte, como qualquer outra célula do corpo.

A ordem do surgimento dos órgãos, sistemas e funções em organismos vivos é fundamental para compreendermos como algumas dessas funções apareceram e entraram em funcionamento. Onde isso mais se evidencia é na necessidade de levar em consideração as *precedências* das partes e funções na história do sistema nervoso, sobretudo no humano e seus magníficos produtos, a mente e a cultura. Existe uma ordem para o surgimento das coisas, e se ela é ou não estranha, depende da nossa perspectiva.

PARTE II
A MONTAGEM DA MENTE CULTURAL

5. A origem das mentes

A TRANSIÇÃO DETERMINANTE

Como é que se passa da vida enganosamente simples de quase 4 bilhões de anos atrás até a vida dos últimos cerca de 50 mil anos, a que nutre as mentes culturais humanas? O que podemos dizer sobre a trajetória e os instrumentos que ela usou? Dizer que a genética e a seleção natural são a chave da transformação é a pura verdade, mas não basta. Precisamos reconhecer a presença do imperativo homeostático — usado para o bem ou não — como um fator nas pressões seletivas. Precisamos reconhecer o fato de que não houve uma linha de evolução única, nem uma simples progressão na complexidade e eficiência dos organismos, que ocorreram altos e baixos e até extinções. Precisamos ressaltar que foi preciso uma parceria de sistemas nervosos e corpos para gerar mentes humanas, e que mentes surgiram não em organismos isolados, mas em organismos que faziam parte de uma estrutura social. Por fim, precisamos ressaltar o enriquecimento de mentes pelos sentimentos e subjetividade, pela memória baseada em imagens e pela capacidade de encadeá-las em narrativas que provavelmente começaram como sequências não verbais análogas a um filme, mas terminaram, depois do surgimento de linguagens verbais, combinando elementos verbais e não verbais. O enriquecimento veio a incluir a capacidade de inventar e produzir criações inteligentes, um processo que gosto de chamar de "inteligência criativa", e que está um degrau acima das engenhosidades que permitem a numerosos organismos vivos, inclusive o humano, comportar-se com eficiência, rapidez e êxito na vida cotidiana. A inteligência criativa foi o meio pelo qual imagens mentais e comportamentos foram combinados intencionalmente para fornecer soluções inovadoras aos problemas que os humanos diagnosticavam, e para construir novos mundos para as oportunidades que imaginavam.

Tratarei dessas questões nos próximos cinco capítulos, começando com as origens e a formação de mentes e terminando com os componentes mentais que possibilitam mais diretamente a inteligência criativa: sentimentos e subjetividade. O objetivo aqui não é fazer uma análise abrangente da psicologia e da biologia dessas capacidades, e sim esboçar sua natureza e reconhecer seu papel como instrumentos da mente cultural humana.

A VIDA COM MENTE

No princípio, era apenas sentir e responder em um organismo unicelular capaz de algum movimento em seu corpo todo. Para imaginar como isso ocorria, precisamos visualizar poros na membrana que envolvia a célula e entender que, quando certas moléculas estavam presentes nesses poros, elas serviam como sinais químicos para outras células e os recebiam de outras células e do ambiente. Imagine alguma coisa análoga a emitir e sentir um odor. Sentir e responder, de início, consistiam nisto: exibir um sinal que significava uma presença viva e receber em troca sinais de criaturas equipadas de modo comparável. O sinal era irritante e produzia uma irritabilidade correspondente. Não havia "olhos" ou "orelhas", embora possamos dizer que as moléculas sensitivas se comportavam como se houvesse.[1] Odores e gostos seriam uma analogia mais próxima, mas não se tratava dessas propriedades. O processo não tinha nada de "mental". No interior da célula não havia representações que *correspondessem* ao mundo externo ou ao interno, nada que possamos chamar de imagem, e muito menos uma mente ou consciência. Existia apenas um começo do tipo de processo perceptual que, com o tempo, após a entrada dos sistemas nervosos em cena, realmente levaria a representações análogas do mundo que circunda os sistemas nervosos e serviria de base para mentes e, por fim, para a subjetividade. A marcha em direção às mentes começou com o sentir e o responder elementares, que continuam em ação hoje em dia, no mundo das bactérias que vivem dentro do nosso organismo, em cada animal e planta, na água e no solo e até nas profundezas da Terra. Nas bactérias, sentir e responder sinalizam a presença de outros e até ajudam a estimar quantos outros estão nas proximidades. No entanto, o sentir e o responder não possuem as propriedades da mente e as que decorrem da mente. Bactérias e muitos outros organismos unicelulares não são conscientes, nem dotados de mente, a não ser figurativamente. Contudo, sentir e responder contribuem para o que, por fim, vêm a ser percepções mais complexas e mente. Para explicarmos estas últimas, precisamos reconhecer e entender aquelas duas propriedades iniciais e montar, elo a elo, a cadeia que as une. Historicamente falando, o nível de percepção baseado em sentir e responder precede as mentes, e também está presente *hoje* em organismos dotados de mente. Na maioria das situações normais, nossa mente responde a material que foi sentido e engendra mais respostas, na forma de representações mentais e de ações digeridas mentalmente. Só quando estamos sob efeito de anestesia e durante o sono, e mesmo assim não completamente, é que suspendemos as operações básicas de sentir e responder.[2]

Por fim, vieram os organismos com muitas células. Seus movimentos eram mais precisos. Órgãos internos começaram a surgir, tornaram-se mais diferenciados. Uma inovação significativa foi o aparecimento de sistemas gerais, de corpo inteiro. Em vez de órgãos de uma só função — intestino, coração, pulmão —, sistemas gerais cobriram o território. Em contraste com as células individuais, que em grande medida só cuidavam da própria vida, os sistemas gerais eram feitos de muitas células e cuidavam da vida de *todas* as outras em um organismo multicelular. Eram dedicados, por exemplo, à circulação de líquidos como a linfa e o sangue, a produzir movimentos internos e, em seguida, externos, e a coordenar globalmente as operações do organismo. A coordenação era feita pelo sistema endócrino por intermédio de moléculas químicas conhecidas como hormônios, e pelo sistema imune, que providenciava respostas inflamatórias e imunidade. Os principais coordenadores globais seguiram o exemplo. Eles eram, evidentemente, o sistema nervoso.

Saltemos alguns bilhões de anos: agora existiam organismos muito complexos, e igualmente complexo era o sistema nervoso, que os ajudava a tratar da subsistência e manter-se vivos. Esse sistema agora era capaz de sentir diferentes partes do ambiente — objetos físicos, outros seres vivos — e de responder com movimentos apropriados de membros complexos e do corpo inteiro: agarrar, chutar, destruir, fugir correndo, tocar suavemente, ter relação sexual. Tudo isso em total cooperação com o organismo a que servia.

Em algum ponto do tempo, muito depois de o sistema nervoso já ser capaz de responder a numerosas características dos objetos e movimentos que sentia, dentro e fora de seu organismo, teve início a capacidade de mapear os objetos e eventos que eram sentidos. Isso significava que, em vez de meramente ajudar a detectar estímulos e responder de maneira adequada, o sistema nervoso passou literalmente a desenhar mapas das configurações de objetos e eventos no espaço, usando a atividade de células nervosas em um layout de circuitos neurais. Para vislumbrar como isso funcionava, imagine os neurônios ligados em circuitos e dispostos em um painel plano, onde cada ponto da superfície corresponde a um neurônio. Em seguida, imagine que, quando um neurônio se torna ativo nesse emaranhado de circuitos, ele se acende, algo análogo a marcar um pontinho num quadro usando uma caneta. A adição ordenada e gradual de muitos desses pontinhos gera linhas que podem ligar-se ou cruzar-se, criando um mapa. Vejamos um exemplo mais simples. Quando o cérebro cria um mapa de um objeto em forma de X, ativa neurônios ao longo de duas fileiras lineares que se cruzam no ponto e no ângulo apropriados. O resultado é um mapa neural de um X. As linhas nos mapas cerebrais representam a configuração de um objeto, suas características ou movimentos ou sua localização no espaço. A representação não precisa ser "fotográfica", embora possa sê-lo. No entanto, é essencial que preserve as relações internas entre as partes de uma entidade, por exemplo, os ângulos entre os componentes, as sobreposições etc.[3]

Agora, faça um esforço de imaginação e pense em mapas não só das formas ou localizações espaciais, mas também de sons que ocorrem no espaço, suaves ou irritantes, altos ou baixos, próximos ou distantes; pense também em mapas construídos com dados do tato, olfato ou paladar. Exija ainda mais da sua imaginação e pense em mapas construídos com dados dos "objetos" e "eventos" que ocorrem dentro do organismo, isto é, nas vísceras e suas operações. Por fim, as representações produzidas por essa rede de atividade nervosa, os mapas, nada mais são do que os conteúdos básicos das imagens em sua mente. Os mapas de cada modalidade sensorial são a base para a integração que possibilita as imagens, e estas, enquanto fluem ao longo do tempo, nada mais são do que mentes. Elas são um passo transformador na existência de organismos vivos complexos, uma primorosa consequência da cooperação entre corpo e sistema nervoso da qual venho tratando. As culturas humanas nunca teriam existido sem esse passo.

A CONQUISTA

A capacidade de gerar imagens abriu caminho para organismos *representarem o mundo à sua volta,* um mundo que incluía cada tipo possível de objeto *e* de outros organismos inteiros; e, igualmente importante, permitiu que organismos *representassem seu mundo interno.* Antes de ter se tornado possível mapear imagens e de terem surgido mentes, organismos podiam reconhecer a presença de outros organismos e de objetos externos e responder condizentemente. Podiam detectar uma molécula química ou um estímulo mecânico, mas esse processo não incluía nenhuma descrição da *configuração* do objeto que emitia a molécula ou que empurrava o organismo. Organismos podiam sentir a presença de outro organismo porque uma *parte* desse outro organismo havia entrado em contato. Eles também podiam retribuir o favor e ser sentidos. Mas a chegada do mapeamento e da formação de imagens trouxe uma possibilidade inédita: agora eles podiam criar uma *representação privada do universo que circundava seu sistema nervoso.* Esse é o início formal, em tecidos vivos, de sinais e símbolos que "descrevem" e "se assemelham" aos objetos e eventos que os canais sensoriais da visão, audição ou tato conseguem detectar.

O "entorno" de um sistema nervoso é de uma complexidade extraordinária. Literalmente, é muito mais do que parece. Ele inclui o mundo externo ao organismo — aquele entorno em que, lamento dizer, cientistas e leigos costumam pensar em discussões desse tipo, isto é, os objetos e eventos no ambiente que circunda o organismo *inteiro*. Entretanto, o "entorno" do sistema nervoso também inclui o mundo no *interior* do organismo em questão, e essa parte do entorno costuma ser desconsiderada, em prejuízo de concepções realistas da fisiologia geral e, particularmente, da cognição.

A meu ver, a possibilidade de representar todo o entorno do sistema nervoso em seu interior, a disponibilidade dessas manifestações internas não públicas, impeliu a evolução de organismos por um novo rumo. Esses são os "fantasmas" que faltavam aos organismos vivos, muito provavelmente os fantasmas que Friedrich Nietzsche imaginou quando concebeu os humanos como "híbridos de plantas e fantasmas". Por fim, lado a lado, o sistema nervoso, trabalhando com o resto do corpo, criaria imagens internas do universo que circunda o organismo paralelamente a imagens do interior do organismo. Finalmente adentrávamos, sem alarde, com humildade, na era da Mente, daquele tipo de mente cuja essência está dentro de nós. Agora éramos capazes de encadear imagens de tal modo que elas podiam narrar, para o organismo, eventos internos *e* externos a ele.

Por essa interpretação, os passos que devem ter sido dados na evolução são razoavelmente claros. Primeiro, usando imagens feitas com os componentes mais antigos do interior do organismo — os processos químicos metabólicos realizados, em grande medida, em vísceras e na circulação sanguínea, bem como com os movimentos que eles geravam —, a natureza gradualmente criou sentimentos. Em segundo lugar, usando imagens feitas com um componente menos antigo do interior — a estrutura esquelética e os músculos a ela ligados —, ela gerou uma representação do envoltório de cada vida, uma representação literal da casa habitada pelo respectivo ser vivo. A combinação desses dois conjuntos de representações abriu caminho para a consciência. Em terceiro lugar, usando os mesmos dispositivos formadores de imagens e um poder inerente destas — o de representar alguma outra coisa e simbolizá-la —, a natureza desenvolveu linguagens verbais.

IMAGENS REQUEREM SISTEMA NERVOSO

É possível existirem processos vitais complexos sem sistema nervoso, mas organismos multicelulares complexos *precisam* de um para gerenciar sua vida. O sistema nervoso tem papéis importantes por toda parte na gestão de organismos. Alguns exemplos: ele coordena movimentos — internamente, em vísceras, e externamente, com o uso de membros; coordena a produção e a entrega internas das moléculas químicas necessárias para manter condições da vida, em parceria com o sistema endócrino; coordena o comportamento geral do organismo em relação aos ciclos naturais de luz e escuridão, gerenciando as operações relacionadas de sono e vigília, bem como as mudanças necessárias no metabolismo; coordena a manutenção da temperatura corporal apropriada à continuidade da vida; e, por fim, mas longe de ser o menos importante, cria mapas e imagens, que são os ingredientes principais das mentes.

A formação de imagens não foi possível antes que o sistema nervoso ganhasse ainda mais complexidade. O mundo das esponjas ou dos cnidários, como as hidras, foi enriquecido pela dádiva de um sistema nervoso simples, mas provavelmente a formação de imagens não estava entre suas capacidades.[4] Só podemos conjecturar, mas mentes que se assemelham à nossa, de algum modo elementar, pertencem a seres muito mais elaborados, cujo sistema nervoso e comportamentos adquiriram grande complexidade. Quase com certeza elas estão presentes em insetos, por exemplo, e provavelmente em todos os vertebrados, ou pelo menos na maioria deles. Aves decerto possuem mente, e quando chegamos aos mamíferos, suas mentes só podem ser semelhantes à nossa o suficiente para que tratemos algumas das respectivas criaturas com a suposição natural de que entendem não só o que fazemos, mas muitas vezes como nos sentimos e às vezes como pensamos. Considere os casos dos chimpanzés, cães e gatos, elefantes, golfinhos, lobos. É evidente o fato de que não possuem linguagem verbal, de que sua capacidade de memória e intelecto é possivelmente menos prodigiosa do que a nossa e, portanto, não produzem artefatos culturais comparáveis aos dos humanos. Ainda assim, o parentesco e as semelhanças nos assombram e são importantes para nos ajudar a compreender a nós mesmos e como chegamos a ser o que somos.

O sistema nervoso é rico em dispositivos de mapeamento. O olho e a orelha mapeiam diversas características do mundo visual e do sonoro (respectivamente, na retina e na orelha interna), e continuam a fazê-lo nas estruturas do sistema nervoso central que vêm em seguida a elas, em uma sequência que avança profundamente no córtex cerebral. Quando tocamos um objeto com os dedos, os terminais nervosos distribuídos na pele mapeiam as diversas características do objeto: geometria geral, textura, temperatura etc. Paladar e olfato são outros dois canais para mapear o mundo externo. Um sistema nervoso avançado como o nosso constrói, com abundância, *imagens do mundo externo e imagens do mundo interno dos respectivos organismos*. Por sua vez, as imagens do mundo interno são de dois tipos bem distintos com relação à sua fonte e aos conteúdos: os mundos internos antigo e não tão antigo.

IMAGENS DO MUNDO FORA DO NOSSO ORGANISMO

As imagens do mundo externo originam-se em sondas sensitivas situadas na superfície do organismo, que coletam informações sobre todo tipo de detalhe da estrutura física do mundo que nos cerca. Os cinco sentidos tradicionais — visão, audição, tato, paladar e olfato — possuem órgãos especializados destinados a coletar essas informações (mas veja a nota 5 deste capítulo, sobre o sentido vestibular, que é estreitamente associado à audição). Quatro desses órgãos — os da visão, audição, paladar e olfato — localizam-se na cabeça, relativamente próximos uns dos outros. Os órgãos do olfato e paladar distribuem-se por pequenos trechos de mucosas, uma variante da pele que reveste as cavidades oral e nasal e é naturalmente mantida úmida e protegida da luz solar. O órgão especializado do tato está distribuído por toda a superfície da pele e das mucosas. Curiosamente, existem receptores do tato no intestino — sem dúvida, um vestígio do tempo em que o intestino e seu sistema nervoso eram os únicos personagens em cena.[5]

Cada sonda sensitiva é dedicada a extrair amostras e descrever aspectos específicos das incontáveis características do mundo externo. Nenhum dos cinco sentidos produz sozinho uma descrição abrangente do mundo externo, embora nosso cérebro por fim integre as contribuições parciais de cada sentido em uma descrição global de um objeto ou evento. O resultado dessa integração dá uma descrição aproximada do objeto "inteiro". Dessa maneira, é possível gerar uma imagem razoavelmente abrangente de um objeto ou evento. Provavelmente, não será uma descrição "completa", mas, com certeza para nós, é uma rica amostra de características; de qualquer modo, é tudo o que temos, dadas a natureza da realidade à nossa volta e a estrutura dos sentidos. Felizmente, todos nós estamos imersos nessa mesma "realidade", que nos chega por amostras incompletas, e todos temos limitações comparáveis na capacidade de formar imagens. As condições são equitativas entre os humanos e, em boa medida, entre estes e outras espécies.[6]

É assombrosa a especialização dos terminais nervosos de cada sentido. Cada um relacionou-se, no decorrer do tempo evolucionário, a aspectos e características específicos do universo ao redor. Sinais químicos e eletroquímicos são os modos pelos quais os terminais sensitivos transmitem informações de fora para dentro, através de vias nervosas periféricas e estruturas dos componentes inferiores do sistema nervoso central, como gânglios nervosos, núcleos da medula espinhal e núcleos da parte inferior do tronco encefálico. Contudo, a função crucial da qual depende a formação de imagens é o mapeamento, frequentemente um mapeamento macroscópico: a capacidade de representar diferentes dados provenientes de uma amostragem do mundo externo no mesmo tipo de cartografia, um espaço no qual o cérebro pode representar padrões de atividade e a relação espacial dos elementos ativos do padrão. É assim que o cérebro mapeia a forma de um objeto ou de um rosto, de um contorno ou de um som, a forma do objeto que você toca.

IMAGENS DO MUNDO INTERNO DO NOSSO ORGANISMO

Como já dissemos, existem dois tipos de mundo dentro dos organismos: o mundo interno antigo e o não tão antigo. Aquele cuida da homeostase básica. Ele é o primeiro e o mais antigo mundo interno. Em um organismo multicelular, esse é o mundo interno do metabolismo, com todas as químicas a ele relacionadas, de vísceras, como coração, pulmões, intestino e pele, e dos músculos lisos, que podem ser encontrados em todas as partes do organismo, ajudando a construir as paredes de vasos sanguíneos e os invólucros dos órgãos. Os músculos lisos também são, eles próprios, elementos viscerais.

As imagens do mundo interno são aquelas que descrevemos com palavras como "bem-estar", "fadiga" ou "mal-estar", "dor" e "prazer", "palpitações", "azia", "cólica". Elas são de um tipo especial, pois não "retratamos" o mundo interno antigo do mesmo modo que retratamos objetos do mundo externo. Há menos detalhes, com certeza, embora sejamos capazes de ilustrar mentalmente as geometrias mutáveis das vísceras no idioma das sensações viscerais — a contração da faringe e da laringe que ocorre quando sentimos medo, a contração das vias aéreas e a falta de ar características de uma crise de asma; e podemos fazer o mesmo para os efeitos de certas moléculas sobre diversos componentes do corpo, que frequentemente incluem reações motoras como tremores. Essas imagens do mundo interno antigo nada mais são do que os componentes centrais dos *sentimentos*.

Lado a lado com o mundo interno antigo existe também um mundo interno *mais novo*, dominado por nosso esqueleto e pelos músculos a ele ligados, os esqueléticos. Os músculos esqueléticos também são conhecidos como "estriados" ou "voluntários"; isso ajuda a distingui-los da variedade dos músculos "lisos" ou "autônomos", que são puramente viscerais e não estão submetidos ao nosso controle voluntário. Usamos os músculos esqueléticos para nos mover, manipular objetos, falar, escrever, dançar, tocar música, operar máquinas.

A estrutura geral do corpo, dentro da qual parte do mundo visceral antigo está localizada, é o arcabouço sobre o qual se assenta o velho mundo da pele. Repare que a pele é a maior de todas as nossas vísceras, e que a estrutura geral do corpo é a base onde estão situados os nossos *portais sensitivos*, incrustados como pedras preciosas em uma joia complexa.

Com o termo "portais sensitivos", refiro-me tanto às sondas sensitivas como às regiões da estrutura corporal onde elas estão implantadas. Quatro das principais sondas sensitivas estão bem circunscritas: as órbitas, a musculatura que controla os olhos e o mecanismo no interior dos olhos; as orelhas, incluindo a cavidade timpânica e a membrana timpânica; o nariz e suas mucosas olfativas; e as papilas gustativas na língua. Quanto ao quinto portal — a pele, com a qual podemos tocar um objeto e avaliar texturas —, ele se distribui por todo o corpo, ainda que não de modo uniforme, pois se concentra predominantemente nas mãos, boca e regiões mamilares e genitais.

A razão pela qual dou tanto destaque à noção de portal sensitivo é o seu papel na geração da perspectiva. Explico. Nossa visão, por exemplo, é resultado de um encadeamento de processos que começam na retina e continuam por várias estações do sistema visual, como os nervos ópticos, os núcleos geniculados superiores e os colículos superiores, os córtices visuais primário e secundário. No entanto, para produzir a visão, também precisamos executar os atos de *olhar* e *ver,* e esses atos são realizados por *outras* estruturas do corpo (grupos musculares diversos) e do sistema nervoso (regiões de controle motor), *separadas das estações do sistema visual.* Essas outras estruturas localizam-se no portal sensitivo visual.

Em que consiste o portal sensitivo visual? A órbita; a musculatura das pálpebras e ao redor dos olhos com a qual franzimos as sobrancelhas e concentramos o olhar; o cristalino, com o qual ajustamos o foco visual; o diafragma, com o qual controlamos a quantidade de luz; e os músculos com os quais movemos os olhos. Todas essas estruturas e suas respectivas ações são bem coordenadas com o processo visual primário, mas não fazem parte dele. Têm obviamente um papel prático; são assistentes, digamos assim. Mas têm também um papel um tanto mais grandioso e impremeditado, do qual tratarei mais adiante, ao analisarmos a subjetividade.

O mundo interno *antigo* é de regulação da vida variável. Pode ou não funcionar bem, mas a qualidade de seu funcionamento é crucial para nossa vida e nossa mente. Sendo assim, a formação de imagens do mundo interno antigo em ação — o estado das vísceras, as consequências de seus processos químicos — tem de refletir a qualidade do estado desse universo interno, seja ela boa ou má. O organismo precisa ser afetado por essas imagens. Não se pode dar ao luxo de ser indiferente a elas, pois a sobrevivência depende das informações sobre a vida que essas imagens refletem. Tudo nesse mundo interno antigo é qualificado: bom, mau ou intermediário. É um mundo de *valência*.

O mundo interno *novo* é dominado pela estrutura corporal, pela localização e estado dos portais sensitivos contidos nessa estrutura e pela musculatura voluntária. Os portais sensitivos aguardam na estrutura corporal e dão contribuição importante para as informações geradas pelos mapas do mundo externo. Claramente, eles indicam à mente do organismo as *localizações* das fontes das imagens que estão sendo geradas dentro dele, naquele momento. Isso é necessário para a construção de uma imagem do organismo geral que, como veremos, é um passo crítico na geração da subjetividade.

O mundo interno *novo* também gera valência, pois sua carne viva não escapa dos caprichos da homeostase. No entanto, as suas vulnerabilidades são menores que as do antigo. O esqueleto e a musculatura esquelética formam uma carapaça protetora. Revestem fortemente o delicado mundo antigo das químicas e vísceras. O mundo interno novo está para o mundo interno antigo como um exoesqueleto fabricado por engenheiros está para o nosso esqueleto real.

6. Mentes em expansão

A ORQUESTRA OCULTA

O poeta Fernando Pessoa comparou sua alma a uma orquestra oculta. "Não sei que instrumentos tange e range, cordas e harpas, tímbales e tambores, dentro de mim", ele escreveu em *Livro do desassossego*.[1] Ele só se conhecia como sinfonia. Sua intuição é especialmente apropriada, pois as construções que habitam nossa mente podem muito bem ser imaginadas como execuções musicais efêmeras, tocadas por várias orquestras ocultas, no interior do organismo às quais pertencem. Pessoa não se declarou intrigado com quem estaria tocando todos aqueles instrumentos ocultos. Talvez visse a si mesmo multiplicado, responsável por todas as execuções, mais ou menos como o personagem Oscar Levant, em *Sinfonia de Paris* — nada surpreendente, para um homem que inventou tantos pseudônimos.[2] No entanto, poderíamos perguntar: quem, exatamente, são os músicos que tocam nessas orquestras imaginárias? E a resposta é: *os objetos e eventos no mundo ao redor do nosso organismo, realmente presentes ou evocados na memória, e os objetos e eventos no mundo interno.*

E os instrumentos? Pessoa não sabia identificar os instrumentos que podia ouvir tão bem, mas nós podemos fazer isso por ele. Há dois grupos de instrumentos na orquestra de Pessoa. Primeiro, os principais, os *mecanismos sensitivos*, através dos quais o mundo ao redor e no interior de um organismo interage com o sistema nervoso. Segundo, os mecanismos que respondem emotivamente, de modo contínuo, à presença mental de qualquer objeto ou evento. A resposta emotiva consiste em alterar o curso da vida no interior antigo dos organismos. Esses dispositivos são conhecidos como impulsos, motivações e emoções.

Os vários executantes — objetos e eventos presentes no momento, ou evocados da memória — não tangem as cordas de violinos ou violoncelos, não tocam as teclas de inúmeros pianos, mas a metáfora capta a situação. Objetos e eventos realmente "tocam", no sentido de que, como entidades distintas na mente do organismo, eles podem agir sobre certas estruturas neurais do organismo, "afetar" o estado deste, e mudar aquelas outras estruturas por um momento passageiro. Enquanto "tocam", suas ações resultam em certo tipo de música, a música dos nossos pensamentos e sentimentos e dos significados que emergem das narrativas internas que eles ajudam a construir. O resultado pode ser ou não sutil. Às vezes, equivale à apresentação de uma ópera. Você pode assistir passivamente, ou pode intervir, modificar a partitura em maior ou menor grau e produzir resultados imprevistos.

Para examinar a natureza e a composição das orquestras internas e os tipos de música que elas podem criar, invocarei o arranjo tríplice que esbocei para a formação de imagens. Os sinais com os quais as imagens são construídas provêm de três fontes: *do mundo ao redor do organismo*; de onde são coletados dados por órgãos específicos localizados na pele e em algumas mucosas; e de dois componentes distintos do *mundo interno do organismo*: *o antigo compartimento químico/visceral* e a *não tão antiga estrutura musculoesquelética e seus portais sensitivos*. É comum que análises sobre eventos mentais privilegiem o mundo ao redor, como se mais nada fizesse parte da mente ou contribuísse significativamente para ela. Também é comum que análises que levam em conta o interior deixem de fazer a distinção que faço aqui, entre o mundo evolucionário antigo, da química e das vísceras, e o mundo evolucionário mais recente, da estrutura musculoesquelética e dos portais sensitivos.

Muitas vezes se diz que essas "fontes" são "conectadas" ao sistema nervoso central e que este cria mapas e compõe imagens com o material que recebe. Mas essa seria uma simplificação enganosa do que realmente ocorre. As relações entre o sistema nervoso e o corpo não têm nada de simples.

Para começar, as três fontes indicadas contribuem com materiais muito diferentes para o sistema nervoso. Em segundo lugar, geralmente as "conexões" das três fontes são consideradas comparáveis, porém não o são, de modo algum. Elas são equivalentes apenas no sentido de que todas as três podem gerar sinais eletroquímicos direcionados para o sistema nervoso central. Na realidade, porém, a própria anatomia e operação dos "fios conectores" é muito distinta, sobretudo no caso do interior químico/visceral antigo. Em terceiro lugar, além da sinalização eletroquímica, o mundo interno antigo comunica-se com o sistema nervoso central diretamente, por intermédio de sinais puramente químicos ainda mais antigos. Em quarto lugar, o sistema nervoso central pode responder *diretamente* a sinais provenientes do interior, em especial do mundo interno antigo, agindo assim como a fonte dos sinais. Na maioria dos casos, ele não age *diretamente* sobre o mundo externo. O "interior" e o sistema nervoso formam um complexo interativo; o "exterior" e o sistema nervoso, não. Em quinto lugar, todas as fontes comunicam-se com o sistema nervoso central de modo "graduado", e com isso as mensagens são transformadas à medida que os sinais são processados desde suas origens "periféricas" até o sistema nervoso central. A realidade é muito mais confusa do que gostaríamos.[3]

A impressionante riqueza dos nossos processos mentais depende de imagens baseadas em contribuições desses mundos, montadas entretanto por diferentes estruturas e processos. O mundo externo contribui com imagens que descrevem a estrutura percebida do universo que nos cerca, dentro dos limites dos nossos mecanismos sensitivos. O interior antigo é quem mais contribui com as imagens que, em outras circunstâncias, chamamos de sentimentos. O novo interior traz à mente imagens da estrutura total, mais ou menos global do organismo, e contribui com sentimentos adicionais. As explicações sobre a vida mental que deixarem de levar em consideração esses fatos serão provavelmente malsucedidas.

Decerto, as imagens podem ser modificadas, sofrer acréscimos e ser interconectadas, resultando em um enriquecimento de processos mentais. Mas as que servem de substrato para as transformações e combinações originam-se em três mundos distintos, e é preciso levar em conta suas respectivas contribuições distintas.

PRODUÇÃO DE IMAGENS

A produção de imagens de qualquer tipo, do mais simples ao mais complexo, é resultado de mecanismos neurais que criam mapas e, posteriormente, permitem que eles interajam; assim, imagens combinadas geram conjuntos ainda mais complexos e acabam por representar os universos externos ao sistema nervoso, dentro e fora do organismo. A distribuição de mapas e imagens correspondentes não é uniforme. As imagens relacionadas ao mundo interno primeiramente se integram em núcleos do tronco encefálico, embora sejam novamente representadas e expandidas em algumas regiões cruciais do córtex cerebral, como os córtices insulares e os cingulados. Aquelas relacionadas ao mundo externo são integradas principalmente no córtex cerebral, embora os colículos superiores também tenham papel integrativo.

Nossa experiência dos objetos e eventos do mundo externo é naturalmente multissensorial. Os órgãos da visão, da audição, do tato, do paladar e do olfato são exigidos conforme o momento perceptual. Quando você ouve uma execução musical em uma sala de concerto às escuras, o trabalho dos sentidos não é o mesmo de quando você está nadando debaixo d'água, tentando ver um recife de coral. As fontes sensitivas dominantes diferem, mas invariavelmente são mais de uma, e se conectam com mais de uma região sensorial do sistema nervoso central — as regiões de "processamento inicial" nos córtices auditivo, visual e tátil, por exemplo. É interessante o fato de que outro conjunto de regiões cerebrais conhecido como córtices "de associação" faz a necessária integração das imagens compostas nas regiões "iniciais".

A interconexão de córtices de associação com córtices iniciais é responsável pela integração. Como resultado, os componentes separados que contribuem para a percepção de um dado momento no tempo podem ser experimentados como um todo. (Um dos componentes da consciência corresponde a essa integração de imagens em grande escala.) A integração ocorre como resultado da ativação de várias regiões separadas simultaneamente *e* em sequência. Equivale mais ou menos a editar um filme selecionando imagens visuais e trechos de trilha sonora, ordenando-os conforme necessário, porém sem imprimir o resultado final. Este acontece na "mente" e enquanto o processo está em andamento; ele desaparece com o passar do tempo, exceto pelo resíduo na memória que pode permanecer, de forma codificada. Todas as imagens do mundo externo são processadas paralelamente com as respostas *afetivas* que elas produzem agindo em outras partes do cérebro — em núcleos específicos do tronco encefálico e dos córtices cerebrais que se relacionam à representação do estado do corpo, por exemplo, a região insular. Isso significa que nosso cérebro está ocupado não apenas mapeando e integrando diversas fontes sensoriais externas, mas também, simultaneamente, mapeando e integrando estados internos, um processo cujo resultado é nada menos do que os sentimentos.

DA SALA DE CONCERTO À SALA DE CRIAÇÃO DE MAPAS

De que são feitos os mapas? É correto dizer que as estruturas responsáveis localizam-se no sistema nervoso central, porém deve-se deixar claro que muitas estruturas intermediárias no sistema nervoso periférico preparam e montam previamente o material para os mapas neurais centrais. No nosso caso, as estruturas criadoras de mapas situam-se em três camadas cerebrais: em vários núcleos de neurônios no tronco encefálico e no teto (incluindo os núcleos coliculares); nos núcleos geniculados situados mais acima no telencéfalo; e, em maior abundância e mais expansivamente, em numerosas regiões do córtex cerebral. Essas regiões são dedicadas ao processamento de canais específicos de informação sensorial. Visão, audição e tato surgem desse modo, em ilhas do sistema nervoso interconectadas e dedicadas a determinada modalidade sensorial. Subsequentemente, ocorre a integração dos sinais que foram segregados primeiro de acordo com a modalidade. Isso acontece no nível subcortical – nas camadas profundas dos colículos superiores – e no córtex cerebral, onde é permitido que os sinais provenientes das diversas regiões mapeadoras de cada fluxo sensitivo se misturem e interajam. Isso é feito por meio de uma intricada rede de interconexões neuronais hierárquicas. Graças a essa operação integrativa, podemos, por exemplo, ver uma pessoa cujos lábios estão se movendo e simultaneamente ouvir sons que são sincronizados com os movimentos labiais.

Agora, pense um pouco na proeza que o nosso cérebro realiza quando faz malabarismos com imagens de tantos tipos sensoriais, de origem externa e interna, e as transforma em "filmes no cérebro" integrados. Em comparação, editar um filme é moleza.

SIGNIFICADOS, TRADUÇÕES VERBAIS E A PRODUÇÃO DE MEMÓRIAS

Nossas percepções e as ideias que elas evocam geram continuamente uma descrição paralela baseada em linguagem. Essa descrição também é construída com imagens. Todas as palavras que usamos, em qualquer linguagem — falada, escrita ou percebida pelo tato, como no braile —, são feitas mentalmente de imagens. Isso vale para as mensagens auditivas dos sons de letras, palavras e inflexões e também para os correspondentes códigos visuais de símbolos/letras que representam esses sons.

Mas as mentes não são feitas apenas de imagens diretas de objetos e eventos e de suas traduções em linguagem. Nelas também estão presentes inúmeras outras imagens associadas a propriedades e relações daqueles objetos ou eventos. A coleção de imagens tipicamente relacionadas a um objeto ou evento equivale à "ideia" desse objeto ou evento, seu "conceito", seu significado, sua semântica. Ideias — conceitos e seus significados — podem ser traduzidas no idioma dos símbolos e permitir o pensamento simbólico. Também podem ser convertidas em uma classe especial de símbolos complexos, o idioma verbal. Palavras e sentenças, estas governadas por regras gramaticais, executam a tradução, mas as traduções também se baseiam em imagens. Toda a mente é feita de imagens, desde a representação de objetos e eventos até seus conceitos e traduções verbais correspondentes. Imagens são o símbolo universal da mente.[4]

* * *

Podem ser guardadas na memória as integrações sensoriais realizadas durante a percepção, as ideias que seu processamento suscita e a tradução verbal de muitos aspectos desses processos. Construímos momentos perceptuais multissensoriais em nossa mente e, se tudo correr bem, podemos memorizar e, posteriormente, recordar esses momentos perceptuais e trabalhar com eles na imaginação.

Mais à frente, tratarei do problema de como imagens se tornam conscientes e aparecem em nossa mente como se pertencessem de modo muito claro e particular a cada um de nós. Tomamos conhecimento das imagens graças ao complexo processo da consciência, e não por obra de algum "homúnculo" misterioso. Curiosamente, como veremos no capítulo 9, o próprio processo da consciência depende de imagens. Porém, independentemente de sua contribuição para a consciência, é evidente que, uma vez criadas e processadas, mesmo em um nível elementar, as imagens podem guiar ações de modo *direto* e *automático*. Fazem isso representando alvos para ações e, assim, capacitando o sistema muscular, guiado por imagens, para atingir o alvo com maior precisão. Para ter uma ideia dessa vantagem, imagine que você precisa se defender de um inimigo cuja presença seja indicada somente pelo olfato. Como você vai atingir o alvo? Onde exatamente? Você não contaria com as coordenadas espaciais que a visão nos oferece diretamente, e que o som também pode fornecer, especialmente se você for um morcego!

As imagens visuais permitem que os organismos atuem com precisão sobre um alvo; uma imagem auditiva permite a um organismo se orientar no espaço, inclusive no escuro, como nós conseguimos fazer razoavelmente bem, e os morcegos fazem com mestria. É necessário apenas que o organismo esteja em estado de vigília e atenção, e que o conteúdo das imagens seja *relevante* para a vida do organismo naquele momento específico. Em outras palavras, as imagens têm de ser capazes de ajudar o organismo a comportar-se de modo eficiente, mesmo que elas simplesmente otimizem o controle das ações e mesmo na ausência de subjetividade complexa, análise reflexiva e ponderação. Assim que a formação de imagens tornou-se possível, a natureza não poderia ter deixado de selecioná-las.

ENRIQUECIMENTO DAS MENTES

Nossa mente complexa e infinitamente rica é resultado, como tantas vezes na longa história da vida, de combinações cooperativas de elementos simples. No caso das mentes, não estamos falando de células reunidas para formar tecidos e órgãos, nem de genes instruindo aminoácidos para formar inúmeras proteínas. A unidade básica para as mentes é a imagem, que pode ser de uma coisa, do que uma coisa faz, do que a coisa faz você sentir, do que você pensa sobre a coisa, ou das palavras que traduzem qualquer um desses itens ou todos eles.

Já mencionei que fluxos separados de imagens podem ser integrados para produzir representações mais ricas de realidades externas e internas. A integração de imagens relacionadas a visão, audição e tato é um modo dominante de enriquecimento da mente, mas a integração assume muitas formas. Ela pode representar um objeto a partir de várias perspectivas sensoriais, e também encadear objetos e eventos conforme eles se inter-relacionam no tempo e no espaço, produzindo o tipo de sequências significativas que chamamos de narrativas. Também conhecemos o mundo da narrativa como o da criação de histórias, um mundo com personagens, ações e cenários, com vilões e heróis, com sonhos, ideais e desejos, um mundo onde o protagonista luta com seus inimigos e conquista o coração da mocinha, que assistiu aos acontecimentos temerosa, mas confiante na vitória de seu herói. A vida é feita de uma infinidade de histórias, simples e complexas, banais e distintas, que descrevem todo o som, a fúria e a quietude das existências, e que significam muito.[5]

Expliquei resumidamente o segredo da mente para a narrativa ou contagem de histórias: acoplar os componentes distintos, encadeando-os em um trem em movimento — a velha linha de pensamento, sem dúvida. Como o cérebro faz isso? Por meio de diferentes regiões sensoriais, que contribuem com a parte necessária, no momento certo, para que possa formar-se um trem do *tempo*, e de estruturas de associação que coordenam a sincronização dos componentes e a composição e o movimento do trem. Qualquer região sensorial primária pode ser convocada para contribuir, conforme a necessidade; todos os córtices de associação precisam colaborar com as funções de controle do tempo e movimento. Um grupo específico de córtices de associação que vem sendo estudado em detalhes constitui a chamada *default mode network* [rede em modo padrão]. Essa rede tem um papel desproporcional no processo da montagem de narrativas.[6]

O processamento de imagens também permite ao cérebro *abstrair* imagens e descobrir a estrutura esquemática que fundamenta uma imagem visual ou sonora, ou até as imagens integradas de um movimento que descrevem um estado de sentimento. No curso de uma narrativa, por exemplo, uma imagem visual ou auditiva relacionada pode ser usada no lugar de outra mais previsível, ensejando assim uma *metáfora* visual ou auditiva, um modo de *simbolizar* objetos e eventos em termos visuais ou auditivos. Em outras palavras, para começar, as imagens originais são importantes por si mesmas e também como o alicerce da nossa vida mental. Entretanto, sua manipulação pode gerar derivações inéditas.

A incessante tradução de qualquer imagem que percorra nossa mente para uma linguagem talvez seja o modo de enriquecimento mais espetacular. Tecnicamente, as imagens que servem de veículo para as trilhas da linguagem viajam paralelamente às originais que estão sendo traduzidas. São imagens adicionadas, é claro, derivações traduzidas dos originais. Esse processo é ainda mais prazeroso — ou enlouquecedor — para aqueles dentre nós que dominam várias línguas: vemo-nos diante de múltiplas trilhas verbais paralelas, e a mistura e combinação das palavras pode ser bem divertida ou exasperante.

Assim como os códigos das células que produzem tecidos e órgãos, e os códigos dos nucleotídeos que produzem proteínas, as palavras que usamos na mente são compostas — sons de um alfabeto que podem ser ouvidos e representados em modo tátil ou visual. Dado determinado conjunto de regras para a combinação de sons em palavras e para o arranjo das palavras segundo o conjunto específico de regras gramaticais, todo o escopo da nossa mente pode ser descrito infinitamente.

UMA OBSERVAÇÃO SOBRE A MEMÓRIA

A maior parte de tudo o que está disponível em nossas imagens mentais recém-criadas é passível de gravação interna, gostemos ou não. A fidelidade da gravação depende, para começar, do grau de atenção que prestamos às imagens, e isso, por sua vez, depende de quanta emoção e sentimento são gerados pela travessia dessas imagens no rio da nossa mente. Muitas imagens permanecem gravadas, e porções substanciais da gravação podem ser buscadas nos arquivos, reconstruídas com maior ou menor exatidão e reproduzidas. Às vezes, a recordação de material antigo compete com o novo material que está sendo gerado no momento.

A memória está presente em organismos unicelulares, e, nestes, ela resulta de mudanças químicas. Seu uso fundamental é o mesmo encontrado nos organismos complexos: ela ajuda a reconhecer outro organismo vivo ou situação e a aproximar-se dele, ou evitá-lo. Nós também damos esse uso simples à memória química/unicelular, e dele nos beneficiamos. Esse é o tipo de memória presente, por exemplo, em nossas células imunes. Somos beneficiados por vacinas porque, depois de expormos nossas células imunes a um patógeno potencialmente perigoso, mas inativado, as células tornam-se capazes de identificar esse patógeno se o encontrarem uma próxima vez, e o atacarão sem piedade quando ele tentar conquistar terreno em nosso organismo.

As memórias que caracterizam nossa mente seguem os mesmos princípios gerais, porém o que memorizamos não são modificações químicas ocorridas no nível molecular, e sim modificações de cadeias de circuitos neurais. As modificações relacionam-se a imagens elaboradas, de todos os tipos sensitivos, experimentadas isoladamente ou como parte das narrativas que percorrem nossa mente. São monumentais os problemas que a natureza resolveu ao longo do caminho que possibilitou o aprendizado e a recordação de imagens. Também são admiráveis as soluções que a natureza encontrou, nos níveis molecular, celular e sistêmico. No nível dos sistemas, a solução que é mais diretamente relevante para a nossa discussão — a memória de imagens, por exemplo, a de uma cena que percebemos em bases visuais e auditivas — é obtida convertendo imagens explícitas em um "código neural" que permitirá, posteriormente, operando em sentido inverso, uma reconstrução mais ou menos completa de imagens no processo da recordação. Os códigos representam, de forma não explícita, o conteúdo real de imagens e sua sequência, e são armazenados nos dois hemisférios cerebrais, em córtices de associação das regiões occipitais, temporais, parietais e frontais. Essas regiões são interligadas, por meio de circuitos de cabos neurais hierárquicos e bidirecionais, ao grupo que chamo de "córtices sensitivos iniciais", que são as primeiras regiões de processamento das imagens explícitas. Durante o processo da recordação, acabamos por reconstruir uma aproximação mais ou menos fiel da imagem original, usando vias neurais inversas, que operam a partir de regiões armazenadoras de códigos e produzem efeitos nas regiões de criação explícita de imagens, em um processo que chamamos de retroativação.[7]

Uma estrutura cerebral hoje famosa, o hipocampo, é um importante parceiro cortical nesse processo. Duplicado nos hemisférios esquerdo e direito, ele é essencial para produzir o nível mais elevado da integração codificada de imagens, além de permitir a conversão de codificações temporárias em permanentes.

A perda do hipocampo nos dois hemisférios cerebrais interrompe a formação e o acesso da memória de longo prazo de cenas integradas. Eventos únicos deixam de ser recordados, mesmo que objetos e eventos ainda possam ser reconhecidos fora de um contexto único. A pessoa é capaz de reconhecer uma casa como uma casa, mas não a específica em que ela mora. O conhecimento episódico, adquirido por experiências pessoais, individuais, não é mais acessível. O genérico, semântico, ainda é recuperável. A encefalite por herpes simples já foi uma das maiores causas desse tipo de perda incapacitante, mas hoje a causa mais frequente é a doença de Alzheimer. Células específicas nos complexos circuitos hipocampais são comprometidas por essa doença. A destruição gradual não permite mais aprender ou recordar efetivamente eventos integrados. O resultado é uma perda de memória progressiva.

Pessoas, eventos e objetos únicos não podem mais ser recordados ou reconhecidos, e torna-se impossível aprender coisas novas.

Agora está claro que o hipocampo é um local importante para a neurogênese — o processo de geração de novos neurônios que são incorporados aos circuitos locais. A formação de novas memórias depende em parte da neurogênese. Sabemos que, curiosamente, o estresse, que prejudica a memória, reduz a neurogênese. O aprendizado e a recordação de atividades motoras relacionadas — como uma execução musical ou a prática de esportes, por exemplo —, em estreita associação com o sistema hipocampal, dependem de diversas estruturas cerebrais: os hemisférios cerebelares, os núcleos da base e os córtices sensitivo-motores. O processamento de imagens motoras e não motoras pode ser harmonizado em concordância com sua coordenação típica em atividades cotidianas. As imagens correspondentes a uma narrativa verbal e aquelas correspondentes a um conjunto de movimentos relacionados frequentemente ocorrem juntas na experiência em tempo real, e, embora suas respectivas memórias sejam criadas e mantidas em sistemas diferentes, elas podem ser recordadas de modo integrado. Cantar uma música com letra requer a integração sincronizada de diversos fragmentos de recordação: a melodia que guia o canto, a memória da letra, as memórias relacionadas à execução motora.

A recordação de imagens trouxe novas possibilidades para a mente e para o comportamento. Uma vez dotados da capacidade de aprender e recordar imagens, os organismos tornaram-se capazes de reconhecer encontros passados com objetos e tipos de eventos; e agora, as imagens, como assistentes do raciocínio, ajudam os organismos a comportar-se do modo mais preciso, eficaz e útil.

Em grande medida, o raciocínio requer uma interação entre o que as imagens correntes mostram como o *agora* e o que as imagens recordadas mostram como o *antes*. Além disso, um raciocínio eficaz requer antever o que virá em seguida, e o processo de imaginação necessário para prever consequências também depende da recordação do passado. Recordar ajuda a mente consciente nos processos de pensar, julgar e decidir — em suma, nas tarefas que desempenhamos todos os dias e em todos os afazeres da vida, dos mais triviais aos sublimes.

A recordação de imagens passadas é essencial para o processo de imaginação, o qual, por sua vez, é a fonte da criatividade. Imagens recordadas também são essenciais para a construção de narrativas, a contagem de histórias que é tão distintiva da mente humana e que usa imagens correntes e antigas junto com traduções de linguagem de quase tudo o que está sendo narrado em nossa filmagem interna. Os significados derivados dos fatos e ideias, associados aos diversos objetos e eventos incluídos nas narrativas, são adicionalmente iluminados pela estrutura e pelo curso da própria narrativa.

O mesmo roteiro — protagonistas, lugar, acontecimentos e desfecho — pode gerar diferentes interpretações e, assim, ter diferentes significados, dependendo do modo como é contado. Em termos mentais, a ordem de introdução de objetos e eventos, bem como a natureza das respectivas descrições em termos de magnitude e qualificação, é decisiva para a interpretação que fazemos da narrativa, para o modo como ela será armazenada na memória e como será recordada posteriormente. Somos incansáveis narradores de histórias sobre quase tudo em nossa vida, principalmente, mas não apenas, sobre coisas importantes, e colorimos livremente as nossas narrativas com todas as tendenciosidades das nossas experiências passadas e dos nossos gostos e aversões. Não há nada de justo e neutro em nossas narrativas, a menos que façamos o esforço de reduzir nossas preferências e preconceitos, o que é muito recomendável quando se trata de coisas que realmente importam para nossa vida e para a de outras pessoas.

Uma quantidade considerável de capacidade cerebral foi alocada para os mecanismos de busca que podem, automaticamente ou sob demanda, trazer de volta recordações de nossas aventuras mentais passadas. Esse processo é crucial, pois, na verdade, grande parte do que guardamos na memória não diz respeito ao passado, e sim ao futuro antevisto, aquele que apenas imaginamos para nós e nossas ideias. Esse processo imaginativo, que, em si, é uma mistura complexa de pensamentos correntes e antigos, de imagens novas e imagens antigas recordadas, também está infalivelmente sendo guardado na memória. O processo criativo é gravado para um possível e prático uso futuro. Ele pode retornar de supetão ao presente, pronto para enriquecer nosso prazer com um momento suplementar de felicidade, ou para aumentar nosso sofrimento após uma perda. Esse simples fato, em si, já justifica o status excepcional do ser humano entre os seres vivos.[8]

A busca e a varredura constantes em nossas memórias do passado e futuro permitem-nos, na prática, intuir possíveis significados de situações correntes e *predizer* o futuro possível, imediato e não tão imediato, à medida que a vida acontece. É razoável dizer que passamos parte da vida no futuro antevisto, e não no presente. Essa possivelmente é mais uma consequência da natureza da homeostase, com sua projeção constante além do presente, em busca do que virá em seguida.

ENRIQUECIMENTO DA MENTE

Integração de imagens em vários locais corticais, incluindo córtex e o circuito hipocampal associado;
Abstração de imagens e metáfora;
Memória: aprendizado e mecanismos de busca baseados em imagens; mecanismos de busca e predição do futuro imediato com base em buscas contínuas na memória;
Construção de conceitos a partir das imagens de objetos e eventos, incluindo a classe de eventos conhecida como sentimentos;
Tradução verbal de objetos e eventos;
Geração de continuidades narrativas;
Raciocínio e imaginação;
Construção de narrativas em grande escala que integram elementos ficcionais e sentimentos;
Criatividade.

7. Afeto

O aspecto da mente que domina nossa existência, ou parece fazê-lo, diz respeito ao mundo que nos cerca, real ou evocado da memória, com seus objetos e eventos, humanos ou não, representados por inúmeras imagens de todos os tipos sensitivos, frequentemente traduzidas em linguagens verbais e estruturadas em narrativas. Porém — um notável porém —, existe um mundo mental paralelo que acompanha todas essas imagens, muitas vezes tão sutil que não exige nenhuma atenção para si, mas ocasionalmente é tão significativo que altera o curso da parte dominante da mente, por vezes de modo avassalador. Refiro-me ao mundo paralelo do *afeto*, no qual encontramos *sentimentos* viajando ao lado da imagem comumente mais dominante da nossa mente. As causas imediatas dos sentimentos são: (a) o fluxo dos processos vitais que ocorre em segundo plano no organismo e que experimentamos como sentimentos *espontâneos* ou *homeostáticos*; (b) as *respostas emotivas* desencadeadas pelo processamento de inúmeros estímulos dos sentidos como gostos, odores, sensações táteis, estímulos auditivos e visuais, as quais, quando experimentadas, são uma das fontes dos *qualia*; e (c) as respostas emotivas resultantes de *impulsos* (por exemplo, fome ou sede), *motivações* (como luxúria ou brincadeira), ou *emoções*, no sentido tradicional e apropriado do termo, que são programas de ação ativados pelo confronto com numerosas situações, algumas delas complexas; entre os exemplos de emoções estão alegria, tristeza, medo, raiva, inveja, ciúme, desprezo, compaixão e admiração. As respostas emotivas descritas em (b) e (c) geram sentimentos *provocados*, em vez da variedade espontânea que emerge do fluxo homeostático "sem afeto". Cabe notar que, infelizmente, as experiências sentidas de emoções são conhecidas pelo mesmo nome que as emoções propriamente ditas. Isso ajuda a perpetuar a falsa noção de que emoções e sentimentos são o mesmo fenômeno, muito embora eles sejam bem distintos.

O afeto, portanto, é uma tenda bem ampla sob a qual deposito não só todos os sentimentos possíveis, mas também as situações e mecanismos responsáveis por produzi-los, ou seja, por produzir as ações cujas experiências tornam-se sentimentos.

Sentimentos acompanham a trajetória da vida em nosso organismo, tudo o que percebemos, aprendemos, lembramos, imaginamos, raciocinamos, julgamos, decidimos, planejamos ou criamos mentalmente. Conceber os sentimentos como visitantes ocasionais da mente ou como sendo causados apenas pelas emoções típicas não faz jus à ubiquidade e à importância funcional do fenômeno.

Quase toda imagem na procissão principal que chamamos de mente, desde o momento em que o item é atingido pelo holofote mental da atenção até aquele em que o deixa, tem um sentimento ao seu lado. As imagens são tão ávidas por companhia afetiva que até as que constituem um sentimento proeminente podem ser acompanhadas por outros sentimentos, mais ou menos como os harmônicos de um som, ou os círculos que se formam quando uma pedra cai na superfície da água. Não existe *ser*, no sentido estrito do termo, sem uma experiência mental espontânea da vida, um sentimento de existir. O nível mais fundamental do ser corresponde a um estado de sentimento que é enganosamente contínuo e interminável, um coro mental mais ou menos intenso que serve de trilha para todo o resto da atividade mental. Digo "enganosamente" porque a aparente continuidade é construída em etapas a partir de múltiplos pulsos de sentimento derivados do fluxo de imagens em curso.

A ausência completa de sentimentos significaria uma suspensão da existência, porém até mesmo uma remoção radical deles comprometeria a natureza humana. Hipoteticamente, se você reduzisse as "trilhas" de sentimento da sua mente, ficaria apenas com cadeias dessecadas de imagens sensitivas do mundo exterior em todas as variedades conhecidas — visuais, sonoras, táteis, olfativas, gustativas, mais ou menos concretas ou abstratas, traduzidas ou não para alguma forma simbólica, ou seja, verbal, provenientes da percepção, ou evocadas da memória. E seria ainda pior se você tivesse nascido sem as trilhas de sentimentos: o resto das imagens viajaria pela sua mente *sem* ser afetado e *sem* ser qualificado. Uma vez removidos os sentimentos, você se tornaria incapaz de classificar imagens como belas ou feias, prazerosas ou dolorosas, elegantes ou vulgares, espirituais ou mundanas. Poderia ainda ser treinado, com muito esforço, a fazer classificações estéticas ou morais de objetos ou eventos (isso também poderia ser feito com um robô, obviamente). Em teoria, você precisaria depender de uma análise deliberada de características perceptuais e contextos e de um esforço bruto de aprendizado. Mas acontece que é difícil conceber um aprendizado natural sem as propriedades de recompensa e os sentimentos que as acompanham!

Por que o mundo do afeto é tão desconsiderado ou não valorizado, se a vida normal é inconcebível sem ele? Talvez seja porque os sentimentos normais são onipresentes, mas exigem frequentemente pouca atenção — por sorte, as circunstâncias em que não há grandes perturbações, positivas ou negativas, tendem a ser as mais numerosas em nossa vida. Outra razão para negligenciarmos os sentimentos: o afeto tem má reputação, graças a algumas emoções negativas cujos efeitos são realmente perturbadores, ou ao canto de sereia de algumas emoções sedutoras. O contraste convencional entre afeto e razão provém de uma concepção restrita das emoções e sentimentos, que os considera, em grande medida, negativos e capazes de solapar os fatos e o raciocínio. Na realidade, os tipos de emoções e sentimentos são variados, e apenas alguns são perturbadores. A maioria das emoções e sentimentos é essencial para impulsionar o processo intelectual e criativo.

Por isso, é fácil conceber os sentimentos como fenômenos dispensáveis e até perigosos, em vez de como alicerces imprescindíveis do processo da vida. Seja qual for a causa, negligenciar o afeto empobrece a descrição da natureza humana. Não é possível explicar satisfatoriamente a mente cultural sem levar em conta o afeto.

O QUE SÃO SENTIMENTOS

Sentimentos são experiências mentais e, por definição, conscientes — do contrário, não teríamos o conhecimento direto deles. No entanto, eles diferem de outras experiências mentais em vários aspectos. Primeiro, seu *conteúdo* sempre se refere ao corpo do organismo no qual eles surgem. Retratam o interior do organismo — o estado de órgãos internos e de operações internas —, e, como já indicamos, as condições nas quais as imagens do interior são criadas as diferenciam das que retratam o mundo externo.

Em segundo lugar, como resultado dessas condições especiais, a representação do interior — isto é, a experiência do sentimento — é imbuída de uma característica especial chamada *valência*, que traduz a condição da vida diretamente em termos mentais, momento a momento. Inevitavelmente, ela revela a condição como boa, ruim ou algo intermediário. Quando experimentamos uma condição que é conducente à continuação da vida, nós a descrevemos em termos positivos e a classificamos como agradável, por exemplo; quando a situação não é conducente à continuidade da vida, referimo-nos à experiência em termos negativos e a classificamos como desagradável. A valência é o termo que define o sentimento e, por extensão, o afeto.

Esse conceito de sentimentos aplica-se à variedade básica do processo e do resultado de termos mais de uma experiência de um mesmo sentimento. Encontros repetidos com a mesma classe de situações desencadeantes e sentimentos consequentes permitem que internalizemos, em menor ou maior grau, o processo do sentimento e se tornam, desse modo, menos evocativos de um fenômeno "corporal". Conforme experimentamos repetidamente certas situações afetivas, nós as descrevemos em nossas narrativas internas, com ou sem palavras, construímos conceitos em torno delas, diminuímos gradualmente sua intensidade e as tornamos apresentáveis a nós mesmos e aos outros. Uma consequência da intelectualização dos sentimentos é a economia do tempo e da energia necessários ao processo. Isso tem uma contrapartida fisiológica. Algumas estruturas do corpo são contornadas. Meu conceito de *as if body loop* [alça corpórea virtual] é um modo de produzir esse efeito.[1]

São infinitas as circunstâncias da memória, reais ou evocadas, que podem causar sentimentos. Em contraste, a lista dos *conteúdos* elementares dos sentimentos é restrita, limitada a apenas uma classe de objeto: *o organismo vivo de seu possuidor*, ou seja, componentes do corpo propriamente dito e seu estado corrente. Analisemos mais a fundo essa ideia: note que a referência ao organismo é dominada por um setor do corpo, o mundo interno antigo das vísceras, localizado no abdome, tórax e pele, juntamente com os processos químicos concomitantes. Os conteúdos dos sentimentos que dominam nossa mente consciente correspondem, em grande medida, às ações correntes das vísceras, por exemplo, o grau de contração ou relaxamento dos músculos lisos que formam as paredes de órgãos tubulares, como traqueia, brônquios, intestino, além de inúmeros vasos sanguíneos na pele e cavidades viscerais. Também se destaca entre os conteúdos o estado das mucosas — pense na sua garganta, seca, úmida ou simplesmente dolorida, ou no seu esôfago ou estômago quando você come demais ou está faminto. O conteúdo típico dos nossos sentimentos é governado pelo grau em que as operações das vísceras mencionadas são uniformes e descomplicadas, ou trabalhosas e erráticas. Para complicar, todos esses diversos estados dos órgãos são resultado da ação de moléculas químicas — circulando no corpo ou surgindo em terminais nervosos distribuídos pelas vísceras —, por exemplo, cortisol, serotonina, dopamina, opioides endógenos, oxitocina. Essas poções e esses elixires são tão poderosos que têm resultados instantâneos. Por último, o grau de tensão ou relaxamento dos músculos voluntários (os quais, como já vimos, são parte do mundo interno mais recente da estrutura corporal) também contribui para o conteúdo dos sentimentos. Entre os exemplos estão os padrões de ativação muscular da face. Eles são tão estreitamente relacionados a emoções específicas que podem conjurar rapidamente sentimentos como alegria ou surpresa. Não precisamos olhar no espelho para saber que estamos experimentando esses estados.

Em resumo, sentimentos são experiências de certos aspectos do estado da vida dentro de um organismo. Essas experiências não são meramente decorativas. Elas fazem algo extraordinário: um relato, momento a momento, do estado da vida no interior do organismo. É tentador traduzir a noção de relato como páginas de um arquivo on-line que podem ser folheadas, uma por vez, contendo informações sobre uma ou outra parte do corpo. Contudo, páginas digitalizadas, arrumadinhas, sem vida e indiferentes não são metáforas aceitáveis para os sentimentos, devido ao componente da valência que já mencionamos. Os sentimentos fornecem informações importantes sobre o estado da vida, porém não são meras "informações" no estrito computacional restrito. Sentimentos básicos não são abstrações, mas experiências da vida baseadas em representações multidimensionais de configurações do processo da vida. Já vimos que eles podem ser intelectualizados. Podemos traduzi-los em ideias e palavras que descrevem a fisiologia original. É possível, e não raro, *fazer referência* a dado sentimento sem necessariamente experimentá-lo, ou simplesmente experimentando uma versão atenuada do original.[2]

Quando explicamos o que uma coisa é, ajuda esclarecer o que essa coisa *não é*. Para que possamos entender com clareza o que os sentimentos básicos não são, direi que, se decido ir à praia agora — o que significa descer cerca de cem degraus de uma escada antes de pisar na areia —, os sentimentos *não* são principalmente sobre o desenho dos movimentos que faço com meus membros, nem dos meus olhos, cabeça e pescoço, que estão todos sendo executados por meu corpo, sob o controle do cérebro, e cujas operações também estão sendo informadas ao meu cérebro. A noção precisa de sentimentos aplica-se apenas a certos aspectos do evento: a energia ou facilidade com que desço a escada, a animação com que faço isso, o prazer de andar na areia e estar à beira do mar; ou também o cansaço que talvez sentirei mais tarde, quando voltar. Sentimentos dizem respeito à *qualidade do estado da vida no interior antigo do corpo*, em qualquer situação, durante o repouso, durante uma atividade voltada para um objetivo ou, o que é importante, durante a resposta aos pensamentos que estamos tendo, sejam eles causados por uma percepção do mundo externo ou por uma recordação de um evento passado armazenada em nossa memória.

VALÊNCIA

Valência é a *qualidade* inerente da experiência, que apreendemos como agradável, desagradável ou algo entre esses dois extremos. Representações que não se qualificam como sentimentos são bem designadas por termos como "ter uma sensação" ou "perceber". Mas as representações conhecidas como sentimentos são *sentidas* e por elas somos *afetados*. É isso que torna única a classe de experiências que chamamos de sentimentos — junto com a singularidade do objeto que contém os sentimentos, ou seja, do corpo ao qual o cérebro pertence.

As longínquas origens da valência remontam a formas de vida primitivas, anteriores ao aparecimento de sistemas nervosos e mentes. Mas os antecedentes imediatos da valência são encontrados no estado corrente da vida no organismo. As designações "agradável" e "desagradável", em uma acepção rigorosa, correspondem à condição do estado do corpo: se ela é ou não uma condição globalmente conducente à continuação da vida e à sobrevivência, e quanto essa tendência da vida parece ser forte ou fraca em determinado momento. Mal-estar significa que algo não está certo no estado de regulação da vida. Bem-estar significa que a homeostase está dentro da faixa de eficácia. Na maioria das circunstâncias, não há nada de arbitrário na relação entre a qualidade da experiência e o estado fisiológico do corpo. Nem mesmo a depressão e os estados maníacos escapam a essa regra, pois a homeostase básica permanece alinhada em certa medida, com afeto positivo ou negativo. Contudo, estados patológicos como o masoquismo são exceções, pois situações de danos autoinduzidos podem ser experimentadas como prazerosas, ao menos em parte.

A experiência sentida é um processo natural de avaliar a vida relativamente às suas perspectivas. *A valência "julga" a eficiência corrente de estados do corpo, e o sentimento anuncia o julgamento ao proprietário do corpo.* Sentimentos expressam flutuações no estado da vida, dentro e fora da faixa-padrão. Alguns estados dentro dessa faixa são mais eficientes do que outros, e sentimentos expressam o grau de eficiência. A vida nos limites da faixa homeostática central é uma necessidade; a vida regulada positivamente, em direção à prosperidade, é desejável. Os estados fora da faixa homeostática global são perniciosos, alguns levam até à morte. Entre os exemplos estão um metabolismo deficiente durante uma infecção generalizada, ou um acelerado durante um estado maníaco, excessivamente ativo.

Considerando que todos nós experimentamos sentimentos continuamente, é espantoso que, em grande medida, seja tão difícil explicar sua natureza de modo satisfatório. A questão dos conteúdos é praticamente o único aspecto mais ou menos direto e manejável do enigma. Podemos concordar em relação a alguns dos eventos que constituem sentimentos, à sequência em que eles ocorrem e até a como eventos se distribuem e em que sequência se manifestam no nosso corpo. Em resposta ao tremendo abalo de um terremoto, por exemplo, podemos sentir os batimentos cardíacos prematuros que vêm com mais força e mais cedo do que o normal e nos chamam a atenção, ou a secura da boca que acontece ao mesmo tempo ou pouco antes ou depois, ou o aperto na garganta, talvez. Um estudo simples, feito no laboratório de Rita

Haari, na Finlândia, confirma as observações que vários de nós já vínhamos fazendo há muito tempo e condiz com brilhantes intuições de poetas. Ele mostrou que um grupo numeroso de seres humanos identificou consistentemente certas regiões do corpo sendo ativadas durante experiências sentidas típicas, relacionadas a situações homeostáticas gerais e emocionais.[3] A cabeça, o peito e o abdome são os teatros do sentimento mais comumente solicitados. De fato, são os palcos em que os sentimentos são criados. Wordsworth teria gostado de ouvir isso. Ele escreveu sobre "sensações suavizantes, sentidas no sangue e sentidas no coração", aquelas que, como ele disse, passam até para a nossa "mente mais pura em tranquila restauração".[4]

Curiosamente, os sentimentos exatos que situações comparáveis evocam podem diferir entre as culturas. Ao que parece, estudantes alemães podem sentir o nervosismo antes de um exame como um frio na barriga, enquanto, para os chineses, ele se manifesta como uma dor de cabeça.[5]

TIPOS DE SENTIMENTO

No começo deste capítulo mencionei as principais condições fisiológicas que resultam em sentimentos. A primeira delas produz sentimentos espontâneos; as outras duas, sentimentos provocados.

Os do tipo espontâneo, ou homeostáticos, surgem do fluxo básico dos processos vitais em nosso organismo, um estado fundamental dinâmico, e constituem o pano de fundo natural da nossa vida mental. Existem em variedades limitadas, pois estão fortemente ligados ao funcionamento do organismo vivo e às rotinas necessariamente repetitivas da gestão da vida. Sentimentos espontâneos indicam o estado geral da regulação da vida em um organismo: bom, ruim ou algo intermediário. Eles informam sua respectiva mente sobre o estado corrente da homeostase, e por essa razão os nomeio homeostáticos. É tarefa deles "tomar conta" da homeostase, literalmente. Ter sentimentos homeostáticos corresponde a ouvir a incessante música de fundo da vida, a execução contínua da sua partitura, com as mudanças de andamento, ritmo e tom, sem falar no volume. Ficamos sintonizados com o funcionamento do nosso interior quando experimentamos sentimentos homeostáticos. Nada poderia ser mais simples ou mais natural.

No entanto, o cérebro é um intermediário permeável entre o mundo externo — real ou memorizado — e o corpo. Quando este responde a mensagens do cérebro que lhe ordenam executar dada sequência de ações — acelerar a respiração ou os batimentos cardíacos, contrair esse ou aquele grupo muscular, secretar a molécula X —, ele altera diversos aspectos de sua *configuração* física. Subsequentemente, à medida que o cérebro constrói representações das geometrias alteradas dos organismos, podemos sentir a alteração e produzir imagens dela. Essa é a fonte dos sentimentos provocados, o tipo dos que, diferentemente dos homeostáticos, resultam de diversas respostas "emotivas" causadas por *estímulos sensitivos*, ou pela ação de *impulsos, motivações* e *emoções*.

As respostas emotivas desencadeadas pelas propriedades de estímulos sensitivos — cores, texturas, formas, propriedades acústicas — tendem a produzir, o mais das vezes, uma discreta perturbação no estado do corpo. Esses são os *qualia* da tradição filosófica. Por outro lado, as respostas emotivas desencadeadas pela ação de impulsos, motivações e emoções frequentemente constituem perturbações de grande monta no funcionamento do organismo, e podem resultar em consideráveis abalos mentais.

O PROCESSO DA RESPOSTA EMOTIVA

Boa parte do processo emotivo não é visível. A consequência do componente oculto é uma mudança no estado homeostático, e também uma possível mudança nos sentimentos espontâneos correntes.

Quando ouvimos um som musical que consideramos prazeroso, o sentimento de prazer é resultado de uma rápida transformação do estado do nosso organismo. Chamamos essa transformação de "emotiva". Ela consiste em uma coleção de ações que mudam a homeostase básica. As ações que compõem a resposta emotiva incluem a liberação de moléculas químicas específicas em certos locais do sistema nervoso central ou seu transporte, por vias neurais, até regiões variadas do sistema nervoso e do corpo. Certos locais do corpo, por exemplo, as glândulas endócrinas, são acionados e produzem moléculas capazes de alterar funções do corpo por conta própria. O resultado de todo esse alvoroço é um conjunto de mudanças na geometria das vísceras — o calibre de vasos sanguíneos e órgãos tubulares, por exemplo, a distensão de músculos, a alteração dos ritmos respiratório e cardíaco. Em consequência, no caso do prazer, as operações viscerais são harmonizadas, ou seja, as vísceras atuam sem impedimentos ou dificuldades, e o estado harmonizado do corpo propriamente dito é devidamente sinalizado às partes do sistema nervoso encarregadas de produzir imagens do interior antigo; o metabolismo é alterado, conciliando a razão entre demanda e produção de energia; o funcionamento do próprio sistema nervoso é modificado, de modo que nossa produção de imagens torna-se mais fácil e abundante, e nossa imaginação fica mais livre; as imagens positivas ganham precedência sobre as negativas; nossa guarda mental baixa, e, curiosamente, nossas respostas imunes podem tornar-se mais fortes. É o conjunto dessas ações, conforme ele é representado na mente, que abre caminho para o estado de sentimento agradável que descrevemos como prazeroso e que inclui uma quantidade mínima de estresse e um considerável relaxamento.[6] Emoções negativas são associadas a estados fisiológicos distintos, todos eles problemáticos da perspectiva da saúde e do bem-estar no futuro.[7]

Fisiologicamente falando, os sentimentos recém-provocados por respostas emotivas são levados no topo da onda dos sentimentos espontâneos que já seguem seu fluxo natural. O processo que baseia as respostas emotivas está longe de ser relativamente direto e transparente como aquele que baseia os sentimentos espontâneos.

Sentimentos podem ser mais ou menos destacados em nossa mente. As mentes ocupadas em várias análises, imaginações, narrativas e decisões prestam mais ou menos atenção a determinado objeto, dependendo do quanto ele pode ser relevante no momento. Nem todo item merece atenção, e isso vale também para os sentimentos.

DE ONDE VÊM AS RESPOSTAS EMOTIVAS?

A resposta a essa pergunta é clara. Elas são originadas em sistemas cerebrais específicos — às vezes em uma região específica —, responsáveis por comandar os diversos componentes da resposta: as moléculas químicas que devem ser secretadas, as mudanças viscerais que têm de ocorrer, os movimentos da face, dos membros, do corpo inteiro que fazem parte de determinada emoção, seja ela medo, raiva ou alegria.

Sabemos onde se situam as regiões cerebrais críticas. A maioria delas consiste em grupos de neurônios (núcleos) no hipotálamo, no tronco encefálico (onde uma região conhecida como substância cinzenta periaquedutal é especialmente proeminente) e no prosencéfalo basal (onde os núcleos da amígdala e a região do *nucleus accumbens* são as principais estruturas). Todas essas regiões podem ser ativadas pelo processamento de conteúdos mentais específicos. Podemos imaginar a ativação de uma região como "fazer a correspondência" de certo conteúdo com a região. Quando a correspondência ocorre — o que equivale a dizer que a região reconhece determinada configuração —, tem início o desencadeamento da emoção.[8]

Algumas dessas regiões fazem seu trabalho de maneira bem direta, enquanto outras atuam por intermédio do córtex cerebral. Direta ou indiretamente, esses pequenos núcleos conseguem atingir todo o organismo, pela secreção de moléculas químicas, ou pela ação de vias nervosas capazes de iniciar movimentos específicos ou de liberar certos moduladores químicos em determinada região cerebral.

Essa coleção de regiões subcorticais do cérebro está presente em vertebrados e invertebrados, e se destaca nos mamíferos. Ela contém os meios de responder a todo tipo de sensações, objetos e circunstâncias com impulsos, motivações e emoções. Figurativamente, você pode ver isso como um "painel de controle afetivo", contanto que não imagine as emoções como conjuntos de ações imutáveis acionadas por um botão. Os núcleos fazem seu trabalho aumentando a probabilidade de certos comportamentos, os quais tendem a ocorrer juntos. No entanto, o resultado não é rígido. Há nuanças e variações, e apenas a essência do padrão se mantém. A evolução construiu esse mecanismo gradualmente. A maioria dos aspectos da homeostase que se relacionam ao comportamento social depende desse conjunto de estruturas subcorticais.

O desencadeamento de respostas emotivas ocorre de modo automático e não consciente, sem a intervenção da nossa vontade. Frequentemente, percebemos que uma emoção está acontecendo não por causa da situação que a desencadeia, mas porque o processamento da situação causa sentimentos, isto é, experiências mentais conscientes do evento emocional. Depois do sentimento, podemos entender (ou não) por que estamos nos sentindo de certo modo.

Pouquíssimas coisas escapam ao exame dessas regiões cerebrais específicas. O som de uma flauta, o tom alaranjado de um pôr do sol, a textura de uma lã delicada, tudo isso produz respostas emotivas positivas e os sentimentos agradáveis correspondentes. O mesmo acontece com a casa na praia onde você passava as férias de verão na infância, a voz de um amigo de quem você tem saudade. A visão ou o aroma de uma comida de que gostamos abre nosso apetite, mesmo que não estejamos com fome, e uma fotografia sedutora incita o desejo sexual. Quando encontramos uma criança chorando, somos motivados a abraçá-la e protegê-la. Por mais grosseiro que possa parecer, os mesmos impulsos biológicos arraigados serão acionados por um cachorrinho de olhos tristonhos, espaçados como os de um bebê. Em resumo, um número infinito de estímulos produzirá alegria, tristeza, apreensão, enquanto certas histórias ou cenas evocarão compaixão ou reverência; nós nos emocionamos quando ouvimos o som cálido e vibrante de um violoncelo, independentemente da melodia tocada, e também um som estridente, com um resultado sentido como agradável no primeiro caso e desagradável no segundo. De modo análogo, temos emoções com resultado positivo ou negativo quando vemos certos tons de cor, certas formas, volumes e texturas e quando sentimos o gosto de certas substâncias, ou percebemos certos odores. Algumas imagens sensoriais evocam reações fracas; outras, fortes, dependendo do estímulo específico e de sua participação na história de determinado indivíduo. Em situações normais, numerosos conteúdos mentais evocam alguma resposta emotiva, forte ou fraca, e assim provocam algum sentimento, forte ou fraco. A "provocação" de respostas emotivas a incontáveis componentes de imagem ou a narrativas inteiras é um dos aspectos mais básicos e incessantes da nossa vida mental.[9]

Quando o estímulo emotivo é evocado da memória em vez de estar presente na percepção, ele ainda produz emoções, e com abundância. A presença de uma imagem é, ao mesmo tempo, a chave e o mecanismo. O material recordado mobiliza programas emotivos que produzem sentimentos correspondentes e reconhecíveis. Existe um estímulo desencadeador, e ele ainda é formado por imagens, nesse caso evocadas da memória em vez de construídas a partir da percepção corrente. Seja qual for a fonte, as imagens são usadas para produzir uma resposta emotiva. Por sua vez, esta transforma o estado básico do organismo, seu estado homeostático corrente, e o resultado é um sentimento emocional provocado.

ESTEREÓTIPOS EMOCIONAIS

As respostas emotivas geralmente se amoldam a certos padrões dominantes, mas não são, de modo algum, rígidas e estereotipadas. As mudanças viscerais primárias, ou as quantidades exatas de determinada molécula que são secretadas durante uma resposta, variam a cada ocasião. O padrão geral é reconhecível, em seu arranjo global, porém não é uma cópia exata. Tampouco a resposta emotiva emerge necessariamente de uma região específica do cérebro, embora certas regiões cerebrais tenham maior probabilidade do que outras de ser acionadas por determinada configuração perceptual. Em outras palavras, a ideia de um "módulo cerebral", que causaria as respostas emotivas conducentes ao sentimento de deleite, enquanto outro produziria nojo, é tão errônea quanto a de que existe um padrão de controle emotivo com botões para cada emoção. Também é incorreta a ideia de que o deleite ou o nojo seriam réplicas um do outro a cada novo caso. Por outro lado, a natureza do deleite e o mecanismo subjacente ao seu surgimento são suficientemente comparáveis caso a caso para que os fenômenos sejam reconhecíveis com facilidade na experiência cotidiana e sejam associados, embora não rigidamente, a certos sistemas cerebrais, ali instalados por obra da seleção natural, com a ajuda de nossos genes e com mais ou menos frêmitos dos ambientes do útero e da primeira infância. No entanto, seria um exagero dizer que a emotividade é fixa. Todos os tipos de fatores ambientais podem modificar a mobilização emotiva no decorrer do nosso desenvolvimento. Acontece que, em certo grau, a maquinaria do nosso afeto é educável, e boa parte do que chamamos de "civilização" ocorre por meio da educação dessa maquinaria no ambiente conducente do lar, da escola e da cultura. Curiosamente, o que chamamos de "temperamento" — a maneira mais ou menos harmoniosa como reagimos aos abalos da vida no dia a dia — é resultado de um longo processo de educação que interage com a reatividade emocional básica que recebemos como resultado de todos os fatores biológicos em ação durante nosso desenvolvimento — dotação genética, vários fatores do desenvolvimento pré e pós-natal, sorte. Mas uma coisa é certa: o mecanismo do afeto é responsável por gerar respostas emotivas e, em consequência, influenciar comportamentos que poderíamos, inocentemente, supor estarem unicamente sob o controle dos componentes mais instruídos e sagazes da nossa mente. Impulsos, motivações e emoções frequentemente têm algo a acrescentar ou subtrair às decisões que poderíamos pensar como puramente racionais.

A SOCIABILIDADE INERENTE DOS IMPULSOS, MOTIVAÇÕES E EMOÇÕES PROPRIAMENTE DITAS

A maquinaria dos impulsos, motivações e emoções é voltada para o bem-estar do indivíduo em cujo organismo as respostas são inerentes. Mas a maioria deles também é inerentemente social, em pequena e grande escala, com um campo de ação que se estende muito além do indivíduo. Desejo e voluptuosidade, solicitude e sustento, apego e amor operam em um contexto social. O mesmo se aplica à maioria dos exemplos de tristeza e alegria, medo e pânico, raiva; ou de compaixão, admiração e reverência, inveja, ciúme e desprezo. A poderosa sociabilidade, que foi um alicerce essencial do intelecto do *Homo sapiens* e tão crucial no surgimento das culturas, provavelmente originou-se da maquinaria dos impulsos, motivações e emoções, onde evoluiu a partir de processos neurais mais simples de seres mais simples. Em um tempo ainda mais remoto, ela evoluiu de um exército de moléculas químicas, presentes em organismos unicelulares. O que se afirma aqui é que a sociabilidade, um conjunto de estratégias de comportamento indispensáveis à criação de respostas culturais, faz parte da caixa de ferramentas da homeostase. Ela entra na mente cultural humana pela mão do afeto.[10]

Os aspectos comportamentais e neurais dos impulsos e motivações foram especialmente bem estudados por Jaak Panksepp e Kent Berridge em mamíferos. A expectativa e o desejo, que Panksepp agrupa sob o rótulo de "busca" e Berridge prefere chamar de "querer", são exemplos destacados, assim como a voluptuosidade do desejo sexual e de sua variedade no amor romântico. Cuidados e criação da prole também constituem outro impulso poderoso, complementado, pelo lado dos que são cuidados e criados, por laços de afeto e amor, o tipo de laços cujas interrupções acarretam pânico e sofrimento. Brincar é um comportamento proeminente em mamíferos e aves, e essencial na vida humana. Ele ancora a imaginação criativa das crianças, adolescentes e adultos, e é um ingrediente crucial das invenções que caracterizam as culturas.[11]

Em conclusão, a maioria das imagens que entram em nossa mente tem direito a uma resposta emotiva, forte ou fraca. A origem da imagem não importa. Qualquer processo sensorial constitui um gatilho, venha do paladar, do olfato ou da visão, e não importa realmente se a imagem está sendo recém-cunhada na percepção ou evocada dos arquivos da memória, ou ainda se diz respeito a objetos animados ou inanimados, a características de objetos — cores, formas, timbres de sons —, a ações, abstrações ou julgamentos sobre quaisquer dos elementos mencionados. Uma consequência previsível de processar muitas imagens que percorrem nossa mente é uma resposta emotiva seguida por seu respectivo sentimento. Assim provocados, os sentimentos emocionais equivalem a ouvir não a música de fundo da vida, mas sim canções ocasionais e, às vezes, magníficas árias inteiras de uma ópera. As composições ainda são executadas pelas mesmas orquestras, na mesma sala de concerto — o corpo — e contra o mesmo pano de fundo — a vida. Mas, dados os gatilhos, a mente agora sintoniza-se em alto grau com o mundo dos nossos pensamentos correntes, em vez de com o mundo do corpo, enquanto reagimos a esses pensamentos e sentimos a reação. A execução musical varia de caso a caso, pois também variam a execução de respostas emotivas e a experiência do sentimento respectivo. Mas a partitura tocada ainda é a mesma, sem dúvida. As emoções humanas são composições reconhecíveis de um repertório-padrão.

Uma porção substancial da glória e da tragédia humana depende do afeto, apesar de sua genealogia modesta e não humana.

SENTIMENTOS EM CAMADAS

Qualquer imagem que entra na mente tem direito a uma resposta emotiva. Isso se aplica inclusive às que chamamos de sentimentos. O estado de ter ou sentir dor, por exemplo, pode tornar-se enriquecido por uma nova camada de processamento — um sentimento secundário, digamos assim —, desencadeada por pensamentos diversos com os quais reagimos à situação básica. A profundidade desse estado de sentimento em camadas é provavelmente uma característica das mentes humanas. É talvez o tipo de processo que escora o que chamamos de sofrimento.

É possível que animais com cérebros complexos semelhantes ao nosso, como os mamíferos superiores, também possuam estados de sentimento em camadas. Tradicionalmente, a crença extrema na excepcionalidade humana nega que os animais tenham sentimentos, mas a ciência dos sentimentos vem aos poucos provando o contrário. Isso não quer dizer que os sentimentos humanos não são mais complexos, elaborados e dotados de mais camadas que os dos animais. Como poderiam não ser? Porém, a meu ver, a distinção nos humanos está relacionada à rede de associações que os estados de sentimento estabelecem com todos os tipos de ideias e, em especial, com as interpretações que podemos fazer do nosso momento presente e do nosso futuro antevisto.

Curiosamente, os sentimentos em camadas sustentam a intelectualização que já mencionei. A profusão de objetos, eventos e ideias conjurados por sentimentos correntes enriquece o processo de criar uma descrição intelectual da situação desencadeadora

A boa poesia depende de sentimentos em camadas. E explorar a fundo as camadas de sentimentos foi a grande missão de um escritor e filósofo chamado Marcel Proust.

8. A construção de sentimentos

Para entender a origem e a construção dos sentimentos e aquilatar a contribuição que eles dão à mente humana, precisamos inseri-los no panorama da homeostase. É fato comprovado que os sentimentos agradáveis e desagradáveis se alinham em faixas de homeostase respectivamente positivas ou negativas. A homeostase em faixas boas ou até ótimas expressa-se como bem-estar e até mesmo alegria, enquanto a felicidade causada por amor e amizade contribui para a maior eficiência na homeostase e favorece a saúde. Os exemplos negativos são igualmente claros. O estresse associado à tristeza é causado pelo acionamento do hipotálamo e da hipófise e pela liberação de moléculas que, em consequência, reduzem a homeostase e danificam inúmeras partes do corpo, como vasos sanguíneos e estruturas musculares. Curiosamente, o fardo homeostático da doença física pode ativar o mesmo eixo hipotálamo-hipófise e causar a liberação de dinorfina, uma molécula que induz a disforia.

É notável a circularidade dessas operações. Ao que parece, mente e cérebro influenciam o corpo propriamente dito, tanto quanto podem ser influenciados por este. São meramente dois aspectos do mesmo ser.

Independentemente de os sentimentos corresponderem a faixas positivas ou negativas de homeostase, a variada sinalização química envolvida em seu processamento e os estados viscerais concomitantes têm o poder de alterar o fluxo mental regular, de modos sutis e não sutis. Atenção, aprendizado, recordação e imaginação podem ser interrompidos, e o modo de lidar com tarefas e situações, triviais ou não, é perturbado. Frequentemente, é difícil desconsiderar a perturbação mental causada por sentimentos emocionais, sobretudo quando se trata da variedade negativa, mas até mesmo os sentimentos positivos da existência tranquila e harmoniosa preferem não ser ignorados.

As raízes do alinhamento entre os processos da vida e a qualidade do sentimento podem ser identificadas no modo como a homeostase atua no ancestral comum dos sistemas endócrino, nervosos e imunes. Essas raízes remontam aos nebulosos primórdios da vida. A parte do sistema nervoso responsável por vistoriar o interior, especialmente o interior antigo, e responder aos eventos ali encontrados, sempre trabalhou em cooperação com o sistema imune dentro desse mesmo interior. Examinemos os detalhes correntes desse alinhamento.

Quando ocorre uma lesão, causada, por exemplo, por um processo de doença originado internamente ou por um corte externo, o resultado usual é uma experiência de dor. No primeiro caso, a dor resulta de sinais transmitidos por fibras nervosas do tipo C, antigas e amielínicas, e sua localização pode ser vaga; no segundo, a dor usa fibras mielinizadas que são evolucionariamente mais recentes e contribuem com uma dor aguda e bem localizada.[1] No entanto, a sensação de dor, vaga ou aguda, é apenas uma parte do que está acontecendo no organismo, e, de um ponto de vista evolucionário, é a parte mais recente. O que mais está acontecendo? O que constitui a parte oculta do processo? Acontece que tanto as respostas imunes como as neurais são ativadas em âmbito local pela lesão. Essas respostas incluem alterações inflamatórias, como a vasodilatação local e um afluxo de leucócitos (glóbulos brancos) para a área. Estes são convocados para auxiliar no combate ou na prevenção de infecção e remover resíduos de tecidos danificados. A segunda dessas tarefas é executada por eles por meio da fagocitose: circundam, incorporam e destroem patógenos, e a primeira, pela liberação de certas moléculas. Uma molécula evolucionariamente antiga, ancestral — a proencefalina, a primeira de seu tipo —, pode ser quebrada e formar dois compostos ativos, que são liberados em âmbito local. Um composto é um agente bacteriano; o outro é um opioide analgésico que atuará sobre uma classe especial de receptores opioides — a classe δ —, localizados nos terminais nervosos periféricos presentes na área. Os vários sinais de perturbação e reconfiguração do estado da carne no local da lesão são disponibilizados na área pelo sistema nervoso e gradualmente mapeados, contribuindo assim com sua parte para o substrato multicamadas do sentimento de dor. Porém, simultaneamente, a liberação e a absorção local da molécula de opioide ajudam a atenuar a dor e reduzir a inflamação. Graças a essa cooperação neuroimune, a homeostase trabalha duro, tentando nos proteger de infecção e minimizar as inconveniências.[2]

E tem mais. A lesão provoca uma resposta emotiva que mobiliza seu próprio conjunto de ações, por exemplo, uma contração muscular que poderíamos descrever como um retraimento súbito. Essas respostas e a decorrente configuração alterada do organismo também são mapeadas e, portanto, "imageadas" pelo sistema nervoso como parte do mesmo evento. Criar imagens para a reação motora ajuda a garantir que a situação não passe despercebida. Curiosamente, respostas motoras desse tipo surgiram na evolução muito antes de existirem sistemas nervosos. Organismos simples retraem-se, encolhem-se e lutam quando a integridade de seu corpo é comprometida.[3]

Em resumo, o pacote de reações a uma lesão que descrevi para o ser humano — substâncias antibacterianas e analgésicas, retraimento súbito e impedimento de movimentos — é uma resposta antiga e bem estruturada que resulta de interações do corpo propriamente dito com o sistema nervoso. Posteriormente na evolução, depois que organismos dotados de sistema nervoso passaram a ser capazes de mapear eventos não neurais, os componentes dessa resposta complexa foram convertidos em imagens. A experiência mental que chamamos de "sentir dor" baseia-se nessa imagem multidimensional.[4]

Quer-se dizer com isso que sentir dor escora-se em um conjunto de fenômenos biológicos mais antigos, cujos objetivos são claramente úteis do ponto de vista da homeostase. Dizer que formas de vida simples, sem sistema nervoso, sentem dor é desnecessário e provavelmente incorreto. Elas certamente possuem os elementos requeridos para construir sensações de dor, mas é razoável supor que, para o surgimento da dor propriamente dita, como uma experiência mental, o organismo precisaria possuir mente e, para isso, seria necessário um sistema nervoso capaz de mapear estruturas e eventos. Em outras palavras, desconfio que formas de vida sem sistema nervoso e mente tiveram e têm processos *emotivos* elaborados, programas de ação defensivos e adaptativos, mas não sentimentos. Assim que sistemas nervosos entraram em cena, abriu-se o caminho para os sentimentos. É por isso que até sistemas nervosos modestos provavelmente permitem algum grau de sentimento.[5]

Já se perguntou muitas vezes, e compreensivelmente, por que os sentimentos têm de produzir em nós alguma sensação, agradável ou desagradável, toleravelmente discreta ou como uma tempestade irreprimível? A razão agora deve estar clara: quando a constelação completa dos eventos fisiológicos que constituem sentimentos começou a surgir na evolução e a proporcionar experiências mentais, ela fez diferença. Sentimentos tornavam a vida melhor. Prolongavam e salvavam vidas. Amoldavam-se aos objetivos do imperativo homeostático e ajudavam a implementá-los, fazendo com que seus possuidores se *importassem* mentalmente com eles (como a aversão condicionada a um local parece demonstrar).[6] A presença de sentimentos é estreitamente relacionada a outro avanço: a consciência e, mais especificamente, a subjetividade.

O valor do conhecimento que os sentimentos fornecem ao organismo onde ocorrem é provavelmente a razão pela qual a evolução deu um jeito de mantê-los. Sentimentos influenciam o processo mental a partir de dentro e são imperiosos em virtude de sua positividade ou negatividade obrigatórias, de sua origem em ações conducentes à saúde ou à morte e de sua capacidade de alertar e sacudir o possuidor do sentimento e forçar sua atenção para a situação. Uma explicação simples e neutra dos sentimentos como mapas/imagens perceptuais deixa de levar em conta ingredientes cruciais: sua valência e seu poder de chamar a atenção.

Essa explicação distintiva sobre os sentimentos ilustra o fato de que as experiências mentais não surgem com base em um mapeamento simples de um objeto ou evento em tecido neural. Elas surgem de um mapeamento multidimensional de fenômenos do corpo em si, entrelaçados interativamente a fenômenos neutros. As experiências mentais não são "fotografias instantâneas", e sim processos no tempo, narrativas de vários microeventos no corpo propriamente dito e no cérebro.

Obviamente, é concebível que a natureza poderia ter evoluído de outro modo e não ter ensejado os sentimentos. Mas isso não aconteceu. Os fundamentos dos sentimentos são uma parte tão essencial da manutenção da vida que já estavam instalados. Bastou acrescentar a presença de sistemas nervosos produtores de mente.

DE ONDE VÊM OS SENTIMENTOS?

Para imaginar como os sentimentos surgiram na evolução, será útil considerarmos como deve ter sido a regulação da vida antes de eles aparecerem. Organismos simples, com uma ou muitas células, já possuíam um sistema homeostático elaborado que se encarregava de encontrar e incorporar fontes de energia, realizar transformações químicas, eliminar resíduos, tóxicos ou não, substituir elementos estruturais que já não funcionavam bem e reconstruir outros. Quando a sua integridade era ameaçada por uma lesão, os organismos podiam mobilizar uma defesa em mais de uma frente, o que incluía a liberação de moléculas específicas e movimentos protetores. Em resumo, a integridade podia ser mantida diante de muitas ameaças.

Nos organismos vivos mais simples não havia sistema nervoso e nem sequer um núcleo de comando, embora existissem muitas organelas que interagiam no citoplasma e na membrana celular. Quando o sistema nervoso finalmente apareceu, por volta de 500 milhões de anos atrás, ele consistia em "redes nervosas", simples redes de neurônios cujo desenho lembrava a formação reticular do atual tronco encefálico dos vertebrados, inclusive o nosso. Em grande medida, elas eram incumbidas da função de destaque dos respectivos organismos: a digestão. Nos belos animais conhecidos como hidras, redes nervosas cuidavam da locomoção — nesse caso, nadar —, reagiam a outros objetos, comandavam a abertura da boca e executavam a peristalse. As hidras eram — e são — o sistema gastronômico flutuante por excelência. Essas redes nervosas provavelmente não eram capazes de produzir mapas ou imagens do mundo interno e externo, e, em consequência, é baixa a probabilidade de produzirem mente. A evolução levaria milhões de anos para remediar essa limitação.

Antes de o sistema nervoso surgir, já estavam ocorrendo vários avanços benéficos à homeostase. Primeiro, certas moléculas já sinalizavam o estado favorável ou desfavorável à vida em células, uma capacidade encontrada desde o topo da escala da vida até as células bacterianas. Em segundo lugar, o que hoje chamamos de sistema imune inato já fizera sua estreia nos primeiros eucariotas. Todos os organismos dotados de uma cavidade corporal, como a ameba, possuem sistemas imunes inatos, mas só vertebrados possuem sistemas imunes adaptativos, que podem ser ensinados, treinados e impulsionados, por exemplo, por vacinas.[7] Lembremos que os sistemas imunes pertencem a uma classe especial de sistema geral do organismo que inclui o sistema circulatório, o endócrino e o nervoso. A imunidade defende-nos de ataques e danos provenientes de patógenos. Ela é uma das primeiras sentinelas da integridade do organismo, e contribui substancialmente para a valência. A circulação cumpre a ordem homeostática ao distribuir fontes de energia e ajudar a remover resíduos. O sistema endócrino ajusta operações de subsistemas para que sejam condizentes com a homeostase do organismo como um todo. O nervoso gradualmente assume o papel de coordenador-mor de todos os outros sistemas globais, enquanto gerencia as relações entre o organismo e o ambiente circundante. Esse segundo papel depende de um avanço fundamental: o mundo da mente, onde se destacam os sentimentos e se tornam possíveis a imaginação e a criatividade.

No cenário que prefiro agora, a vida inicialmente era regulada sem a ajuda de qualquer tipo de sentimento. Não havia mente, nem consciência, mas um conjunto de mecanismos homeostáticos fazendo cegamente as escolhas que acabavam por ser mais conducentes à sobrevivência. O advento de sistemas nervosos, capazes de mapear e criar imagens, abriu o caminho para que mentes simples entrassem em cena. Durante a explosão do Cambriano, depois de numerosas mutações, certas criaturas dotadas de sistema nervoso provavelmente geravam não apenas imagens do mundo à sua volta, mas também uma contrapartida imagética ao movimentado processo de regulação da vida que ocorria dentro delas. Essa deve ter sido a base para o estado mental correspondente, cujo conteúdo temático provavelmente recebia valência de acordo com a condição da vida naquele momento, naquele corpo. A *qualidade* do estado corrente da vida provavelmente era sentida.

Para começar, mesmo que o restante do sistema nervoso desses seres tenha sido muito simples, capaz apenas de produzir mapas singelos de várias informações sensitivas, a introdução, nessa mistura, de informações obrigatórias sobre o estado do organismo "favorável à vida" ou "desfavorável à vida" ensejaria respostas comportamentais mais vantajosas do que as disponíveis até então. Os seres equipados com esse novo elemento, um simples qualificador justaposto à imagem de certos lugares, objetos ou criaturas, ganhariam um guia automático sobre a conveniência de aproximar-se dos itens imageados ou evitá-los. A vida seria mais bem administrada e possivelmente mais duradoura, aumentando a probabilidade da reprodução. Com isso, os organismos dotados das fórmulas genéticas responsáveis por essa característica nova e benéfica certamente venceriam no jogo da seleção evolucionária. A característica inevitavelmente se disseminaria na natureza.

Não temos como saber exatamente quando e como, na evolução, surgiram sentimentos. Todos os vertebrados têm sentimentos, e quanto mais penso nos insetos sociais, mais desconfio que seu sistema nervoso gera mentes simples com versões primitivas de sentimento e consciência. Um estudo recente favorece essa suposição.[8] Uma coisa é certa: os processos que *sustentaram* os sentimentos *depois* que as mentes surgiram já existiam muito antes, e incluíam os mecanismos necessários para gerar o componente característico dos sentimentos: a valência.

Portanto, a meu ver, formas de vida primevas eram capazes de sentir e responder e possuíam os alicerces dos sentimentos, mas não sentimentos propriamente ditos, nem mente, nem consciência. Para chegar ao que chamamos de mente, a evolução de sentimentos e consciência precisou de vários incrementos estruturais e funcionais críticos, encontrados em grande medida em sistemas nervosos.

Seres mais simples do que nós, inclusive plantas, sentem estímulos e respondem a eles em seus ambientes.[9] Lutam vigorosamente para manter sua integridade física — porém não as plantas, que em grande medida não têm movimentos, pois são envoltas em celulose. Não se pode revidar um golpe quando se é imóvel. Contudo, sentir, responder e defender-se vigorosamente contra todo tipo de ameaça física, comportamentos que são partes indispensáveis da grandiosa e variada história da vida, não se comparam às experiências mentais que chamamos de mente, sentimento e consciência.

A MONTAGEM DOS SENTIMENTOS

Os fatos expostos até aqui fornecem uma argumentação lógica para a existência dos sentimentos e delineiam alguns processos que os escoram: um andaime para a valência. Vejamos agora algumas condições relacionadas ao sistema nervoso que provavelmente têm um papel complementar na fisiologia da valência.

Tornou-se evidente o surgimento, em um cenário incomum, de uma quantidade substancial das informações que contribuem para a valência: uma *continuidade* de estruturas corporais e estruturas nervosas. Já usei outros termos para explicar essa ideia, por exemplo, uma *ligação* de corpo e cérebro, ou um *conglomerado* ou uma *fusão* de corpo e cérebro. O termo "continuidade"[10] adiciona outra nuança. Na experiência do sentimento, existe pouca ou nenhuma *distância* anatômica e fisiológica entre o objeto que gera os conteúdos decisivos, o corpo e o sistema nervoso, que é tradicionalmente visto como o recebedor e o processador das informações. As duas partes, objeto/corpo e processador/cérebro, decerto são contíguas e, de muitos modos inesperados, contínuas. Isso lhes permite uma rica interação, e nós estamos começando a compreender como fazem isso. A interação abrange operações moleculares e neurais em tecidos específicos e suas reações correspondentes.

Sentimentos *não são* eventos apenas neurais. O corpo propriamente dito está envolvido de modo crucial, e esse envolvimento inclui a participação de outros sistemas importantes e homeostaticamente relevantes, por exemplo, o imune. Sentimentos são fenômenos cem por cento *simultâneos e interagentes* do corpo *e* do sistema nervoso.

Fenômenos puramente neurais e puramente mentais não teriam a capacidade de capturar e submeter o indivíduo do modo intenso e imperioso que é característico dos sentimentos fortes, positivos ou negativos. Fenômenos puramente mentais ou puramente neurais não devem preencher esses requisitos, e de fato não o fazem.

A CONTINUIDADE DE CORPOS E SISTEMAS NERVOSOS

Convencionalmente, os sinais químicos e viscerais do meio interno usam o sistema nervoso periférico para ir do corpo ao cérebro. Também segundo a convenção, os núcleos do sistema nervoso central e os córtices cerebrais são então responsáveis pelo resto do processo, isto é, efetivamente engendrar sentimentos. Essas descrições estão ultrapassadas, presas na história inicial da neurociência, que permaneceu intocada e incompleta por décadas. Estudos revelam várias características curiosas que podem ser encontradas na conexão corpo-cérebro, e cuja importância para o processo da geração de sentimentos é incitante. Em poucas palavras, corpo e sistema nervoso "comunicam-se" usando as "fusões" e "interações" de estruturas que a continuidade de corpos e sistemas nervosos permite. Não faço objeção ao uso do termo "transmissão" para designar uma viagem de sinais *dentro* de vias neurais. Mas a noção de "transmissão de corpo para cérebro" é problemática.

Se não existe distância entre corpo e cérebro, se corpo e cérebro interagem e formam um organismo unitário, então o sentimento *não* é uma percepção do estado do corpo no sentido convencional do termo. Aqui é rompida a dualidade de sujeito-objeto, de percebedor-percebido. No que diz respeito a essa parte do processo, o que existe é uma unidade. *O sentimento é o aspecto mental dessa unidade.*

No entanto, a dualidade retorna em outro ponto do complexo processo da interação corpo-cérebro. Quando são formadas imagens da estrutura corporal e seus portais sensitivos, e quando imagens das posições espaciais ocupadas pelas vísceras são relacionadas com essa estrutura global e nela situadas, torna-se possível gerar uma perspectiva mental do organismo, um conjunto de imagens separadas que é distinto das imagens sensoriais do exterior (visuais, auditivas, táteis) *e* das emoções e sentimentos que elas provocam. Instala-se, então, uma dualidade: de um lado, imagens da "estrutura corporal e da atividade de portais sensitivos"; de outro, o restante das imagens, as do exterior *e* do interior. Essa é a dualidade relacionada ao processo da subjetividade que examinarei no capítulo sobre a consciência.[11]

Até agora, algumas das melhores tentativas de explicar a fisiologia dos sentimentos basearam-se em uma relação única entre a fonte do que é sentido — atividades relacionadas com a vida dentro do organismo — e o sistema nervoso, o qual, por convenção, supostamente fabrica sentimentos do mesmo modo que fabrica a visão ou o pensamento. Mas essas explicações capturam apenas parte da realidade e não levam em conta um fato gritante: a relação incestuosa entre organismo e sistema nervoso. Afinal de contas, este está dentro daquele, porém não do mesmo modo claramente definido como o leitor está dentro de uma sala ou minha carteira, dentro do bolso. O sistema nervoso *interage* com várias partes do corpo graças a vias neurais, que se distribuem por todas as estruturas corporais, e, na direção inversa, graças a moléculas químicas que viajam no sangue circulante e podem ter acesso direto ao sistema nervoso em alguns pontos batizados pomposamente como a "área postrema" e os "órgãos circunventriculares". Você pode imaginar essas regiões como áreas sem fronteira, de trânsito livre, enquanto existe uma barreira em todos os demais lugares: a barreira hematoencefálica, que impede a movimentação de moléculas químicas.

O corpo ganha acesso direto e desimpedido ao sistema nervoso e também dá livre acesso a ele, muitas vezes nos mesmos pontos onde se faz a comunicação em direção ao cérebro; é uma espécie de toma lá dá cá, que fecha firmemente múltiplas alças de sinalização, do corpo para o cérebro, deste para o corpo, e novamente do corpo para o cérebro. Em outras palavras, como resultado das informações que o corpo oferece ao cérebro sobre seu próprio estado, ele é modificado no caminho de volta da comunicação. O conjunto das respostas é bem grande. Inclui a contração de músculos lisos em diversas vísceras e vasos sanguíneos, ou a liberação de moléculas químicas que alteram as operações de vísceras e do metabolismo. Em alguns casos, a modificação é uma réplica direta àquilo que o corpo "disse" ao cérebro, mas em outros casos, a resposta é independente e espontânea.

Deve ser óbvio que nada minimamente comparável ocorre, por exemplo, na relação entre o sistema nervoso e objetos que vemos ou ouvimos. Estes permanecem separados da aparelhagem sensorial que é capaz de mapear suas características e de percebê-los, no sentido apropriado do termo "percepção". Não existe uma interação natural, espontânea, das duas partes, mas sim uma distância de fato, e muitas vezes grande. É preciso deliberação para interferir em um objeto visto ou ouvido, e essa interferência é executada *fora* do dueto objeto-órgão perceptual. É de lamentar que essa distinção importante seja sistematicamente desconsiderada nas discussões relevantes em ciência cognitiva e filosofia da mente. A distinção não se aplica tão bem ao tato, e pior ainda ao paladar e ao olfato, os sentidos de contato. A evolução criou *telessentidos* com os quais objetos externos fazem conexão conosco primeiro pelos modos neural e mental, e só chegam ao nosso interior fisiológico graças à ação intermediária do filtro afetivo. Os sentidos "de contato" mais antigos chegam ao interior fisiológico mais diretamente.[12]

Decerto seria negligência não ressaltar a maneira diferente como o cérebro lida com eventos no interior do seu organismo e outros externos a este. Também seria negligência não supor que essa diferença contribui para a construção de valência como a apresentamos até aqui. Uma vez que, para começar, a valência é um reflexo do estado favorável ou desfavorável da homeostase em um dado organismo, é razoável pensar que a intimidade com que corpo e cérebro tratam dos seus afazeres poderia influenciar na tradução de aspectos desse estado homeostático em aspectos da função cerebral e da experiência mental corrente a ela relacionada. Contanto, obviamente, que existam os mecanismos necessários para a tradução, e o leitor não irá demorar a ver que isso ocorre. A íntima parceria corpo-cérebro e as especificidades fisiológicas dessa intimidade colaboram para a construção de valência, a principal contribuidora para o poder de captura e submissão dos sentimentos.

O PAPEL DO SISTEMA NERVOSO PERIFÉRICO

O corpo realmente *transmite* informações sobre sua condição ao sistema nervoso ou *se funde* a ele de modo que possa continuamente informá-lo sobre sua condição? Com base no que discutimos até aqui, podemos concluir que cada uma dessas explicações corresponde a uma era distinta na evolução das relações corpo-cérebro e a diferentes níveis de processamento neural. A explicação da "fusão" é o único modo de descrever como o interior antigo, usando os arranjos funcionais antigos, mescla corpo e cérebro. A explicação da transmissão condiz bem com os aspectos mais modernos da anatomia e função do cérebro, e com o modo como refletem tanto o interior antigo quanto o interior não tão antigo.

Convencionalmente, supõe-se que, no processo homeostático, o corpo transmite informações sobre seu estado ao sistema nervoso central, usando uma variedade de rotas pelas quais as informações relevantes chegam até as partes do cérebro mais antigas, chamadas de "emocionais". As explicações típicas apontam para certos grupos importantes de núcleos, como a amígdala, e para alguns córtices cerebrais na região insular, na região cingulada anterior e em partes do setor ventromedial do lobo frontal.[13] Outras designações bem conhecidas para essa coleção de estruturas são "cérebro límbico" e "cérebro reptiliano". Podemos compreender como esses termos acabaram por entrar para a literatura especializada, mas atualmente seu uso não é muito útil. No ser humano, por exemplo, todas essas estruturas "mais antigas" incluem setores "modernos", mais ou menos como uma casa antiga dotada de banheiro e cozinha elegantemente reformados. E o funcionamento desses setores do cérebro não é independente, mas sim interativo.

Um problema maior na explicação tradicional é o fato de que a coleção de estruturas antigas mencionada não conta a história completa. Faltam algumas partes, com destaque para os núcleos do tronco encefálico, que são processadores fundamentais das informações relacionadas ao corpo em nível bem inferior ao do córtex cerebral.[14] Um exemplo importante é o núcleo parabraquial.[15] Esses núcleos não só recebem informações sobre o estado do organismo, mas também dão origem às respostas emotivas envolvidas em impulsos, motivações e emoções propriamente ditas; um bom exemplo são os núcleos na substância cinzenta periaquedutal.[16] Talvez, na explicação convencional, o que mais está fazendo falta seja uma parte mais inicial e ainda mais antiga, relacionada a estruturas neurais periféricas bem próximas do corpo propriamente dito. Precisamos melhorar essa explicação.

Primeiro, é verdade que as estruturas do sistema nervoso central relacionadas aos sentimentos são evolucionariamente mais antigas que as associadas à cognição complexa. Mas é igualmente verdade, e muito desconsiderado, que os mecanismos nas estruturas "periféricas", aqueles que supostamente transmitem informações do corpo ao cérebro, são no mínimo tão antigos e, em alguns casos, até mais. Nós homenageamos as primeiras e negligenciamos estes últimos.

Na realidade, os recursos de transmissão periféricos relacionados ao processo do sentimento *não* são do tipo que transmite sinais da retina ao cérebro no nervo óptico, ou que leva sinais do tato discriminativo da pele até o cérebro usando fibras neurais modernas e refinadas. Para começar, parte desse processo nem sequer é neural, ou seja, não envolve disparos nervosos regulares ao longo de cadeias de neurônios. O processo é humoral: sinais químicos viajam no sangue pelos vasos capilares e *banham* certas regiões do sistema nervoso que não possuem a barreira hematoencefálica; assim, essas regiões cerebrais são informadas *diretamente* sobre aspectos do estado homeostático corrente.[17]

A barreira hematoencefálica, como o próprio nome sugere, protege o cérebro da influência de moléculas em circulação no sangue. Já mencionei dois setores do sistema nervoso central que são bem conhecidos pela ausência de barreira hematoencefálica. Capazes de receber sinais químicos diretamente, esses setores são a área postrema, localizada na fossa romboide, no nível do tronco encefálico, e os órgãos circunventriculares, mais acima no telencéfalo, localizados nas margens dos ventrículos laterais.[18] Descobriu-se, mais recentemente, que os gânglios da raiz posterior também são desprovidos de barreira hematoencefálica.[19] Isso é especialmente interessante, pois eles reúnem os corpos celulares de neurônios cujos axônios distribuem-se amplamente por vísceras e levam sinais do corpo para o sistema nervoso central.

Os gânglios da raiz posterior localizam-se ao longo de toda a coluna vertebral, no nível de cada vértebra, e ligam a periferia do corpo à medula espinhal, ou seja, conectam fibras nervosas periféricas ao sistema nervoso central. Essa é uma das rotas para transmitir sinais sensitivos dos membros e torso ao sistema nervoso central. Informações sobre a face também são transmitidas centralmente por dois gânglios grandes mais solitários: os gânglios trigeminais, um de cada lado do tronco encefálico.

Essa descoberta significa que, embora os neurônios trabalhem para transmitir sinais periféricos ao sistema nervoso central, eles não atuam sozinhos. Ao contrário, são auxiliados, modulados *diretamente* por moléculas em circulação no sangue. Os sinais que, por exemplo, ajudam a gerar a dor de um ferimento são transmitidos precisamente por esses gânglios da raiz posterior.[20] Portanto, segundo a linha de raciocínio que acabo de expor, os sinais não são "puramente" neurais. O corpo participa do processo, diretamente, graças à influência de moléculas químicas em circulação no sangue. A mesma influência pode ser exercida em região superior do sistema, no nível do tronco encefálico e dos córtices cerebrais. O desnudamento da barreira hematoencefálica é um mecanismo de fundir corpo e cérebro. De fato, a permeabilidade pode revelar-se uma característica até bem generalizada de gânglios periféricos.[21] Esse é um fato estabelecido, e precisa ser levado em conta em todos os estudos sobre sentimentos.

OUTRAS PECULIARIDADES DA RELAÇÃO CORPO-CÉREBRO

Sabe-se há muito tempo que, em grande medida, sinais interoceptivos são transmitidos ao sistema nervoso ou por neurônios cujos axônios são desprovidos de mielina, as fibras C, ou por aqueles cujos axônios são apenas levemente mielinizados, as fibras A-delta.[22] Esse também é um fato estabelecido, mas tem sido interpretado simplesmente como uma indicação da respectiva idade evolucionária de sistemas interoceptivos, sem que se atribua maior importância a ele. Minha interpretação é diferente. Consideremos os fatos a seguir.

A mielina é uma conquista importante da evolução. Ela isola os axônios e lhes permite conduzir sinais em alta velocidade porque não ocorre escape de corrente elétrica ao longo do axônio. Nossa percepção do mundo externo ao nosso corpo — nós vemos, ouvimos, sentimos pelo tato — agora está nas mãos bem isoladas, rápidas e seguras de axônios mielinizados. E o mesmo podemos dizer, a propósito, sobre os movimentos hábeis e rápidos que fazemos no mundo externo, e sobre as elevadas altitudes do nosso pensamento, raciocínio e criatividade.[23] Os disparos de axônios dependentes de mielina são modernos, rápidos, eficientes, como produtos do Vale do Silício.

Sendo assim, é estranho constatar que a homeostase, o processo indispensável à nossa sobrevivência, juntamente com os sentimentos, a preciosa interface reguladora da qual é tão dependente, está nas mãos de fibras amielínicas antigas, lerdas e vazantes! Como explicar o fato de que a sempre vigilante seleção natural não se livrou dessa aeronave ineficiente e lerda em favor de jatos com turbinas de "*high bypass*"?*

Ocorrem-me duas razões. Vejamos, primeiro, a que contradiz minha linha de pensamento. A mielina é criada, laboriosamente, por células não neurais, as gliais conhecidas como células de Schwann, que envolvem o axônio. Em poucas palavras, a glia (que significa cola) não só fornece o andaime para redes neurais, mas também isola alguns neurônios. Como a construção da mielina requer grande gasto de energia, os custos de equipar cada axônio com essa membrana poderiam superar os benefícios, uma vez que as fibras antigas já vinham fazendo um trabalho razoável; a evolução não teria comprado o produto, e a história da ausência de mielina não teria adquirido nenhuma importância adicional.

A outra razão para a natureza não ter aceitado o statu quo favorece minha linha de pensamento. As fibras amielínicas oferecem oportunidades que são tão indispensáveis para a fabricação de sentimentos que a evolução não pôde dar-se ao luxo de desperdiçá-las isolando os preciosos cabos.

Quais eram as oportunidades criadas pela ausência de mielina? A primeira está na receptividade das fibras amielínicas aos ambientes químicos circundantes. As fibras mielínicas modernas só podem ser afetadas por uma molécula em alguns pontos ao longo do axônio conhecidos como nódulos de Ranvier: são os pontos onde não há o isolamento de mielina. Mas nas fibras amielínicas, a história é outra. Elas são como cordas que podem ser to-

---

* Muito simplificadamente, a ideia é que as turbinas de *high bypass* nos aviões são mais eficientes em consumo de combustível e nível de ruído, porque parte do ar que entra no motor passa pelo *bypass*, ou seja, por uma passagem de ar externa. (N. T.)

cadas em qualquer ponto de sua extensão. Isso certamente favoreceria a combinação funcional de corpo e sistema nervoso.

A segunda oportunidade é mais instigante. Por não terem isolamento, as fibras amielínicas que se dispõem lado a lado — o que é uma necessidade, quando elas constituem um nervo — conseguem transmitir impulsos elétricos, em um processo conhecido como efapse. Os impulsos são conduzidos lateralmente, em direção ortogonal ao comprimento da fibra. A efapse não costuma ser considerada no funcionamento de sistemas nervosos, especialmente naqueles como o nosso. Em vez disso — e devo acrescentar que compreensivelmente —, dá-se atenção às *sinapses*, os mecanismos de sinalização eletroquímica de um neurônio para outro, dos quais nossa cognição e locomoção dependem em altíssimo grau. A efapse é um mecanismo antigo, coisa do passado. Muitos livros didáticos já nem a mencionam mais. No entanto, os sentimentos também são coisas do passado trazidas ao nosso tempo porque, de tão úteis, são indispensáveis. A efapse poderia alterar o recrutamento de axônios, por exemplo, amplificando as respostas transmitidas ao longo de troncos nervosos. É intrigante pensar que as fibras do nervo vago, o *principal* conduto de sinalização neural de todo o tórax e abdome ao cérebro, são quase todas amielínicas. A efapse pode muito bem ter um papel nessas operações importantíssimas.

Os mecanismos de transmissão não sináptica são uma realidade. Eles podem operar não só entre axônios, mas também entre corpos celulares, e até entre neurônios e células de suporte como a glia.[24]

O SUBESTIMADO PAPEL DO INTESTINO

É surpreendente que tantas singularidades na relação corpo-cérebro sejam desconhecidas ou desconsideradas. Uma das mais espantosas é o pouco interesse pelo sistema nervoso entérico, o enorme componente do sistema nervoso que regula o trato gastrointestinal desde a faringe e esôfago até a outra extremidade. O ensino da medicina raramente faz referência a esse sistema, e, quando o faz, costuma tratá-lo como um componente "periférico" do sistema nervoso. Só recentemente ele passou a ser estudado em detalhes, sendo quase ausente em estudos científicos sobre a homeostase, sentimentos e emoções, inclusive em minhas próprias incursões nessas áreas, nas quais têm sido por demais cautelosas as referências ao sistema nervoso entérico.

Na verdade, o sistema nervoso entérico é central, e não periférico. É imenso na estrutura e indispensável na função. As estimativas são de que ele abrange entre 100 milhões e 600 milhões de neurônios, um número comparável ao de toda a medula espinhal, ou até maior. A maioria de seus neurônios é intrínseca, assim como a maioria dos neurônios do cérebro superior, ou seja, em vez de provir de outras partes do organismo, são oriundos da própria estrutura, de onde fazem seu trabalho. Apenas uma pequena fração de neurônios é extrínseca e, em grande medida, projeta-se para o sistema nervoso central por intermédio do famoso nervo vago. Existem cerca de 2 mil neurônios intrínsecos para cada neurônio extrínseco, a verdadeira marca de uma estrutura neural independente. Assim, o sistema nervoso entérico tem o controle de grande parte de seu próprio funcionamento. O sistema nervoso central não diz ao entérico o que e como fazer, mas pode modular suas operações. Em resumo, existe uma conversa contínua entre os dois sistemas, embora o fluxo da comunicação ocorra principalmente do intestino para o cérebro superior.

O sistema nervoso entérico foi chamado recentemente de "o segundo cérebro". Esse tratamento honorífico deve-se à sua grande dimensão e autonomia. Não há dúvida de que, a essa altura da evolução, ele só fica atrás do cérebro superior em termos estruturais e funcionais. No entanto, algumas evidências indicam que, historicamente, o desenvolvimento de sistemas nervosos entéricos pode ter precedido o de sistemas nervosos centrais.[25] Há boas razões para isso, e todas estão relacionadas à homeostase. Em organismos multicelulares, a função digestiva é fundamental para o processamento de fontes de energia. Comer, digerir, extrair os componentes necessários e excretar são operações complexas e indispensáveis da vida de um organismo. A única função igualmente indispensável, mas muito mais simples do que a digestão, é a respiração. Mas extrair oxigênio do ar e devolver CO_2 ao ambiente é fácil, em comparação com as tarefas que o trato gastrointestinal tem de executar.

Quando pesquisamos sobre o surgimento de tratos gastrointestinais na evolução, encontramos algo parecido com eles em seres primitivos da família dos cnidários, à qual já me referi. Como foi dito, os cnidários têm o feitio de saco e literalmente ganham a vida flutuando. Seu sistema nervoso é uma rede de nervos, e por suposição representa a forma mais antiga de sistema nervoso. As redes nervosas se parecem com o sistema nervoso entérico moderno em dois aspectos. Primeiro, elas produzem movimentos peristálticos que facilitam a passagem de água contendo nutrientes para dentro, ao redor e para fora do organismo. Segundo, morfologicamente, elas lembram muito uma característica anatômica importante do sistema nervoso entérico dos mamíferos, o plexo mientérico de Auerbach. Embora os cnidários remontem ao período Pré-Cambriano, estruturas que lembram o que viria a ser o sistema nervoso central só apareceram em platelmintos, no período Cambriano. É fascinante pensar que o sistema nervoso entérico pode muito bem ter sido o *primeiro* cérebro.

Considerando o que comentei anteriormente sobre a mielina, não deveria surpreender a informação de que os neurônios do sistema nervoso entérico *não* são mielinizados. Os axônios agrupados são envolvidos de modo incompleto por um alentado isolamento de células gliais entéricas. Esse esquema pode muito bem permitir a condução efáptica, aquelas interações axonais ortogonais que descrevemos para os neurônios não mielinizados no sistema nervoso periférico. A atividade em um pequeno número de axônios recrutaria fibras vizinhas agrupadas e ensejaria a amplificação de sinais. O recrutamento de fibras vizinhas que inervam territórios contíguos produziria as sensações características, vagamente localizadas, que surgem do funcionamento gastrointestinal.

Várias linhas de evidência sugerem que o trato gastrointestinal e o sistema nervoso entérico têm papel importante no sentimento e no humor.[26] Não seria surpresa se a experiência "global" das gradações de bem-estar, por exemplo, estivesse relacionada em grau considerável ao funcionamento do sistema nervoso entérico. A náusea é outro exemplo. O sistema nervoso entérico é um importante tributário do nervo vago, o principal conduto de sinais das vísceras abdominais para o cérebro. Mas há outros fatos intrigantes que condizem com a argumentação. Distúrbios digestivos tendem a correlacionar-se com patologias do humor, por exemplo, e curiosamente o sistema nervoso entérico produz 95% da serotonina no corpo, um neurotransmissor apreciado por seu papel crucial em distúrbios do afeto e sua correção.[27] Talvez o novo fato mais intrigante a relatar aqui seja a estreita relação entre o mundo bacteriano e o intestino. A maioria das bactérias vive em tranquila simbiose conosco, ocupando espaço em todas as partes da nossa pele e mucosas, mais abundantemente nas dobras. Mas é no intestino que elas são mais numerosas, chegando a bilhões de organismos, um número de organismos individuais maior do que o de células humanas individuais encontradas no organismo inteiro. Como elas influenciam o mundo do sentimento, direta ou indiretamente, é um tema fascinante para a ciência do século XXI.[28]

ONDE SE LOCALIZAM AS EXPERIÊNCIAS DE SENTIMENTO?

Quando examino os objetos que constituem meus domínios mentais, onde situo os sentimentos? A resposta a essa pergunta é fácil: localizo meus sentimentos no interior do corpo, como ele é representado em minha mente, frequentemente com coordenadas bem completas, dignas de um GPS. Se eu me cortar descascando batatas, sinto o corte do dedo, e os mecanismos fisiológicos da dor me dizem exatamente onde o corte aconteceu: na pele e na polpa do indicador esquerdo. O complexo processo responsável pela dor — como já vimos — inicialmente é local, mas continua quando sinais neurais chegam aos gânglios da raiz posterior relacionados aos membros superiores. Aqui também o processo não é exclusivamente neural, no sentido de que moléculas em circulação no sangue podem influenciá-lo diretamente. Por sua vez, neurônios chamados pseudounipolares, cujo corpo celular encontra-se no interior dos gânglios da raiz dorsal, transmitem sinais à medula espinhal, onde eles são combinados de maneiras complexas nos cornos posterior e anterior da medula no nível respectivo. É só nesse ponto, talvez, que a transmissão convencional ocorre e sinais viajam de lá até regiões superiores nos núcleos do tronco encefálico, tálamo e córtex cerebral.

Uma explicação tradicional diria que meu cérebro simplesmente foi capaz de registrar a localização do corte como um GPS em um grande painel, como aqueles que vemos na sala de comando e controle de uma fábrica, ou na cabine de um avião moderno. Uma luz acende-se no local X do painel Y. Isso significa problema no local X, pois a pessoa na sala de controle possui uma mente que dá significado ao sinal. A pessoa encarregada de monitorar o painel, ou o piloto, ou o dispositivo robótico projetado para executar a função de monitoração, dá o alarme necessário e executa uma ação corretiva. Mas esse provavelmente não é o modo como o nosso conglomerado corpo-cérebro faz as coisas. Nós localizamos a dor, o que é útil, sem dúvida, mas é igualmente importante o fato de que a resposta emotiva à dor nos detém e é *sentida*. Parte da nossa interpretação e a maior parcela da nossa reação dependem de sentimento. Nós reagimos condizentemente e até, se pudermos, intencionalmente.

O curioso é que nosso cérebro, como a fábrica e o avião, também possui painéis, localizados nas regiões somatossensoriais do córtex cerebral que contêm mapas de diversos aspectos da nossa estrutura corporal: cabeça, tronco e membros e sua estrutura musculoesquelética. No entanto, não sentimos dor no painel do cérebro do mesmo modo que o problema na fábrica é localizado no painel que o sinaliza. Sentimos dor na *fonte,* na *periferia,* e é justamente aí onde alguns dos construtores de valência começam seu árduo trabalho. Essa referência vantajosa requer que *as regiões cerebrais responsáveis pela experiência sentida — alguns núcleos do tronco encefálico, córtices insulares e cingulados — atuem em conjunto com as regiões cerebrais responsáveis por localizar os processos periféricos no mapa neural global do corpo — por exemplo, os córtices somatomotores.* O processo da mente ilumina *tanto* os conteúdos que se relacionam ao sentimento *como* o ponto onde o processo teve origem. Os dois aspectos não precisam estar no mesmo espaço neural, e claramente não estão. Podem ser localizados em partes separadas do sistema nervoso, ativar-se em rápida sequência e, mesmo assim, dentro da unidade de tempo maior. Além disso, as duas partes separadas podem ser ligadas funcionalmente por conexões neurais que formam um sistema.

Voltemos à minha aventura das batatas: os detalhes locais da perda de integridade que meu corpo sofreu são responsáveis por uma perceptível perturbação química, sensitiva ou motora que não me deixará em paz enquanto eu não lidar de algum modo com o problema. Não me é permitido desconsiderar ou esquecer, pois a valência negativa do meu processo de sentimento tira forçosamente a minha atenção de outros assuntos. Ela também quase garante que eu procure me inteirar dos detalhes do evento com bastante eficiência. Não há nada de distante ou indiferente nos conteúdos da minha experiência mental. Nunca mais vou querer descascar batatas.

SENTIMENTOS EXPLICADOS?

O que podemos afirmar confiantemente sobre os sentimentos a essa altura? Podemos dizer que o caráter único desses fenômenos mantém uma estreita ligação com o papel homeostático crucial que eles desempenham. O cenário para a geração de sentimento é radicalmente diferente do de outros fenômenos sensoriais. O relacionamento entre os sistemas nervosos e os corpos é incomum, para dizer o mínimo: os primeiros estão *dentro* dos últimos, não meramente contíguos, mas, em alguns aspectos, contínuos e interativos. Como vimos nas seções anteriores, o corpo e as operações neurais fundem-se em vários níveis, desde a periferia do sistema nervoso até os córtices cerebrais e os grandes núcleos a ele subjacentes. Isso e o fato de que o corpo e o sistema nervoso mantêm uma incessante conversa mútua motivada por necessidades homeostáticas sugerem que os sentimentos se baseiam, fisiologicamente, em processos híbridos que não são puramente neurais, nem puramente corporais. Esses são os fatos e as circunstâncias de ambos os lados da equação: de um lado, a experiência mental que chamamos de sentimento, de outro, o corpo e os processos neurais que são circunstancialmente ligados a ela. Estudos adicionais sobre a fisiologia que baseia os aspectos neurais e corporais prometem trazer mais esclarecimentos sobre o lado mental da equação.

Discutimos os sentimentos como expressões mentais da homeostase e como algo útil para governar a vida. Também salientamos que, devido ao mecanismo do afeto que a evolução construiu ao redor dos sentimentos, não é possível falar significativamente em pensamento, inteligência e criatividade sem levar em consideração os sentimentos. Estes têm um papel em nossas decisões e permeiam nossa existência.

Sentimentos podem nos aborrecer ou deleitar, mas não é para isso que existem, se raciocinarmos teleologicamente por um momento. Eles são *para* a regulação da vida, provedores de informações sobre a homeostase básica ou as condições sociais da nossa vida. Falam a nós sobre riscos, perigos, crises correntes que precisam ser vencidas. Do lado bom da moeda, podem nos informar sobre oportunidades, guiar-nos em direção a comportamentos que melhorarão a nossa homeostase geral e, no processo, fazer de nós seres humanos melhores, mais responsáveis pelo nosso futuro e pelo de outros.

Eventos da vida que nos fazem sentir bem promovem estados homeostáticos benéficos. Se amamos e nos sentimos amados, se o que ansiávamos por conseguir é de fato conseguido, nos consideramos felizes, afortunados, ou ambos; porém, se não tomarmos nenhuma ação específica, vários parâmetros da nossa fisiologia geral caminham na direção benéfica. Nossas respostas imunes tornam-se mais fortes, por exemplo. A relação entre sentimento e homeostase é tão forte que tem mão dupla: os estados perturbados da regulação da vida que definem as doenças são sentidos como desagradáveis, assim como o são os sentimentos que correspondem à representação de um corpo propriamente dito alterado pela doença.

Também está claro que sentimentos desagradáveis induzidos por eventos externos, e não inicialmente pela homeostase perturbada, levam a estados perturbados da regulação da vida. Uma tristeza contínua motivada por perdas pessoais, por exemplo, pode perturbar a saúde de vários modos: reduz as respostas imunes e diminui o estado de atenção que pode nos proteger de danos no dia a dia.[29]

De ambos os lados da moeda, os sentimentos desempenham o papel de motivos por trás do desenvolvimento dos instrumentos e práticas das culturas.

UM APARTE SOBRE A RECORDAÇÃO DE SENTIMENTOS PASSADOS

Uma coisa que me intriga especialmente nesse tema da memória e sentimento é o modo como, ao menos para alguns de nós, tantos momentos *bons* do passado podem se tornar, quando recordados, *maravilhosos* ou até *extraordinários* do passado. De bom para maravilhoso, de maravilhoso para extraordinário, a transformação pode ser mágica e interessante. O material é reclassificado e reavaliado. As coisas que recordamos adquirem mais beleza, os detalhes tornam-se mais vívidos e mais minuciosamente destacados. Por exemplo, imagens visuais e auditivas ganham realce, e os sentimentos associados tornam-se mais ternos, mais intensos, tão agradáveis de experimentar que a própria ideia de interromper a recordação é dolorosa, apesar do fato de a experiência agora passada ter sido tão positiva.

Mas o que poderia explicar essa transformação? Duvido que a idade a explique (pessoalmente, sempre experienciei memórias dessa maneira), embora ela possa se tornar mais pronunciada conforme avançamos em anos. Será que a frequência real de experiências boas aumenta com a idade e, por isso, um número maior dela pode ser recordado como excelente? Improvável. A propósito, o melhoramento de memórias, se é que devemos chamar assim o processo real, não resulta de enfeitar eventos ou desconsiderar detalhes. Ao contrário, os detalhes dos eventos recordados podem ser até mais numerosos; muitas imagens da composição podem perdurar bastante e encontrar condições para produzir uma resposta emotiva mais forte. Talvez isso explique o melhoramento, afinal de contas: uma edição meticulosa da recordação de modo que imagens fundamentais recebem mais tempo de exposição e, assim, têm como causar emoções mais bem definidas, as quais, por sua vez, se traduzem em sentimentos mais intensos. Uma coisa é certa: o sentimento abundantemente positivo que acompanha a recordação *não* é parte do material que está sendo recordado. Ele é recém-criado a cada episódio de recordação, como resultado das fortes respostas emotivas que as lembranças engendram. Os sentimentos, em si, nunca são memorizados, portanto não podem ser recordados, mas recriados no momento, com maior ou menor fidelidade, para completar e acompanhar fatos recordados.

Não é que memórias de maus momentos deixam de ser armazenadas e de tornar-se disponíveis. É mais uma questão do quanto lhes é permitido atuar na mente naquele momento. O detalhe está lá, e decerto com base nele podem ser produzidos sentimentos excruciantemente dolorosos. Mas talvez as memórias não muito boas não adquiram força com o tempo, em contraste com as memórias boas que são reprisadas de modos cada vez melhores. Não suprimimos detalhes de memórias más, e sim nos demoramos menos nelas, diminuindo, assim, sua negatividade. O resultado é um aumento no bem-estar acentuadamente adaptativo.[30] O efeito "pico-fim" descrito por Daniel Kahneman e Amos Tversky poderia contribuir também. Talvez sejamos propensos a criar memórias fortes para os aspectos mais gratificantes de uma cena passada e obscurecer o restante. A memória é imperfeita.[31]

Nem todas as pessoas relatam esse tipo de remodelação afetivamente positiva de recordações. Alguns consideram que suas lembranças são exatamente como deveriam ser, nem melhores, nem piores. Previsivelmente, os pessimistas relatam uma piora. Mas tudo isso é difícil de medir e julgar, pois o rumo das nossas vidas difere, em grande medida, por razões relacionadas aos nossos estilos afetivos.

Por que é importante levar em conta esses fenômenos? Uma das razões está relacionada à antevisão do futuro. O que uma pessoa espera e como ela encara a vida à sua frente depende de como seu passado foi vivido, não só em termos objetivos, comprováveis por fatos, mas também em termos de como os dados objetivos são experienciados ou reconstruídos em suas recordações. A recordação está à mercê de tudo o que nos torna pessoas únicas. Os estilos da nossa personalidade, em numerosos aspectos, relacionam-se a modos cognitivos e afetivos típicos, ao saldo das experiências individuais no que diz respeito aos afetos, identidades culturais, realizações, sorte.

Como e por que criamos culturalmente, e como reagimos a fenômenos culturais, depende dos truques das nossas memórias imperfeitas manipuladas por sentimentos.

9. Consciência

SOBRE A CONSCIÊNCIA

Em circunstâncias normais, quando estamos acordados e alertas, sem nenhuma agitação ou deliberação, as imagens que fluem na mente têm uma perspectiva: a nossa. Reconhecemo-nos espontaneamente como os sujeitos de nossas experiências mentais. O material em minha mente é meu, e suponho que o material na sua mente seja seu. Cada um de nós avalia conteúdos mentais de uma perspectiva distinta, a minha ou a sua. Se observarmos juntos a mesma cena, reconheceremos de imediato que temos perspectivas diferentes.

O termo "consciência" aplica-se ao tipo de estado mental muito natural, porém distintivo, descrito pelas características que acabei de mencionar. Esse estado mental permite ao seu possuidor ser o experimentador privado do mundo ao seu redor, e, igualmente importante, experimentar aspectos de seu próprio ser. Para fins práticos, o universo do conhecimento, corrente e passado, que pode ser conjurado em uma mente privada só se materializa para seu possuidor quando a mente deste se encontra em estado consciente, capaz de examinar os conteúdos dessa mente a partir da sua perspectiva subjetiva. Essa perspectiva é tão crucial para o processo global da consciência que é tentador falar simplesmente em "subjetividade", e deixar de lado o termo "consciência" e as distrações que ele tende a causar. Contudo, devemos resistir à tentação, pois somente esse termo comunica um componente adicional e importante dos estados conscientes: a experiência integrada, que consiste em situar conteúdos mentais em um panorama multidimensional mais ou menos unificado. Em conclusão, a subjetividade e a experiência integrada são os componentes cruciais da consciência.

O objetivo deste capítulo é esclarecer por que a subjetividade e a experiência integrada são capacitadoras essenciais da mente cultural. Na ausência de subjetividade, nada importa; na ausência de algum grau de experiência integrada, a reflexão e o discernimento necessários à criatividade não são possíveis.[1]

OBSERVANDO A CONSCIÊNCIA

O estado consciente da mente tem várias características importantes. É acordado, em vez de adormecido. É alerta e concentrado, em vez de sonolento, confuso ou distraído. É orientado para o momento e o lugar. As imagens da mente — sons, imagens visuais, sentimentos etc. — são formadas de modo apropriado, exibidas com clareza e examináveis. Não o seriam, se você estivesse sob a ação de moléculas "psicoativas", como álcool e drogas psicodélicas. No teatro da sua mente (o seu teatro cartesiano, por que não?), a cortina está aberta, os atores no palco, falando e movendo-se, as luzes acesas, os efeitos sonoros ligados e — eis a parte crucial da montagem — há uma plateia: VOCÊ. Não é preciso que você *veja* a si mesmo; você simplesmente *percebe* ou *sente* que, defronte ao que se passa no palco, está sentado um você, o sujeito--plateia do espetáculo, habitando um espaço de frente para a indelével quarta parede do palco. Sinto dizer, mas coisas ainda mais esquisitas aguardam, pois, às vezes, você pode até sentir que outra parte de você está assistindo a você enquanto você assiste ao espetáculo.

A essa altura, alguns leitores devem achar que estou caindo em todo tipo de armadilha ao sugerir essa torrente de metáforas, dizendo que existe um local real no cérebro que poderia fazer as vezes de teatro e ser um foro para a experiência mental. Fiquem tranquilos, pois não é nada disso. E também não penso que existe um minúsculo eu ou você dentro dos respectivos cérebros, passando pela experiência. Não há homúnculo, nem homúnculo dentro de homúnculo, nem a regressão infinita da lenda filosófica. O fato inegável, porém, é que tudo isso acontece *como se* existisse ou um teatro ou uma enorme tela de cinema, e *como se* existisse um eu ou um você na plateia. É perfeitamente aceitável chamar isso de ilusão, desde que reconheçamos que existem firmes processos biológicos por trás disso e que podemos usá-los para esboçar uma explicação para o fenômeno. Não podemos meramente desconsiderá-la, como se ilusões não tivessem importância. Nosso organismo, especificamente nosso sistema nervoso e o corpo que interage com ele, não requer teatros ou espectadores de verdade. Serve-se de outros truques da parceria corpo-cérebro para produzir os mesmos resultados, como veremos.[2]

O que mais você observa como sujeito da sua mente consciente? Talvez o fato de ela não ser um monólito, por exemplo. Ela é composta. Possui partes — bem integradas, por sinal, tanto é que algumas dependem de outras, mas ainda assim são partes. Algumas podem destacar-se mais do que outras, dependendo de como você faz a observação. A parte da sua mente consciente que se destaca mais e tende a dominar os procedimentos está relacionada a *imagens* de muitos tipos sensitivos: visuais, auditivas, táteis, gustativas e olfatórias. A maioria dessas imagens corresponde a objetos e eventos do mundo à sua volta. São mais ou menos integradas em conjuntos, e sua respectiva abundância tem relação com as atividades que ocupam você no momento. Se estiver ouvindo música, provavelmente dominarão imagens sonoras. Se estiver almoçando, imagens gustativas e olfatórias serão especialmente destacadas. Algumas das imagens formam narrativas, ou partes de narrativas. Entremeadas às imagens relacionadas à percepção corrente, pode haver imagens do passado sendo reconstruídas, convocadas no momento porque são pertinentes aos procedimentos correntes. Elas são parte de memórias de objetos, ações ou eventos, embutidas em narrativas antigas ou armazenadas como itens isolados. Sua mente consciente também inclui esquemas que ligam imagens, ou abstrações ensejadas por elas. Dependendo do estilo mental do indivíduo, ele pode perceber esses esquemas e abstrações com mais ou menos clareza, e com isso quero dizer, por exemplo, que ele pode construir, como em um espelho, e de maneira confusa, imagens secundárias de movimentos de coisas no espaço, ou relações espaciais entre objetos.

Símbolos passam por esse superfilme no cérebro, e alguns deles compõem uma trilha verbal que traduz objetos e ações em palavras e sentenças. Para a maioria dos mortais, a trilha verbal é em grande parte auditiva e não precisa ser totalmente abrangente — nem tudo é traduzido, a nossa mente não gera legendas para cada linha de diálogo ou descrições para cada cena. É uma trilha verbal para a demanda do momento, que traduz imagens vindas não só de fora, mas também, necessariamente, do interior, como já vimos.

A presença dessa trilha verbal é uma das justificativas remanescentes, e agora incontestável, para uma certa excepcionalidade humana. Os seres não humanos, por mais respeitáveis que sejam, não traduzem suas imagens em palavras, mesmo quando suas mentes fazem uma porção de coisas engenhosas que a nossa pode ou não fazer.

A trilha verbal é corresponsável pela característica narradora da mente humana e pode muito bem ser, para a maioria de nós, sua principal organizadora. De modos não verbais, quase cinemáticos, porém sem palavras, contamos incessantemente histórias a nós mesmos, em particular, e a outros. Chegamos até a novos significados, superiores aos dos componentes separados da história, em virtude de tanta narração.

E quanto aos outros componentes da mente consciente? Ora, eles são as imagens do próprio organismo. Um conjunto é composto de imagens do mundo interno antigo, o mundo da química e das vísceras, que sustenta os sentimentos, as imagens dotadas de valência que são tão distintivas em qualquer mente. Os sentimentos, que se originam no estado homeostático básico e em tantas respostas emotivas geradas pelas próprias imagens do mundo externo, são grandes contribuintes da nossa mente consciente. Fornecem o elemento do *qualia* que é parte das discussões tradicionais sobre o problema da consciência. Finalmente, existem imagens do mundo interno novo, o mundo da estrutura musculoesquelética e seus portais sensitivos. As imagens da estrutura esquelética formam um fantasma do corpo no qual todas as imagens podem ser situadas e afixadas. O resultado de todos esses processos imageadores coordenados não é simplesmente uma grande peça, sinfonia ou filme. É um espetáculo multimídia épico.

Quantos desses componentes da mente dominam nossa vida mental, isto é, comandam a atenção, depende de numerosos fatores: idade, temperamento, cultura, ocasião, estilo mental. Mas todos nós tendemos a dar mais ou menos rédeas aos aspectos do mundo externo ou ao mundo do afeto.

Em circunstâncias normais, a intensidade da função subjetividade varia, assim como varia o grau da integração de imagens. Quando mergulhamos arrebatados em uma narrativa, ou mesmo quando a criamos de uma forma diferente, a função subjetividade pode ser extremamente sutil. Ela ainda está lá, prontamente disponível, presente para assumir de imediato seu papel central.

Quando nos absorvemos no que está acontecendo com os personagens de um filme, por exemplo, não necessariamente estamos pensando em nós mesmos e relacionando o nosso prazer com a presença do sujeito. Para que alocar esforço adicional de processamento ao "eu"? A presença estável de um "eu" de referência já basta. No entanto, repare que se, em dado momento, uma palavra ou acontecimento no filme associa-se à sua experiência passada específica e provoca uma reação — um pensamento, uma resposta emotiva e um sentimento específico —, o nosso "sujeito" ganha destaque; momentaneamente, coexperienciamos o material visto na tela e a nossa própria presença, agora mais proeminente na mente consciente. É ainda mais provável que isso ocorra quando temos o total controle do tempo necessário para adquirir o material. É isso que acontece quando lemos um romance ou até um texto de não ficção absorvente. Podemos dar o ritmo que quisermos à aquisição e tradução mental, algo que não ocorre na experiência de um filme, a menos que abandonemos nossa postura de espectador e nos distraiamos do que a tela mostra. A experiência clássica de um filme, como nos casos da música e da realidade, impõe seu tempo de aquisição. Se quiser ser livre de verdade, escolha a literatura.

Finalmente, preciso salientar que as imagens do interior cumprem um duplo dever. De um lado, elas contribuem para o show multimídia da consciência: podem ser observadas como parte do espetáculo da consciência; de outro, para a construção de sentimentos, e com isso ajudam na geração da própria subjetividade, a propriedade da consciência que nos permite ser espectadores. Isso pode parecer confuso, e até paradoxal de início, mas não é. Os processos são encaixados. Sentimentos fornecem o elemento dos *qualia* incluído na subjetividade. Por sua vez, a subjetividade permite que os sentimentos sejam examinados como objetos específicos na experiência consciente. O aparente paradoxo sublinha o fato de que não podemos discutir a fisiologia da consciência sem fazer referência a sentimentos e vice-versa.

SUBJETIVIDADE: O PRIMEIRO E INDISPENSÁVEL COMPONENTE DA CONSCIÊNCIA

Deixemos de lado, então, as imagens mais destacadas da mente consciente, aquelas que compõem grande parte dos conteúdos das histórias, e vamos nos concentrar nas imagens que constroem a capacitadora crucial da consciência: a subjetividade. A razão de eu ser capaz de descrever qualquer coisa que se passa em minha mente e de dizer coloquialmente que isso "está na minha consciência" é que as imagens que a povoam tornam-se automaticamente *minhas* imagens, aquelas nas quais posso prestar atenção e examinar com maior ou menor esforço ou clareza. Sem que precise levantar um dedo, ou pedir ajuda, *sei* que as imagens pertencem a mim, o proprietário da minha mente e do corpo no qual a mente está sendo fabricada, enquanto escrevo, o proprietário do organismo vivo que habito.

Em circunstâncias patológicas, quando a subjetividade desaparece — quando as imagens na mente deixam de ser automaticamente reivindicadas por seu possuidor/sujeito —, a consciência deixa de atuar normalmente. Se formos impedidos de manter os conteúdos manifestos da mente em uma perspectiva subjetiva, esses conteúdos flutuarão, desancorados, sem pertencer a ninguém. Quem saberia que eles existem? A consciência desapareceria, e com ela, o significado do momento. O sentimento de si seria suspenso.

É fascinante que um simples truque — a subjetividade, que poderíamos também chamar de truque da propriedade — possa transformar o esforço da sua mente para produzir imagens em material significativo e orientador, ou que, pelo simples fato de estar ausente, faça todo o empreendimento da mente parecer inútil. É evidente que, se quisermos entender como a consciência é feita, precisamos entender como é feita a subjetividade.

A subjetividade não é obviamente uma coisa, mas um processo, que depende de dois ingredientes cruciais: a criação de uma *perspectiva* para as imagens mentais e o acompanhamento das imagens por *sentimentos*.

1. Criação de uma perspectiva para as imagens mentais

Quando "vemos", os conteúdos visuais manifestos na mente aparecem da perspectiva da nossa visão — especificamente, da perspectiva aproximada dos olhos, do modo como eles estão dispostos na cabeça. Ocorre exatamente o mesmo com as imagens auditivas em nossa mente. Elas são formadas da perspectiva das nossas orelhas, não da perspectiva das orelhas de alguém situado diagonalmente em relação a nós, e nem mesmo da perspectiva dos seus olhos. O mesmo vale, analogamente, para as imagens táteis: elas têm a perspectiva exata da sua mão, ou do rosto, ou de qualquer que seja a parte do seu corpo que entra em contato direto com o que está sendo tocado. É claro que uma pessoa sente cheiro com seu nariz e gosto com suas papilas gustativas. E esses fatos são fundamentais para compreendermos a subjetividade, como logo veremos.

Uma das principais contribuições para a construção da subjetividade é dada pela operação dos portais sensitivos, nos quais encontramos os órgãos responsáveis por gerar imagens do mundo externo. Os primeiros estágios de qualquer percepção sensorial dependem de um portal sensitivo. Os olhos e a maquinaria associada são um ótimo exemplo: as órbitas ocupam uma região específica e delimitada no corpo, dentro da cabeça, até mesmo dentro da face. Elas têm coordenadas de GPS específicas nos três mapas tridimensionais do nosso corpo, o fantasma do corpo definido pela nossa estrutura musculoesquelética. O processo de ver é muito mais complexo do que projetar padrões luminosos sobre a retina. A visão "de primeira qualidade" começa nas retinas e continua, por vários estágios de transmissão e processamento de sinais, até os córtices cerebrais dedicados à visão. Mas, para ver, é preciso primeiro *olhar*. Olhar consiste em muitos atos, executados *não* pelas retinas ou córtices visuais, mas por um complexo conjunto de mecanismos dentro e ao redor dos olhos. Cada olho tem um obturador, um diafragma, bem parecido com o de uma câmera, que controla a quantidade de luz admitida na retina. Possui ainda uma lente, o cristalino, também como uma câmera. O cristalino pode ser ajustado automaticamente para pôr o objeto também em foco — o nosso próprio recurso de foco automático. Por fim, os dois olhos movem-se em várias direções, de modo conjugado, para cima, para baixo, para a esquerda e a direita, permitindo-nos examinar e captar visualmente o universo à nossa volta, e não apenas à nossa frente, sem precisar mover a cabeça ou o corpo. Todos esses dispositivos são sentidos continuamente pelo sistema somatossensorial e produzem as correspondentes imagens somatossensoriais. Ao mesmo tempo que construímos uma imagem visual, nosso cérebro também está formando imagens da infinidade de movimentos executados por esses dispositivos intricados. Do modo mais autorreferente possível, eles informam à mente, por meio de imagens, o que o cérebro e o corpo estão fazendo, e "localizam" essas atividades no fantasma do corpo. As imagens do fantasma do corpo são sutis, partes do lado do espectador desse espetáculo. Elas não são tão vívidas quanto aquelas que descrevemos no espetáculo da consciência. Os sistemas cerebrais que recebem informações sobre os movimentos e ajustes necessários para a realização do processo de "olhar" são totalmente distintos daqueles que recebem informações sobre imagens visuais em si, a base do "ver". Como já mencionei, a máquina de "olhar" *não* está localizada nos córtices visuais.

Considere, agora, a situação insólita que estamos identificando aqui: parte do processo da subjetividade é feita do mesmo tipo de material com o qual construímos os conteúdos manifestos mantidos na subjetividade — especificamente, as *imagens*. No entanto, embora o tipo de material seja o mesmo, a fonte é diferente. Em vez de corresponder aos objetos, ações ou eventos, que normalmente dominam a consciência, essas imagens específicas correspondem a *imagens gerais do nosso corpo, como um todo, captadas no ato de produzir essas outras imagens*. Esse novo conjunto de imagens constitui uma revelação parcial do processo de tornar os conteúdos manifestos da mente inseridos, de modo hábil e discreto, junto com essas outras imagens. Ele é gerado dentro do mesmo corpo que possui esses conteúdos manifestos, aqueles que agora estão sendo exibidos na tela de múltiplos palcos do nosso cérebro, e que a consciência nos permitirá conhecer e avaliar. Esse novo conjunto de imagens ajuda a descrever nada menos do que o corpo do proprietário no processo de adquirir as *outras* imagens, mas, a menos que você preste muita atenção, dificilmente irá notá-las.

Essa estratégia global produz uma complexa colagem com: (a) as imagens fundamentais que experimentamos e interpretamos como cruciais para o momento que estamos vivendo em nossa mente e (b) as imagens do nosso organismo no processo de construir aquelas imagens fundamentais. Prestamos pouca atenção a essa segunda categoria de imagens, mas elas são essenciais para construir o *sujeito*. Reservamos nossa atenção para aquelas recém-cunhadas que descrevem os conteúdos fundamentais da mente, com os quais precisamos lidar para continuar a viver. Essa é uma das razões pelas quais a subjetividade e, de modo mais abrangente, o processo da consciência permanecem um grande mistério. Os cordões que manejam os fantoches permanecem convenientemente escondidos, como deve ser. Nada disso requer homúnculos, nem mágica insondável. É tão natural e simples que o melhor que podemos fazer é sorrir com respeito e admirar a engenhosidade do processo.

O que acontece quando as imagens que fluem em nossa mente provêm da memória, da recordação, em vez de virem da percepção ao vivo? Continua valendo a mesma explicação. Quando materiais recordados são inseridos nos conteúdos da mente, eles são entremeados com os perceptos que estão presentes no momento, e estes, completamente enquadrados e personalizados, fornecem a "âncora" necessária à perspectiva pessoal.

2. Sentimento: o outro ingrediente da subjetividade

A perspectiva gerada pela estrutura musculoesquelética e seus portais sensitivos não é suficiente para construir a subjetividade. Além dela, outra contribuição essencial para a subjetividade é dada pela disponibilidade contínua de sentimentos. A abundância de sentimentos gera um fértil estado de fundo que poderíamos batizar de "sentimentaria".*

Discutimos o processo da construção de sentimentos nos capítulos anteriores. Neste, precisamos examinar como eles se

---

* *Feelingness*, no original. (N. T.)

unem à perspectiva sensorial para produzir a subjetividade. Sentimentos são um acompanhamento natural e abundante das imagens mantidas no componente manifesto da consciência. Sua abundância deriva de duas fontes. Uma fonte relaciona-se ao estado corrente da vida cujo nível homeostático resulta em estados de bem-estar ou mal-estar, em qualquer grau. O fluxo e refluxo de sentimentos homeostáticos espontâneos provê um segundo plano sempre presente, uma sensação mais ou menos pura de existir, como aquela a que os praticantes de meditação aspiram experimentar. A outra fonte de sentimento é o processamento das várias imagens que compõem as procissões de conteúdos em nossa mente enquanto eles causam respostas emotivas e os respectivos estados de sentimento. Esse último processo, como explicado no capítulo 7, depende da presença de certas características nas imagens de qualquer objeto, ação ou ideia em nosso fluxo mental que consigam desencadear uma resposta emotiva e, com isso, produzir um sentimento. Os numerosos sentimentos assim produzidos unem-se ao fluxo contínuo de sentimentos homeostáticos e seguem com ele. O resultado é que nenhum conjunto de imagens deixa de ser acompanhado por uma quota de sentimento.

Concluímos que a subjetividade é construída a partir de uma combinação da perspectiva do organismo, relativamente ao local, no corpo, onde as imagens a serem tornadas conscientes foram geradas, com a incessante construção de sentimentos espontâneos e provocados que são desencadeados por imagens fundamentais e as acompanham. Quando as imagens são apropriadamente situadas na perspectiva do organismo *e* acompanhadas por sentimentos, o resultado é uma *experiência mental*. A consciência no sentido pleno do termo ocorre, como veremos adiante, quando essas experiências mentais são adequadamente integradas em uma tela maior.

As experiências mentais que constituem a consciência dependem, portanto, da presença de imagens mentais *e* do processo da subjetividade que torna nossas essas imagens. A subjetividade requer um ponto de perspectiva para a produção dessas imagens, e também a difusa sentimentaria que acompanha o processamento das imagens, duas coisas que provêm diretamente do corpo em si. Elas resultam da incessante tendência dos sistemas nervosos a sentir e a produzir mapas, não só de objetos e eventos ao redor do organismo, mas também do seu interior.[3]

O SEGUNDO COMPONENTE DA CONSCIÊNCIA: A INTEGRAÇÃO DE EXPERIÊNCIAS

O elaborado processo da subjetividade, com seus componentes da perspectiva e dos sentimentos, é suficiente para explicar a consciência do modo como a descrevemos nas primeiras páginas deste capítulo? A resposta é não. Escrevi sobre a experiência de assistir a um espetáculo multimídia onde você ou eu éramos espectadores, e onde, ocasionalmente, podíamos até assistir ao espetáculo de nós mesmos assistindo ao espetáculo. A subjetividade, por mais elaborada que seja, não é suficiente. Para que isso aconteça, precisamos de outro processo componente, um processo que integra as imagens e as respectivas subjetividades em uma tela mais ou menos grande.

Consciência, no sentido pleno do termo, é um estado específico da mente no qual imagens mentais são imbuídas de subjetividade e experimentadas em uma tela integrada mais ou menos vasta.[4]

Onde a subjetividade e a integração de imagens são produzidas? Existe algum lugar no cérebro, uma região, ou mesmo um sistema *onde* acontecem os processos relacionados? A resposta, pelo que sei, é não. Como vimos nos capítulos anteriores, a mente surge em toda a sua complexidade das operações combinadas do sistema nervoso *e* seu respectivo corpo, trabalhando sob o bastão do imperativo homeostático, manifesto em cada célula, tecido, órgão, sistema e em sua articulação global em cada indivíduo. A consciência emerge de encadeamentos interativos relacionados à vida, e nem seria preciso dizer que, sendo relacionada à vida, a consciência também está relacionada ao universo da química e física, que forma o substrato dos organismos e no qual nosso organismo existe.

Não há nenhuma região ou sistema específico no cérebro que preencha todos os requisitos da consciência, a perspectiva e os sentimentos, que são os componentes da subjetividade e a integração das experiências. Como não é de surpreender, as tentativas de encontrar um local no cérebro para a consciência não foram bem-sucedidas.[5] Por outro lado, é possível identificar várias regiões e sistemas do cérebro que são inequivocamente relacionados à produção de ingredientes essenciais já mencionados do processo: o ponto de perspectiva, o sentimento e a integração de experiências. Essas regiões e sistemas participam do processo em conjunto, entram e saem da linha de montagem de modo organizado. Novamente, essas regiões cerebrais não fazem isso sozinhas; trabalham em intensa cooperação com o corpo propriamente dito.

Minha hipótese, então, é que os ingredientes contribuintes são produzidos regionalmente e incorporados em procissões sequenciais e integradas. Em um cenário típico, a subjetividade para uma cena dominada por partes visuais e auditivas requereria atividade em vários locais dos sistemas visual e auditivo, em estruturas no tronco encefálico e nos córtices cerebrais. A evocação de imagens da memória relacionadas ao processo seria entremeada com a principal coorte da cena. A atividade relacionada aos sentimentos causados pelas imagens em curso seria providenciada por núcleos do tronco encefálico superior, hipotálamo, amígdala, prosencéfalo basal e córtices insulares e cingulados, em interação com várias seções do corpo propriamente dito. Quanto à atividade relacionada a portais sensoriais/estrutura musculoesquelética, ela seria produzida no teto do tronco encefálico — os colículos superiores e inferiores — e em córtices somatossensoriais e nos campos oculares frontais. Por fim, parte da coordenação de todas essas atividades ocorreria nas regiões corticais mediais, especialmente em córtices posteromediais, assistidos por núcleos talâmicos.

O processo relacionado à integração de experiências requer a ordenação de imagens em forma de uma narrativa, e também a coordenação dessas imagens com o processo da subjetividade. Isso é feito por córtices de associação de ambos os hemisférios cerebrais organizados em grandes redes, das quais a rede em modo padrão é o exemplo mais conhecido. Redes em grande escala conseguem interconectar regiões cerebrais não contíguas por vias bidirecionais razoavelmente longas.

Em poucas palavras, diversas partes do cérebro, trabalhando em estreita interação com o corpo propriamente dito, produzem imagens, geram sentimentos para elas e fazem a referência conjunta dessas imagens e sentimentos no mapa da perspectiva, gerando, assim, os dois ingredientes da subjetividade. Outras partes do cérebro comandam um destaque sequencial das imagens que ocorrem em *suas* fontes sensoriais, e assim contribuem para uma exibição mais ampla de imagens que se movem no tempo, mas não mudam de lugar. Não é preciso que as imagens perambulem pelo cérebro. Elas entram para a subjetividade e integração em virtude do destaque local, sequencial. Números menores ou maiores de imagens e narrativas podem ser processados em cada unidade de tempo, e isso determina o alcance da integração em cada momento. As regiões cerebrais separadas, e muitas das regiões do corpo que as assistem, são interconectadas por vias neurais reais, e podemos identificar com quais estruturas e sistemas neuroanatômicos elas se associam. No entanto, a experiência panorâmica integrada com a qual comecei este capítulo — a exibição teatral ou cinematográfica observada por um sujeito — você, eu — não será encontrada em uma estrutura única do cérebro, e sim em séries temporais de quadros, mais ou menos numerosos, que são ativados gradativamente, mais ou menos como os numerosos quadros que compõem um filme físico. Mas note que, antes, quando usei a metáfora do filme no cérebro, estava me referindo simplesmente à formação e ordenação de imagens simples em uma narrativa. Não considerava o processo ainda mais complexo de imbuí-las de subjetividade e amplificar o escopo da integração para uma tela multidimensional mais vasta, na qual o espaço é dependente do tempo.

No quadro que emerge dessa hipótese, a camada superior do processo é totalmente dependente de sistemas neurais locais, de vias que os interconectam e de interações com o corpo. O processo global acontece no tempo, mas resulta de contribuições refinadas que são firmemente enraizadas em operações específicas e localizáveis. O processo é inconcebível sem as contribuições da periferia do organismo, por meio da ação química direta sobre o sistema nervoso periférico e de estruturas neurais centrais. Ele requer numerosos núcleos do tronco encefálico e outros núcleos do telencéfalo, bem como córtices cerebrais de todas as idades evolucionárias, antigas e novas. Seria tolice privilegiar um desses setores neurais em detrimento de outros na produção da consciência, assim como desconsiderar a presença do corpo propriamente dito que o sistema nervoso é incumbido de servir.[6]

DA PERCEPÇÃO SENSITIVA À CONSCIÊNCIA

Há mérito na ideia de que a consciência, no sentido amplo do termo, é encontrada em numerosas espécies vivas. A questão, evidentemente, é o "tipo" e a quantidade de consciência exibidos por outras espécies. Praticamente, não há dúvida de que bactérias e protozoários têm percepção sensitiva de seu ambiente e respondem às condições percebidas. E o mesmo se pode dizer do paramécio. Plantas respondem a condições de temperatura, hidratação e quantidade de luz solar com um lento crescimento de raízes ou a mudança de direção de suas folhas ou flores. Todos esses seres *percebem* continuamente a presença de outros seres vivos ou do ambiente. Contudo, resisto a chamá-los de conscientes no sentido tradicional do termo, pois esse sentido está ligado às noções de mente e sentimento, e estes, à presença de sistemas nervosos, como já associei.[7] Os seres mencionados não possuem sistema nervoso e nada indica que têm estados mentais. Em resumo, um estado mental, uma mente, é uma condição básica para que experiências conscientes existam no sentido tradicional. Quando essa mente adquire um ponto de vista, isto é, um ponto de vista *subjetivo*, então a consciência propriamente dita pode começar.

Basta de começos. Onde a consciência termina, como vimos, é muito acima, na estratosfera das experiências multissensoriais complexas e integradas às quais a subjetividade se aplica. Essas experiências referem-se tanto ao mundo externo corrente do indivíduo como a mundos complexos do passado, ou seja, o da experiência anterior do indivíduo conforme é montado a partir de memórias evocadas. Referem-se também ao mundo do estado corporal corrente do indivíduo, estado esse que, como já salientei, é a âncora para o processo da subjetividade e, portanto, um elemento crucial da consciência no sentido mais amplo.

O fato de existir uma longa distância fisiológica e evolucionária entre, de um lado, a percepção sensitiva e a irritabilidade de plantas e células e, de outro, estados mentais e consciência não significa que a percepção sensitiva e os estados mentais sejam desvinculados da consciência. Ao contrário, estados mentais e consciência dependem da elaboração, em criaturas dotadas de sistema nervoso, de estratégias e mecanismos presentes em seres pré-neurais mais simples. Isso começa a ocorrer, em termos evolucionários, em feixes nervosos, gânglios e núcleos de sistemas nervosos centrais. Por fim, ocorre em cérebros no sentido propriamente dito.

Entre os fenômenos da percepção sensitiva em células, como um nível básico desse processo natural, e estados mentais na acepção plena do termo, existe um nível intermediário crítico, composto dos estados mentais mais fundamentais: os sentimentos. Estes são estados mentais centrais, talvez *os* estados mentais centrais, aqueles que correspondem a um conteúdo fundamental específico: *o estado interno do corpo ao qual a consciência é inerente.* E porque pertencem à qualidade variada do estado da vida no corpo, eles são necessariamente dotados de *valência,* isto é, são bons ou ruins, positivos ou negativos, apetitivos ou aversivos, prazerosos ou dolorosos, agradáveis ou desagradáveis.

Quando sentimentos, que descrevem o estado interno da vida *agora,* são "postos" ou até "localizados" *na perspectiva corrente do organismo inteiro,* surge a subjetividade. Daí por diante, os eventos à nossa volta, aqueles dos quais participamos e as memórias que evocamos ganham uma possibilidade inédita: podem realmente *importar* para nós, afetar o rumo da nossa vida. A invenção cultural humana requer esse passo, o passo de nos importarmos com os eventos, de eles serem automaticamente classificados como benéficos ou não para os indivíduos aos quais pertencem. Sentimentos conscientes, assumidos, permitem um primeiro diagnóstico de situações humanas como problemáticas ou não. Eles animam a imaginação e excitam o processo de raciocínio com base no qual uma situação será vista como problemática ou como um alarme falso. A subjetividade é requerida para impelir a inteligência criativa que constrói manifestações culturais.

A subjetividade foi capaz de dotar imagens, mentes e sentimentos de propriedades inéditas: uma sensação de propriedade relacionada ao organismo específico no qual esses fenômenos estavam acontecendo; a noção de *meu* que permite adentrar o universo da individualidade. Experiências mentais deram a mentes um novo impacto, uma vantagem a incontáveis espécies vivas. E, nos seres humanos, essas experiências foram alavancas diretas para a construção deliberada de culturas: as experiências mentais de dor, sofrimento e prazer tornaram-se alicerces para desejos humanos, degraus para as nossas invenções, em marcante contraste com a coleção de comportamentos forjados, até aquela altura, pela atuação da seleção natural e transmissão genética. O abismo entre os dois conjuntos de processos — evolução biológica e evolução cultural — é tão grande que nos leva a desatentar para o fato de que a homeostase é o poder que guia ambas.

Não é possível *experimentar* imagens, em si, enquanto elas não fizerem parte de um *contexto* que inclui *conjuntos específicos de imagens relacionadas ao organismo*, aquelas que contam naturalmente a história de como o organismo está sendo perturbado pelo envolvimento de seus mecanismos sensoriais com um dado objeto. Não importa a localização desse objeto — se no mundo externo, em outra parte do corpo propriamente dito ou evocado na memória, criado por uma formação anterior de imagens de algo interno ou externo ao organismo. *A subjetividade é uma narrativa construída incessantemente.* A narrativa surge das circunstâncias de organismos com certas especificações cerebrais conforme eles interagem com o mundo à sua volta, com o mundo de suas memórias passadas e com o mundo de seu interior.[8]

Disso é feita a essência dos mistérios por trás da consciência.

UM APARTE SOBRE O PROBLEMA DIFÍCIL DA CONSCIÊNCIA

O filósofo David Chalmers trouxe um foco à investigação da consciência quando identificou dois problemas nos estudos desse tema.[9] Na prática, ambos os problemas se relacionam à compreensão de como o material orgânico dos sistemas nervosos poderia ensejar a consciência. O primeiro problema, denominado "fácil", referia-se aos mecanismos complexos, mas decifráveis, que permitem aos cérebros construir imagens e aos instrumentos, por exemplo, memória, linguagem, raciocínio e tomada de decisão, com os quais as imagens podem ser manipuladas. Chalmers supôs que a engenhosidade e o tempo resolveriam o problema fácil. Acredito que ele tinha razão. A meu ver, de modo sensato, ele não tinha nada contra a criação de mapas e a formação de imagens.

O problema "difícil" identificado por Chalmers consistia em entender por que e como as partes "fáceis" da nossa atividade mental tornam-se conscientes. Nas palavras dele, "por que a atuação dessas funções mentais [as funções descritas no problema fácil] é acompanhada por experiência?". Assim, o problema difícil refere-se à questão da experiência mental e de como ela pode ser construída. Quando estou consciente de certo percepto — por exemplo, você, leitor, à minha frente, ou a imagem de uma pintura com suas formas, cores e profundidade sugerida —, sei automaticamente que a imagem é minha, que pertence a mim e a mais ninguém. Como já mencionei, esse aspecto da experiência mental é conhecido como "subjetividade", mas a mera menção a ela não conjura os ingredientes funcionais com os quais acabo de propor sua construção. Refiro-me à *qualidade da experiência mental*, à "sentimentaria" e à *localização da sentimentaria no quadro de perspectiva do organismo*.

Chalmers também quer saber por que experiência é "acompanhada" por sentimentos. Por que existe o sentimento que acompanha informações sensoriais?

Na explicação que proponho, a própria experiência combina-se parcialmente aos sentimentos, portanto não se trata de "acompanhar". Eles são resultado de operações necessárias à homeostase em organismos como o nosso. São integralmente presentes, feitos do mesmo material que outros aspectos da mente. O imperativo homeostático que permeava a organização de organismos primevos levou à seleção de programas de vias químicas e ações específicas que assegurassem a manutenção da integridade do organismo. Assim que passaram a existir organismos com sistemas nervosos e capacidade de formar imagens, cérebro e corpo cooperaram para criar imagens desses complexos programas de múltiplas etapas voltados para a manutenção da integridade, de um modo multidimensional, e originaram sentimentos. Como tradutores mentais das vantagens homeostáticas dos programas de vias químicas e ações, ou da ausência destes, em relação a diversos objetos, seus componentes e situações, os sentimentos permitem que a mente fique sabendo sobre o estado corrente da homeostase e, assim, adicionam outra camada de valiosas opções reguladoras. Os sentimentos foram uma vantagem decisiva que a natureza jamais deixaria de selecionar e usar como um acompanhamento consistente dos processos mentais. A resposta à pergunta de Chalmers é que *estados mentais naturalmente causam algum tipo de sensação porque é vantajoso para um organismo ter estados mentais qualificados por sentimentos*. Só assim eles podem auxiliar o organismo a produzir os comportamentos mais compatíveis homeostaticamente. De fato, organismos complexos como o nosso não sobreviveriam na ausência de sentimentos. A seleção natural assegurou que sentimentos se tornassem uma característica permanente de estados mentais. Para mais detalhes sobre como a vida e os sistemas nervosos produziram estados de sentimento, o leitor pode consultar os capítulos anteriores e lembrar que os sentimentos se originaram de uma série de processos graduais relacionados ao corpo, de baixo para cima, de fenômenos químicos e ações mais simples que se acumularam e foram mantidos no decorrer da evolução.

Os sentimentos mudaram a evolução para os seres baseados em carbono como nós. Mas o impacto completo do sentimento só veio a ocorrer mais tarde na evolução, quando experiências de sentimento foram inseridas e apreciadas da perspectiva mais ampla de um sujeito e se fizeram percebidas como importantes para ele. Só então elas começaram a influenciar a imaginação, o raciocínio e a inteligência criativa. Isso só ocorreu quando a experiência do sentimento, que de outro modo estaria isolada, foi localizada no sujeito construído em termos de imagens.

O problema difícil diz respeito ao fato de que, se mentes surgem de tecido orgânico, pode ser difícil ou impossível explicar como as experiências mentais, na prática, estados mentais *sentidos,* são produzidas. Aqui, sugiro que o entrelaçamento do ponto de perspectiva com os sentimentos fornece uma explicação plausível para o surgimento da experiência.

PARTE III
A MENTE CULTURAL EM AÇÃO

10. Culturas

A MENTE CULTURAL HUMANA EM AÇÃO

Todas as faculdades mentais intervêm no processo cultural humano, mas nos últimos cinco capítulos escolhi destacar a capacidade de produzir imagens, afeto e consciência, pois não é possível conceber mentes culturais sem essas faculdades. Memória, linguagem, imaginação e raciocínio, os principais participantes de processos culturais, requerem a produção de imagens. Quanto à inteligência criativa responsável pelas práticas e artefatos das culturas, ela não pode operar na ausência de afeto e de consciência. Curiosamente, afeto e consciência também são as faculdades que acabam esquecidas em contextos de revoluções racionalistas e cognitivas. Merecem atenção especial.

Em fins do século XIX, o papel da biologia na moldagem de eventos culturais foi reconhecido por Charles Darwin, William James, Sigmund Freud e Émile Durkheim, entre outros.[1] Mais ou menos na mesma época, e nas primeiras décadas do novo século, fatos biológicos foram invocados por vários teóricos (entre eles,

Herbert Spencer e Thomas Malthus) para defender a aplicação do pensamento darwiniano à sociedade. Esses esforços, conhecidos de modo geral como darwinismo social, resultaram em recomendações eugênicas na Europa e Estados Unidos. Mais tarde, durante o Terceiro Reich, fatos biológicos foram interpretados erroneamente e aplicados a sociedades humanas com o objetivo de produzir uma transformação sociocultural radical. O resultado foi um pavoroso e colossal extermínio de grupos humanos específicos, atacados em razão de suas origens étnicas ou identidade política e comportamental. A biologia foi injustamente responsabilizada por essa perversão inumana, o que é compreensível. Foram necessárias décadas para que a relação entre biologia e culturas se tornasse um tema de estudo acadêmico aceitável.[2]

No último quarto do século XX, a sociobiologia e a disciplina que ela gerou, a psicologia evolucionária, propuseram não só uma perspectiva biológica para a mente cultural, mas também a transmissão biológica de características relacionadas à cultura.[3] Esses últimos esforços concentraram-se na relação entre culturas e o processo de replicação genética. Não foi seu foco o fato de que os mundos do afeto e da razão interagem incessantemente, e de que ideias, objetos e práticas culturais são inevitavelmente enredados em suas conciliações e contradições. O mesmo se aplica ao tema que privilegio neste livro: os modos como a mente cultural lida com o drama humano e explora as possibilidades humanas, e a maneira como a seleção cultural completa o trabalho da mente cultural e complementa as realizações da transmissão genética. Não estou favorecendo o afeto, o drama humano ou a seleção cultural e excluindo outros participantes do processo cultural. Simplesmente, concentro a atenção no afeto, na esperança de que ele possa ser mais claramente incorporado nas explicações sobre a biologia das culturas. Para isso, preciso frisar o papel da homeostase e seu representante consciente — o sentimento — no processo cultural. Apesar de todas as incursões históricas da biologia no mundo das culturas, a noção de homeostase, mesmo no sentido convencional e restrito de regulação da vida, está ausente em estudos clássicos da cultura. Como já vimos, Talcott Parsons mencionou a homeostase quando analisou culturas da perspectiva de sistemas, mas, em sua análise, a homeostase não foi relacionada a sentimentos, nem a indivíduos.[4]

Como ligar o estado de homeostase à produção de um instrumento cultural capaz de corrigir uma deficiência homeostática? Sugeri que a ponte é fornecida pelo sentimento, uma expressão mental do estado homeostático. Uma vez que os sentimentos representam mentalmente um estado de homeostase destacado no momento, e em virtude da perturbação que podem gerar, eles funcionam como motivos para envolver o intelecto criativo, sendo este último o elo na cadeia que é responsável pela construção da prática ou instrumento cultural.

A HOMEOSTASE E AS RAÍZES BIOLÓGICAS DAS CULTURAS

Nos primeiros capítulos deste livro, escrevi que vários aspectos importantes das respostas culturais humanas foram prenunciados por comportamentos de organismos vivos mais simples do que nós. No entanto, os comportamentos sociais espantosamente eficazes desses organismos não foram inventados por intelectos formidáveis, nem motivados por sentimentos semelhantes aos nossos. Eles resultaram do extraordinário modo natural como o processo da vida lida com o imperativo homeostático, o defensor cego dos comportamentos individuais e sociais vantajosos. A formulação que proponho para investigar as raízes biológicas da mente cultural humana especifica que a homeostase foi responsável pelo surgimento de estratégias e mecanismos comportamentais capazes de assegurar a manutenção e a prosperidade da vida em organismos simples e complexos, inclusive no ser humano. Nos organismos mais antigos, ela gerou os *precursores* dos sentimentos e a perspectiva subjetiva na ausência de processos mentais. Sentimentos e subjetividade não estavam presentes; havia apenas os mecanismos necessários e suficientes para ajudar a regular a vida antes do surgimento de sistemas nervosos e mentes.

Todos esses mecanismos dependiam de moléculas químicas surgidas por obra da seleção natural — nos precursores dos sistemas endócrino e imune — e de programas de ação também frutos de seleção natural. Muitos desses mecanismos talvez tenham sido bem conservados até hoje, e nós os conhecemos como comportamentos emotivos.

Em organismos posteriores, depois que surgiram sistemas nervosos, mentes tornaram-se possíveis e, nelas, tornaram-se possíveis os sentimentos, juntamente com todas as imagens que representavam o mundo exterior e sua relação com o organismo. Essas imagens eram alicerçadas na subjetividade, na memória, no raciocínio e, por fim, na linguagem verbal e na inteligência criativa. Os instrumentos e práticas que constituem culturas e civilizações no sentido tradicional apareceram depois.

A homeostase ensejava a sobrevivência e a prosperidade do indivíduo e ajudava a criar as condições para que ele persistisse e se reproduzisse.[5] De início, organismos vivos lidavam com esses objetivos sem o recurso dos sistemas nervosos e mentes, mas depois usaram mentes e ações deliberadas. Dentre as numerosas estratégias disponíveis, as mais vantajosas foram selecionadas pela evolução e, como resultado, geneticamente mantidas ao longo das gerações. Em organismos mais simples, a seleção era feita com base em opções geradas naturalmente por processos de auto-organização autônoma; nos complexos, a seleção era cultural, baseada em opções produzidas pela invenção subjetivamente direcionada. O nível de complexidade varia, mas os objetivos homeostáticos fundamentais não declarados permanecem os mesmos: sobrevivência, prosperidade e a possível reprodução. Essa é uma boa razão para que práticas e instrumentos que de algum modo apresentam características "socioculturais" tenham surgido cedo e mais de uma vez na evolução.

Em organismos unicelulares, como bactérias, vemos que comportamentos sociais diversificados, sem nenhuma deliberação pelo organismo, refletem uma avaliação implícita do comportamento de outros como conducente ou não à sobrevivência do grupo ou de indivíduos. Elas se comportam "como se" avaliassem. Isso é "cultura" primitiva alcançada sem uma "mente cultural", uma manifestação primitiva do tipo de solução esquemática que a sabedoria e o raciocínio claro viriam a usar e prescrever quando mentes plenamente desenvolvidas fossem capazes de deliberar sobre um problema cuja essência era comparável.

Em insetos sociais, seres multicelulares com sistemas nervosos elaborados, é maior a complexidade dos comportamentos "culturais". As práticas comportamentais são mais complexas, e ocorre também uma produção de instrumentos concretos, por exemplo, a colônia arquitetônica como uma entidade física. Numerosas outras espécies também produzem artefatos: ninhos elaborados, ferramentas simples. A distinção importante, obviamente, é que as manifestações culturais não humanas costumam ser resultado de programas bem estabelecidos, ativados em circunstâncias apropriadas e, em grande medida, de modo estereotipado. Os programas foram montados no decorrer de eras pela seleção natural biológica sob o controle da homeostase, e transmitidos por genes. No caso das bactérias, desprovidas de cérebro e de núcleo, os centros de comando para o emprego de programas localizam-se no citoplasma da célula; em espécies metazoárias multicelulares como os insetos, os centros de comando situam-se no sistema nervoso, onde foram moldados pelo genoma.

Quando examinamos a evolução e suas ramificações, podemos vislumbrar fronteiras de transição entre organismos pré e pós-mentais. Em certa medida, essas fronteiras correspondem à distinção entre comportamentos "pré-culturais" e comportamentos e mentes "verdadeiramente culturais". Existe um fascinante alinhamento da evolução puramente genética dos primeiros com a evolução mista, mas em grande medida cultural, dos segundos.

CULTURAS HUMANAS CARACTERÍSTICAS

O quadro que podemos esboçar para a mente cultural humana e suas culturas difere em vários aspectos. O imperativo que a governa ainda é o mesmo, a homeostase, porém há mais passos no caminho para obter resultados. Primeiro, beneficiando-se da existência já estabelecida de um conjunto de respostas sociais simples, desde os primórdios da vida bacteriana — competição, cooperação, emotividade simples, produção coletiva de instrumentos de defesa como os biofilmes —, as numerosas espécies na linhagem que nos precedeu adquiriram pela evolução e transmitiram geneticamente uma classe de *mecanismos intermediários* capazes de produzir respostas emotivas complexas pró-homeostáticas que também são, o mais das vezes, respostas sociais. O componente crucial desses mecanismos é encontrado no mecanismo do afeto descrito no capítulo 7. Ele é responsável por mobilizar impulsos e motivações e por responder emotivamente a diversos estímulos e cenários.

Em segundo lugar, beneficiando-se do fato de que todos os mecanismos intermediários produzem respostas emotivas complexas e suas experiências mentais subsequentes — os sentimentos —, a homeostase podia agora agir com transparência. Os sentimentos tornaram-se motivos para novas formas de resposta, engendradas pelo singularmente rico intelecto criativo e pela habilidade motora dos seres humanos. Essas novas formas de resposta podiam controlar parâmetros fisiológicos e obter o tipo de balanços positivos de energia essenciais para a homeostase. Mas as novas formas de resposta eram inovadoras também de outro modo. As ideias, práticas e instrumentos das culturas humanas podiam ser transmitidos culturalmente e eram passíveis de seleção cultural. Além dos antecedentes genéticos que permitiram a organismos responder de determinado modo em certas circunstâncias, agora os produtos culturais marchavam ao som de seus próprios tambores, sobrevivendo ou extinguindo-se de acordo com seus méritos, guiados pela homeostase e pelos valores que ela determinava. Essa inovação leva-nos a uma terceira e não menos importante característica da relação entre sentimentos e cultura: *os sentimentos também podiam atuar como árbitros do processo.*

SENTIMENTOS COMO ÁRBITROS E NEGOCIADORES

O processo natural de regulação da vida orienta os organismos vivos para que operem dentro do conjunto de parâmetros compatíveis com a manutenção e a prosperidade da vida. O heroico processo de manter a vida requer um processo de regulação hercúleo e preciso, tanto em células individuais como em organismos como um todo. Em organismos complexos, os sentimentos têm um papel decisivo nesse processo em dois níveis. Primeiro, como vimos, quando os organismos são forçados a operar fora da faixa de bem-estar e derivam em direção à doença e à morte. Quando isso acontece, os sentimentos são perturbações poderosas que injetam no processo de pensamento um esforço em prol de uma faixa homeostática desejável. Segundo, além de gerar preocupação e impelir ao pensamento e à ação, os sentimentos também servem como *árbitros* da qualidade da resposta. Em última análise, são os juízes do processo criativo cultural. Isso porque, em boa medida, os méritos das invenções culturais acabam sendo classificados como eficazes ou não por intermédio de sentimentos. Quando uma sensação de dor motiva a criação de uma solução para fazê-la desaparecer, a redução dessa dor é indicada por um sentimento de atenuação. Esse é o sinal crucial para decidir se o esforço surtiu efeito ou não. Sentimentos e razão estão envolvidos em um abraço inseparável, circular, reflexivo, que pode favorecer apenas um dos parceiros, mas envolve os dois.

Em resumo, as categorias de resposta cultural que fazem parte do repertório atual devem ter conseguido corrigir desregulações da homeostase e devolver organismos a faixas homeostáticas anteriores. É razoável supor que essas categorias de resposta cultural sobrevivem porque atingem um objetivo funcional útil e, assim, foram selecionadas na evolução cultural. Curiosamente, o objetivo funcional útil também deve ter aumentado o poder de certos indivíduos e, por extensão, de grupos de indivíduos relativamente a outros. As tecnologias são um bom exemplo dessa possibilidade: pense nos conhecimentos sobre navegação, nas habilidades comerciais e contábeis, na prensa móvel e, agora, na mídia digital. Sem dúvida, o poder adicionado é uma vantagem para quem o controla. Mas sua obtenção é impulsionada pela ambição devidamente sentida e é seguida por um afeto gratificante. É bem plausível a ideia de que instrumentos e práticas culturais foram concebidos com o propósito de administrar o afeto — e, por extensão, de produzir correções homeostáticas. E nem é preciso dizer que a seleção cultural de instrumentos e práticas bem-sucedidos pode ter repercussão sobre as frequências de genes.

AVALIAÇÃO DOS MÉRITOS DE UMA IDEIA

Como essa ideia do funcionamento da mente cultural se encaixa nas manifestações efetivas das culturas humanas? O caso das diversas tecnologias primitivas, sem dúvida, algumas das primeiras manifestações culturais, é facilmente explicável. A produção de ferramentas para caçar, defender-se e atacar, abrigar-se e vestir-se fornece bons exemplos de como invenções inteligentes foram respostas a necessidades fundamentais. Essas necessidades tornaram-se conhecidas inicialmente pelos respectivos humanos por meio de sentimentos homeostáticos espontâneos como fome, sede, mal-estar ou dor, que se relacionam à administração de estados da vida *individual* e indicam homeostase deficiente. A necessidade de alimentar-se — e a busca de fontes de alimento que fornecessem energia com razoável rapidez, como a carne —; a necessidade de encontrar abrigo para proteger-se das intempéries e criar um refúgio seguro para bebês e crianças; a necessidade de defender a si mesmo e ao grupo contra os predadores e inimigos: tudo isso era sinalizado eficientemente por sentimentos homeostáticos e pelo medo, com a subsequente provocação de sentimentos emocionais. E, então, conhecimento, razão e imaginação, em resumo, a inteligência criativa, atuavam em função desses sentimentos. Nessa mesma linha, estados de doença, como ferimentos, fraturas ou infecções, eram detectados principalmente por sentimentos homeostáticos e tratados com novas tecnologias, as quais se tornaram gradualmente mais eficientes e a história passou a chamar de medicina.

A maioria dos sentimentos provocados resulta da ativação de emoções que se relacionam não só com o indivíduo isoladamente, mas com o *indivíduo no contexto de outros*. Situações de perda resultam em tristeza e desespero, cuja presença induz à simpatia e à compaixão, que, por sua vez, estimulam a imaginação criativa a descobrir modos de contrabalançar a tristeza e o desespero. O resultado pode ser simples, como uma série de gestos carinhosos, a proteção trazida pelo contato físico, ou complexo, como uma canção ou um poema. A resultante retomada de condições homeostáticas abre caminho para o recrutamento de estados de sentimento mais complexos, como gratidão e esperança, e para uma elaboração racional subsequente com base nesses estados de sentimento. Existe uma estreita associação entre formas benéficas de sociabilidade e afeto positivo, e uma associação igualmente forte desses dois elementos com um conjunto de moléculas químicas responsáveis pela regulação do estresse e da inflamação — por exemplo, os opioides endógenos.

Fora de um contexto afetivo não é possível imaginar a origem das respostas que ensejaram remédios, ou quaisquer das principais manifestações artísticas. O paciente enfermo, o amante abandonado, o guerreiro ferido e o poeta apaixonado eram capazes de *sentir*. Suas situações e sentimentos motivaram respostas inteligentes, neles mesmos e em outros participantes de suas respectivas situações. A socialização benéfica é gratificante e melhora a homeostase, enquanto a realizada com agressão tem o efeito oposto. Contudo, deve ficar claro que não estou limitando as artes a um papel terapêutico em nossa época. Os prazeres que podem ser derivados de uma obra de arte continuam relacionados à sua origem terapêutica, mas podem alçar-se a novas regiões intelectuais, onde são acompanhados pela complexidade de ideias e significados. Tampouco sugiro que todas as respostas culturais são proezas inteligentes e bem organizadas, as quais produzem uma resposta necessariamente eficaz à dificuldade original.

Outros exemplos de reação emotiva e resposta cultural são, do lado positivo do livro, razão, o anseio por aliviar o sofrimento alheio e o prazer ao descobrir um meio de fazê-lo; a satisfação por descobrir meios de melhorar a vida de outros, que vai da oferta de bens materiais até invenções divertidas que resultam em felicidade; o prazer em refletir sobre mistérios da natureza e tentar solucioná-los. Provavelmente, foi assim que nasceram muitas ideias, instrumentos, práticas e instituições culturais, modestamente e em grupos pequenos. Com o tempo, tornaram-se locais de devoção, livros de sabedoria, novelas exemplares, instituições de ensino, declarações de princípios e cartas constitucionais.

Do lado negativo, a violência contra outros seres humanos ou praticada por outros teve um papel desproporcional. Sua causa principal foi a ativação de um aparelho neural de emoções cujo desenvolvimento possivelmente atingiu o auge em grandes primatas e cuja sombra continua a pairar sobre a condição humana.

Essa violência provinha, em grande medida, de machos e não necessariamente se justificava pela fome ou por lutas de grupos por território. Podia ter como alvo fêmeas ou jovens, além de outros machos adultos. Os humanos herdaram o potencial para esses modos de comportamento, que foram altamente adaptativos durante uma longa fase da história humana, e a evolução biológica não conseguiu erradicar o potencial para a violência.[6] Na verdade, a evolução cultural, graças à criatividade humana, expandiu a expressão da violência. A tradição florentina do *calcio storico*, assim como o rúgbi e o futebol americano, são bons exemplos. A violência física continua presente em esportes competitivos, herdeiros dos espetáculos de gladiadores romanos, e é frequentemente ensaiada em várias formas de entretenimento no cinema, televisão e internet. Também se faz presente em abundância nos ataques cirúrgicos da guerra moderna, no terrorismo e em outras manifestações. Já as agressões não físicas, a violência psicológica, atuam por meio de abusos de poder irrefreados, bem exemplificados pela invasão de privacidade possibilitada por tecnologias modernas.

Uma das tarefas das culturas é domar a fera que tão frequentemente se faz presente e que permanece viva como um lembrete sobre as nossas origens. A definição de cultura por Samuel von Pufendorf abrange essas noções: "Os meios pelos quais os seres humanos superam seu barbarismo original e, por artifícios, tornam-se plenamente humanos".[7] Pufendorf não menciona a homeostase, mas faço uso de suas palavras para explicar que o barbarismo acarreta sofrimento e perturbação da homeostase, enquanto culturas e civilizações visam reduzir o sofrimento e, assim, restaurar a homeostase, reajustando e restringindo o rumo dos organismos afetados.

Hoje, muitos instrumentos e práticas culturais são respostas a agravos e violações de direitos que se manifestam não meramente como descrições factuais de certas tribulações e circunstâncias, mas como emoções poderosas e energizantes, como raiva e revolta, e seus consequentes estados de sentimento. Aqui vemos afeto e raciocínio como dois componentes de movimentos sociais. Os hinos e poemas que celebram a derrota de inimigos em vitórias sangrentas são parte desse processo.

DAS CRENÇAS RELIGIOSAS E MORALIDADE À GOVERNANÇA POLÍTICA

A medicina primitiva não tinha condições de cuidar dos traumas da alma humana. Mas é possível supor que, em grande medida, crenças religiosas, sistemas morais e justiça, assim como a governança política, tivessem por fim lidar com esses traumas e facilitar a recuperação de suas consequências. A meu ver, o surgimento de crenças religiosas guarda uma relação muito estreita com o luto pela perda de entes queridos, que forçou os humanos a confrontar a inevitabilidade da morte e os incontáveis modos como ela pode ocorrer: acidentes, doenças, violência perpetrada por outros e por catástrofes naturais, qualquer coisa exceto a velhice, uma condição rara em tempos pré-históricos. Muitos traumas da alma humana eram infligidos por acontecimentos públicos no espaço social, e as crenças religiosas eram respostas apropriadas em vários aspectos.[8]

A resposta a perdas e ao luto causado pela violência variava e, dependendo do indivíduo, incluía empatia e compaixão, mas também raiva e mais violência. É compreensível que o pesar tenha sido compensado por uma concepção adaptativa de poderes sobre-humanos, na forma de deuses capazes de resolver grandes conflitos e violência em alto grau. Em um período animista nessas culturas, provavelmente pedia-se aos deuses não apenas ajuda para os sofrimentos pessoais, mas também proteção para a propriedade pessoal e comunitária — plantações, animais de criação, território vital. Mais tarde, no caso de culturas monoteístas, a crença nessas entidades por fim assumiria a forma de um único Deus capaz, por exemplo, de explicar perdas em termos justificáveis e até mesmo aceitáveis. Por fim, a promessa de continuidade da vida após a morte poderia anular totalmente os efeitos negativos de quaisquer perdas e trazer-lhes outro significado.

É no budismo que mais se evidenciam o sentimento e a motivação homeostática das crenças e práticas religiosas. O fundador do budismo, o perceptivo, bem informado e filosoficamente genial príncipe Gautama, identifica o sofrimento como uma doença corrosiva e propõe eliminá-lo reduzindo sua causa mais frequente: o desejo de sentir prazer por quaisquer meios e a incapacidade de obter o prazer com regularidade. Gautama recomenda mitigar o sofrimento — e, com isso, favorecer a homeostase — reduzindo a ambição do eu egoísta com uma busca ativa por um modo de existência sereno.

O raciocínio frio também usou sentimentos vigilantes para

oferecer sua contribuição. O repetido encontro com exemplos de sofrimento causado por roubos, mentiras, traições e indisciplina deve ter sido um poderoso incentivo para a invenção de códigos de conduta cujas recomendações e práticas resultassem em reduções do sofrimento.

O surgimento de códigos morais, sistemas de justiça e governança política — começando pelos sistemas igualitários das primeiras tribos humanas e continuando com a complexa administração de fórmulas nos reinos da Idade do Bronze ou dos impérios grego e romano — guarda estreita relação com o surgimento de crenças religiosas associadas a sentimentos e, por meio destes, à homeostase. Deuses, e por fim um Deus, são um meio para transcender os interesses erráticos dos humanos e buscar uma autoridade *des*interessada que possa ser imparcial, confiável e respeitada. Notavelmente, nessas duas últimas décadas, a investigação de fenômenos neurais e cognitivos relacionados a moralidade e religião fez contato com os sentimentos e emoções, como mostram o trabalho do nosso grupo de pesquisa e os de Martha Nussbaum, Jonathan Haidt, Joshua Greene e Lianne Young. Essas descobertas são especialmente bem analisadas por Mark Johnson e por Martha Nussbaum do ponto de vista da filosofia moral.[9]

Outra rota homeostática importante para o desenvolvimento de práticas religiosas relaciona-se a situações de ameaça e desastre em grande escala. Entre os exemplos estão o confronto com calamidades climáticas — inundações e secas —, terremotos, peste e guerras.[10] Essas situações ativavam emoções sociais e resultavam em poderosos comportamentos coletivos cooperativos. Medo, assombro e raiva eram resultados imediatos que comprometiam a homeostase, mas o apoio cooperativo no grupo se faria sentir com tentativas de compreender e justificar a situação e responder construtivamente. Algumas respostas devem ter incluído comportamentos depois incorporados em práticas da religião, arte e governo. As guerras são um caso especial, pois podem inspirar remédios construtivos, mas também intermináveis ciclos de violência geradora de violência. Não há nada a acrescentar ao que Homero, o *Mahabharata* e as peças históricas de Shakespeare ilustram sobre esse assunto.

Quer vejamos a homeostase do ângulo do alívio e consolo, quer a encaremos da perspectiva dos benefícios produzidos pela organização coletiva e sociabilidade, podemos persuasivamente associar a religião à homeostase da perspectiva de suas origens e durabilidade histórica, sendo esta última um indicador de seleção cultural robusta. Desconfio que Émile Durkheim — que situou as raízes da religião em rituais coletivos de povos tribais e não na amenização de sofrimentos de indivíduos ou grupos pequenos — concordaria. Esses comportamentos coletivos, segundo ele, provocavam emoções e sentimentos intensos e gratificantes. No entanto, os comportamentos coletivos de seus povos tribais provavelmente foram impelidos, antes de tudo, por instabilidades homeostáticas. Continuaria a existir o resultado estabilizador da homeostase para os indivíduos do grupo.

Karl Marx supostamente disse que a religião é "o ópio das massas" (mas o que ele realmente disse foi que a religião era "o ópio do povo", e "as massas" provavelmente são um acréscimo pós-leninista). O que seria mais homeostaticamente inspirado do que a ideia de prescrever opioides para tratar a dor e o sofrimento humanos?

Marx também escreveu, antes dessa frase célebre, que "A religião é o suspiro do ser oprimido, o coração de um mundo sem coração, e a alma das condições sem alma". Eis uma interessante mistura de análise social e sondagem da mente cultural. Combina a rejeição de Marx à religião com o reconhecimento pragmático de que ela pode ser um refúgio espiritual para um mundo desumanizado e sem alma. Uma posição notável, considerando que o filósofo não tinha ideia do quanto o mundo se tornaria desumanizado e sem alma, especialmente aquele inspirado nele. É notável especialmente em razão de todo o transparente encadeamento de estado da vida, sentimentos e respostas culturais.[11]

O fato de a história das religiões ser rica em episódios nos quais crenças religiosas acarretaram, e ainda acarretam, sofrimentos, violência e guerras, resultados humanamente indesejáveis, não contradiz de modo algum o valor homeostático que essas crenças tiveram, e claramente ainda têm, para grande parcela da humanidade.

Finalmente, assim como no caso das iniciativas artísticas, é preciso deixar claro que não vejo as religiões como meras respostas terapêuticas. É plausível e provável que a motivação inicial das crenças e práticas religiosas tenha relação com a compensação homeostática. Mas como essas primeiras tentativas evoluíram é outra questão. As construções intelectuais que se seguiram foram além do objetivo de consolar, e passaram a servir como instrumentos de indagação e formulação de sentido, em que o elemento da compensação é somente um vestígio. Objetivos práticos foram seguidos por explorações filosóficas do sentido do ser humano e do universo.

ARTES, INVESTIGAÇÃO FILOSÓFICA E CIÊNCIAS

As artes, a investigação filosófica e as ciências fazem uso de um conjunto especialmente vasto de sentimentos e estados homeostáticos. Como imaginar o nascimento das artes sem fantasiar também o raciocínio de um indivíduo trabalhando na resolução de um problema evidenciado por um sentimento — do próprio artista ou de outro? É assim que concebo o surgimento da música e dança, da pintura e, por fim, da poesia, do teatro e do cinema. Todas essas formas de arte também vieram ligadas a intensa sociabilidade, pois sentimentos motivadores frequentemente provinham do grupo, e o efeito das artes transcendia o indivíduo. Além de satisfazer necessidades afetivas do indivíduo nos participantes originais, as artes tinham papéis importantes na estrutura e coerência dos grupos em contextos variados, como cerimônias religiosas e preparação para a guerra.

A música é um poderoso indutor de sentimentos, e os humanos gravitam para certos sons instrumentais, modos, tons e composições que produzem estados afetivos gratificantes.[12] Para várias ocasiões e propósitos, fazer música gerava sentimentos que podiam efetivamente cancelar o sofrimento e trazer consolo para si e para outros. Esses sentimentos provavelmente também eram usados para fins de sedução e para o divertimento e contentamento pessoal puro e simples. Humanos, sem questionar, fabricavam flautas com nada menos do que cinco furos já por volta de 50 mil anos atrás. Por que se dariam a esse trabalho se não tivessem descoberto um uso gratificante para o esforço? Por que gastariam tempo e energia em aperfeiçoar aquelas ferramentas recém-criadas, rejeitando algumas e aceitando outras depois de testar seus efeitos? Naqueles primórdios da produção musical, as pessoas devem ter descoberto que certos tipos de som — instrumental e vocal — produziam efeitos previsivelmente agradáveis ou desagradáveis. Em outras palavras, a resposta emotiva causada pelo som de um sopro — produzido por uma voz ou uma flauta — e o sentimento resultante devem ter representado uma agradável descoberta de efeitos tranquilizantes ou sedutores; os sons desarmoniosos e ásperos de paus e pedras esfregados uns nos outros não tinham esses efeitos. Além disso, quando sons eram adicionados, podiam prolongar os efeitos agradáveis e produzir outras camadas de efeito, como imitar objetos e acontecimentos em uma sequência apropriada e começar a contar uma história.

A emotividade específica ligada aos sons é comparável àquela encontrada para as cores, formas ou texturas de superfícies. A natureza física desses estímulos constitui um sinal emblemático da qualidade boa ou ruim de objetos *inteiros*, que tipicamente exibem esses componentes físicos. Esses objetos foram consistentemente associados, na evolução, a estados da vida positivos ou negativos: perigos e ameaças ou bem-estar e oportunidades, em suma, os estados subjacentes a prazer ou dor. Nós, humanos, juntamente com os seres dos quais somos descendentes biológicos, habitamos um universo no qual objetos e eventos, animados e inanimados, não são afetivamente neutros. Ao contrário, em consequência de sua estrutura e ação, um objeto ou evento é naturalmente *favorável* ou *desfavorável* à vida do indivíduo que o experiencia. Objetos e eventos influenciam a homeostase de modo positivo ou negativo e, como resultado, geram sentimentos positivos ou negativos. Também naturalmente, as *características* distintas de objetos e eventos — sons, formas, cores, texturas, movimentos, estrutura temporal etc. — tornam-se *associadas, pelo aprendizado*, a emoções/sentimentos positivos ou negativos ligados ao objeto/evento inteiro. É assim, acredito, que as características acústicas de certos sons vêm a ser descritas como "agradáveis" ou "desagradáveis". As características de um som, que são uma parte de um objeto/evento, adquirem a importância afetiva que o evento *inteiro* teve para o indivíduo. Essa ligação sistemática entre a característica isolada e a valência afetiva perdura, independentemente da associação original que a ensejou. É por isso que dizemos agora que o som de um violoncelo é belo e vibrante: as características acústicas desse som específico já foram um dia parte da experiência prazerosa causada por um objeto totalmente distinto. O som agudo de um clarim ou um violino pode ser experimentado como desagradável ou assustador pelo mesmo tipo de razão. Recorremos a associações estabelecidas há muito tempo — muitas das quais anteriores ao surgimento dos humanos e que agora fazem parte do nosso equipamento neural padrão — para classificar sons musicais em termos afetivos. Os humanos são capazes de explorar essas associações quando constroem narrativas sonoras e estabelecem todo tipo de regras para a combinação de sons.[13]

Na época em que os primeiros humanos fabricavam flautas, provavelmente já davam um bom uso ao primeiro de todos os instrumentos musicais, a voz humana, e talvez ao segundo, o peito, uma cavidade natural apropriada para a percussão. Quanto ao terceiro instrumento, foi provavelmente um tambor oco de verdade, fabricado.

Consoladora ou sedutora, em atividades que tendiam a envolver dois indivíduos ou um grupo reunidos em um evento comunitário — um nascimento, uma morte, a chegada de alimento, a celebração de uma ideia, religiosa ou não, uma brincadeira alegre ou uma marcha para a guerra tribal —, a música contribuiu com seus efeitos homeostáticos multifacetados, desde o passado remoto e provavelmente com grande frequência, começando com camada sobre camada de sentimentos e terminando em ideias.[14] A universalidade e a notável durabilidade da música parecem provir de sua espantosa capacidade de combinar-se a todos os estados de espírito e circunstâncias, em qualquer parte do planeta, no amor e na guerra, envolvendo indivíduos isolados, grupos pequenos ou grandes, que subitamente ganham coesão graças ao poder da música. A música serve a todos os senhores, discreta como um velho mordomo ou barulhenta como uma banda de heavy metal.

A dança ligou-se estreitamente a ela, e seus movimentos expressavam sentimentos comparáveis: compaixão, desejo, os deleites exultantes da sedução bem-sucedida, do amor, da agressão e da guerra.

Não é difícil defender a função homeostática das artes visuais — nascidas nas pinturas em cavernas — e da tradição da narração oral de histórias na poesia, no teatro e na exortação política. Essas manifestações frequentemente referiam-se à gestão da vida — a fontes de alimento e caça, por exemplo, à organização do grupo, a guerras, alianças, amores, traições, inveja, ciúme e, muitas vezes, à resolução violenta de problemas enfrentados pelos participantes. Pinturas, e muito mais tarde textos, funcionavam como postes sinalizadores e pausas para reflexão, aviso, divertimento e prazer. Eram tentativas de dar mais clareza a confrontos desnorteantes com a realidade. Ajudavam a classificar e organizar conhecimentos. Forneciam sentido.

A investigação filosófica e a ciência brotaram no mesmo terreno homeostático. As questões que a filosofia e a ciência almejavam responder eram inspiradas por um vasto conjunto de sentimentos. O sofrimento destacava-se, sem dúvida, mas também se salientavam a perturbação e a preocupação causadas pela perplexidade crônica com os enigmas da realidade — novamente, os caprichos e irregularidades do clima, enchentes e terremotos, o movimento das estrelas, os ciclos vitais que podiam ser observados em plantas, animais e outros seres humanos e a estranha combinação de comportamentos benevolentes e destrutivos que descreve as ações de tantos humanos pessoalmente. Os sentimentos destrutivos, cujo resultado frequente é a guerra, desempenham um papel importante na ciência e na tecnologia. Repetidamente na história, esforços de guerra foram possibilitados ou arruinados pelo êxito ou fracasso da tecnologia e ciências que permitiram o desenvolvimento de armas.

Outros também tiveram seu papel, com destaque para os sentimentos agradáveis que resultavam do próprio processo de tentar resolver os enigmas do cosmos e do antegozo das recompensas que a solução traria. Exatamente o mesmo tipo de problemas e de necessidade homeostática levaria diferentes humanos em diferentes épocas e lugares a formular explicações religiosas ou científicas para suas dificuldades. O objetivo fundamental era mitigar a dor, reduzir a necessidade. A forma e a eficiência da resposta são outra questão.

Os benefícios homeostáticos da investigação filosófica e da observação científica são infinitos: na medicina, obviamente, e na física e química, como capacitadores das tecnologias das quais nosso mundo depende há tanto tempo. Eles incluem o controle do fogo, a invenção da roda, da escrita e o subsequente advento de registros escritos externos ao cérebro. O mesmo se aplica às inovações posteriores responsáveis pela modernidade, a partir da Renascença; e, por todo o período, às ideias que basearam, para o bem ou para o mal, o modo de governar impérios e países, expressas, por exemplo, na Reforma, na Contrarreforma, no Iluminismo e, de modo mais geral, na modernidade.

Embora a maior parte do avanço cultural deva-se à invenção inteligente de soluções específicas para várias dificuldades, cabe notar que até a tentativa automática de corrigir a homeostase — que é mediada pelo mecanismo do afeto — pode, por si mesma, produzir consequências fisiológicas benéficas. Ao romper o isolamento e aproximar indivíduos, o simples impulso de socializar gera oportunidades de melhorar ou estabilizar a homeostase. Em mamíferos, os mecanismos da limpeza mútua do pelo, conhecida como *grooming*, são um exemplo de um procedimento instintivo pré-cultural cujos efeitos homeostáticos são significativos. Em termos estritamente afetivos, o *grooming* produz sentimentos agradáveis; no aspecto da saúde, reduz o estresse e previne infestações por carrapatos e as doenças decorrentes.

Nessa mesma linha, e usando os mesmos mecanismos neurais e químicos acentuadamente conservados, o companheirismo engendrado por manifestações culturais coletivas induz respostas que reduzem o estresse, geram prazer, promovem a crescente fluidez cognitiva e, de modo mais geral, trazem efeitos benéficos à saúde.[15]

CONTRADIZENDO UMA IDEIA

Podemos tentar refutar minha hipótese geral mencionando situações que contradizem a ideia. Por exemplo, como é possível pensar nas crenças religiosas como sendo homeostáticas se a religião tem causado tanto sofrimento e morte? E quanto às práticas culturais que resultam em automutilação, como cortar-se ou ganhar peso exorbitantemente?[16]

A questão da crença religiosa talvez seja a mais importante. O seu efeito homeostático positivo pode ser documentado individualmente — ela de fato reduz ou elimina o sofrimento e o desespero, e enseja vários graus de bem-estar e esperança. Isso pode ser comprovado fisiologicamente.[17] Também é possível documentá-lo em um nível populacional, pois grandes setores da população mundial têm crenças religiosas de várias denominações, e o número global de crentes tem sido estável ou até crescente, em vez de diminuir, o que é um indicador de forte seleção natural. A hipótese não diz respeito às características, estrutura interna ou consequências externas das crenças, mas simplesmente ao fato de que perdas de indivíduos ou do grupo e a decorrente perturbação homeostática gerada pelo sofrimento podem ser reduzidas por respostas culturais que envolvem crenças religiosas. O fato de crenças religiosas também provocarem sofrimento não contradiz a hipótese. Além disso, elas geram outros benefícios notáveis, como a integração em um grupo social, cujas consequências homeostáticas positivas são óbvias. O mesmo podemos dizer sobre a música, a arquitetura e a arte, que são diretamente atribuíveis a crenças religiosas e a organizações religiosas associadas. Atuando em seu papel de árbitros, sentimentos devem ter contribuído para a persistência de ideias que promoveram tantos resultados homeostaticamente vantajosos. A seleção cultural assegurou a adoção das ideias e instituições relacionadas.

Certos instrumentos culturais podem prejudicar a regulação homeostática ou até ser a principal causa de desregulação. Um exemplo óbvio é a adoção de sistemas de governo político e econômico originalmente destinados a responder de maneira construtiva ao sofrimento social em grande escala, mas que acabaram acarretando catástrofes humanas. O comunismo fez justamente isso. O objetivo homeostático da invenção é inegável e se encaixa na hipótese que apresentei. Já os resultados, imediatamente e no longo prazo, foram perniciosos, em alguns casos gerando mais pobreza e mortes violentas do que as guerras mundiais que flanquearam a disseminação desses sistemas. Esse é um caso paradoxal no qual a rejeição da injustiça, um processo que, em teoria, favorece a homeostase, leva não intencionalmente a mais injustiça e ao declínio homeostático. Na hipótese geral, porém, nada afirma que a inspiração homeostática terá resultado garantido. O êxito depende, antes de tudo, do quanto a resposta cultural é bem concebida, assim como das circunstâncias às quais ela se aplica e das características de sua implementação efetiva.

A hipótese especifica que o sucesso da resposta é monitorado pelo mesmo sistema responsável por sua motivação: o sentimento. Seria possível argumentar que a miséria e o sofrimento produzidos por sistemas sociais desse tipo foram a causa de sua derrocada. Mas então por que demorou tanto para a derrocada acontecer? À primeira vista, a adoção ou rejeição de respostas culturais depende de seleção cultural. Idealmente, os resultados de respostas culturais são monitorados por sentimentos, avaliados pela coletividade e julgados benéficos ou danosos por uma negociação entre razão e sentimento. Contudo, a seleção cultural verdadeiramente benéfica pressupõe certas condições que podem não ser encontradas na prática. Por exemplo, no caso da governança e dos sistemas morais, ela pressupõe liberdades democráticas, para que a adoção ou a rejeição de uma resposta não seja coercitiva. Pressupõe também algum tipo de homogeneidade no nível de conhecimento, raciocínio e discernimento. Nos casos de vários regimes comunistas e fascistas, a seleção cultural teve e ainda tem de esperar.

AVALIAÇÃO

Podemos supor que o que hoje consideramos culturas verdadeiras começou com discrição na vida simples, unicelular, expresso como comportamento social eficiente, guiado pelo imperativo da homeostase. Culturas tornaram-se totalmente dignas do nome apenas bilhões de anos depois, em organismos humanos complexos, animados por mentes culturais, isto é, mentes indagadoras e criativas, ainda funcionando sob o mesmo imperativo homeostático poderoso. Entre os remotos prenúncios impremeditados e a prosperidade recente das mentes culturais, houve uma série de avanços que, analisados agora, também podem ser considerados condizentes com os requisitos da homeostase.

Primeiro, a mente teve de ser capaz de representar, em forma de imagens, dois conjuntos distintos de dados: o mundo externo ao organismo individual, onde os *outros* que são parte do tecido social destacam-se e interagem, *e* o estado do interior do organismo individual, que é experimentado em forma de sentimentos. Essa capacidade depende de uma inovação dos sistemas nervosos centrais: a possibilidade de construir, em seus circuitos neurais, mapas de objetos e eventos que se encontram fora dos circuitos neurais. Esses mapas captam "semelhanças" desses objetos e eventos.

Segundo, a mente individual teve de criar uma perspectiva mental para o organismo inteiro relativamente àqueles dois conjuntos de representações — as do interior do organismo e as do mundo à volta dele. Essa perspectiva é feita de imagens do organismo durante os atos de perceber a si mesmo e ao que o cerca, em relação à estrutura geral do organismo. Esse é um ingrediente crucial da subjetividade que considero o componente decisivo da consciência. A fabricação de culturas, que requer intenções sociais, coletivas, é inconcebível sem a presença de múltiplas subjetividades individuais trabalhando, de início, em benefício próprio — seus próprios interesses — e, por fim, conforme se amplia o círculo dos interesses, promovendo o bem de um grupo.

Terceiro, depois que a mente havia surgido, mas antes que pudesse tornar-se a mente cultural que hoje temos condições de reconhecer, foi necessário que ela se enriquecesse com a adição de novas características poderosas. Entre elas, estava uma função de memória capaz de aprender e recordar fatos e eventos únicos, uma expansão das capacidades de imaginação, raciocínio e pensamento simbólico, para possibilitar a geração de narrativas não verbais, e a capacidade de traduzir imagens não verbais e símbolos em linguagens codificadas. Estas últimas abriram caminho para uma ferramenta decisiva na construção de culturas: uma linha paralela de narrativas verbais. Alfabetos e gramáticas foram as ferramentas "genéticas" desse último avanço capacitador. Por fim, a invenção da escrita tornou-se a peça áurea adicionada à caixa de ferramentas da inteligência criativa, uma inteligência capaz de ser movida por sentimentos para responder a desafios e possibilidades homeostáticos.

Quarto, um instrumento crucial da mente cultural reside em uma função pouco celebrada: *brincar,* o desejo de dedicar-se a atividades aparentemente inúteis que incluem mover peças do mundo, reais ou em forma de brinquedo, mover o próprio corpo nesse mundo, como quando dançamos ou tocamos um instrumento, mover imagens na mente, reais ou inventadas. A imaginação é uma parceira assídua desse esforço, obviamente, porém ela não capta por completo a espontaneidade, a abrangência e a profundidade do BRINCAR, usando aqui a forma em letras maiúsculas que Jaak Panksepp prefere quando faz referência a essa função. Pense em brincar quando você cogitar o que é possível fazer com a infinidade de sons, cores, formas e peças de brinquedos como Erector e Lego ou em jogos de computador; quando imaginar as infinitas combinações possíveis de significados e sons de palavras; quando planejar um experimento ou avaliar diferentes formas para algo que pretende fazer.

Quinto, desenvolveu-se especialmente nos seres humanos a capacidade de agir *cooperativamente* com outros para atingir um objetivo comum discernível. A cooperatividade depende de outra faculdade humana bem desenvolvida: a atenção conjunta, um fenômeno estudado primeiramente por Michael Tomasello.[18] O brincar e a cooperação, em si, são atividades homeostaticamente favoráveis, independem dos resultados. Elas gratificam os "jogadores/cooperadores" com uma infinidade de sentimentos agradáveis.

Sexto, as respostas culturais começam em representações mentais, mas se concretizam graças ao movimento, que está profundamente arraigado no processo cultural. É a partir de movimentos relacionados a emoções acontecendo no interior do nosso organismo que construímos os sentimentos motivadores de intervenções culturais. Todas as intervenções culturais emergem de movimentos relacionados a emoção — das mãos, sobretudo, do aparelho vocal, da musculatura facial (uma capacitadora crucial da comunicação) ou do corpo inteiro.

Por fim, desde os primórdios da vida, a marcha até as portas do desenvolvimento e transmissão cultural humana só foi possível graças a outro avanço impelido pela homeostase: a maquinaria genética que padronizou a regulação da vida no interior das células e permitiu a transmissão da vida a novas gerações.

A ascensão de culturas humanas deve ser creditada a sentimentos conscientes e à inteligência criativa. Foi necessário que sentimentos negativos e positivos estivessem presentes em humanos primitivos, pois do contrário não teria existido um primeiro impulso para a camada superior do empreendimento cultural, por exemplo, nas artes, crença religiosa e investigação filosófica, sistemas morais e jurídicos, ciências. Se o processo por trás daquilo que se tornava dor não fosse *experienciado*, ele seria um mero estado do corpo, um padrão de operações no maquinário do nosso organismo. O mesmo vale para bem-estar, medo, tristeza. Para serem experienciados, os padrões de operação relacionados a dor ou prazer tinham de ser transformados em sentimento, o que equivale a dizer que eles precisavam adquirir uma face *mental*, e isso, por sua vez, equivale a dizer que a face mental tinha de ser propriedade do organismo no qual ela ocorria e, assim, tornar-se *subjetiva*, em suma, *consciente*.

Mecanismos não experienciáveis de dor e prazer, isto é, relacionados ao prazer e à dor que *não são conscientes, nem subjetivos*, claramente auxiliaram na regulação da vida em seus primórdios, de modo automático e não deliberado. Contudo, na ausência de subjetividade, o organismo no qual esses mecanismos ocorriam não era capaz de examinar nem os mecanismos, nem os resultados. Os respectivos estados do corpo não eram *examináveis*.

O acervo das questões, explicações, consolações, ajustes, descobertas e invenções que compõem a parte mais nobre da história humana requereu um motivo. A dor e o sofrimento sentidos, por si mesmos, mas especialmente quando contrastados com o prazer e a prosperidade sentidos, impeliam a mente e demandavam ação. Desde que existisse algo na mente que fosse movível, é claro, e isso certamente existiu, sobretudo à medida que o *Homo sapiens* se desenvolveu, na forma das habilidades de cognição e linguagem expandidas que já mencionamos. Em termos mais práticos, esse algo movível era a capacidade de *pensar* fora daquilo que podia ser percebido imediatamente e de *interpretar* e *diagnosticar* uma situação, compreendendo causas e efeitos. Não interessa o quanto essas interpretações e diagnósticos foram corretos ao longo das eras. Obviamente, foram incorretos com grande frequência. O importante é que ter uma interpretação, acertada ou não, motivava firmemente um sentimento forte, positivo ou negativo. Essa base possibilitou aos humanos, seres intensamente sociais, motivar a invenção, individualmente e no espaço coletivo, de respostas até então inexistentes. Esse algo movível envolve não só o que percebemos como a realidade aqui e agora, mas também a realidade como ela poderia ter acontecido ou ter sido prevista. Refiro-me à realidade *evocada*, que pode ser alterada pela nossa imaginação, processada em cadeias de imagens recordadas de todos os tipos sensitivos — visuais, sonoras, táteis, olfativas, gustativas —, imagens que podem ser cortadas em pedaços e movidas, recombinadas ludicamente para formar novos arranjos e servir a objetivos específicos: a construção de uma ferramenta, uma prática, uma explicação. Nada disso é incompatível com o surgimento prévio, anterior ao *Homo sapiens*, de algumas manifestações culturais limitadas, por exemplo, utensílios de pedra.[19]

 O algo movível identificava as relações entre certos objetos, pessoas, eventos ou ideias e o surgimento de sofrimento ou alegria; permitia que o indivíduo se apercebesse dos antecedentes imediatos e não tão imediatos da dor e do prazer; e identificava causas possíveis e até prováveis. A escala dos eventos podia ser até bem grande e ter consequências igualmente vultosas. A história mostra casos de antecedentes desse tipo, por exemplo, as comoções sociais que precederam o surgimento de importantes sistemas de crença religiosa, como o judaísmo, o budismo, o confucionismo — como nas guerras nefastas e no terrorismo dos "Povos do Mar", que aniquilaram as civilizações do Mediterrâneo no século XII a.C. em um contexto que provavelmente inclui terremotos, secas e colapso político e econômico. No entanto, milhares de anos antes do surgimento das culturas da Era do Eixo — o período de ouro que abrange os seis séculos anteriores ao início da era Cristã e que inclui a ascensão da filosofia e teatro atenienses —, os humanos já vinham inventando os mais variados tipos de criações sociais em resposta aos seus sentimentos. Estes não se restringiam aos de perda, dor, sofrimento ou prazer antevisto. Incluíam também respostas a anseios por comunidade social, que eram uma extensão para grupos maiores de sentimentos nascidos com os cuidados da prole, o afeto e as famílias nucleares, além do impulso em direção a objetos, pessoas e situações capazes de inspirar admiração, reverência e um senso de sublimidade.

    Entre as invenções impelidas por sentimentos estão a música, a dança e as artes visuais, juntamente com os rituais, as práticas mágicas e os deuses e deusas muito atarefados e versáteis, com os quais os seres humanos tentavam explicar e resolver alguns dos enigmas da vida diária. Os humanos também formalizaram esquemas de organização social complexa, começando com sistemas tribais razoavelmente simples e progredindo para a vida culturalmente estruturada nos célebres reinos da Idade do Bronze no Egito, Mesopotâmia e China.

    O algo movível na mente que gerou avanços culturais complexos também incluiu a espantosa constatação de que, às vezes, sem que pudesse ser identificado qualquer antecedente da dor ou prazer, sem que fosse possível encontrar qualquer explicação, dor ou prazer simplesmente acontecia, sem razão para surgir, um verdadeiro mistério. A impotência resultante, ou até o desespero, provavelmente também foi uma força propulsora durável por trás dos esforços humanos, e contribuiu para que chegássemos a noções como a da transcendência e as desenvolvêssemos. Apesar dos extraordinários triunfos da ciência, restam ainda tantos mistérios que essas forças continuam persistentemente a atuar na maioria das culturas do mundo.

Sentimentos voltaram a inteligência para certos objetivos, aumentaram-lhe o alcance e a refinaram de tal maneira que ela resultou na mente cultural humana. Em certa medida, para o bem ou para o mal, os sentimentos e o intelecto mobilizado por eles libertaram os humanos da tirania absoluta dos genes, porém os mantiveram sob o domínio despótico da homeostase.

AO PÉ DA FOGUEIRA

Todos nós conhecemos bem a magia do anoitecer, do pôr do sol que traz o crepúsculo e então dá lugar à noite, às estrelas e à lua. É nessas horas fascinantes que nós, humanos, nos reunimos para conversar e beber, brincar com as crianças e os cachorros, comentar os acontecimentos bons e ruins do dia que está terminando, discutir os problemas da família, de amigos ou da política, planejar para o dia seguinte. Ainda fazemos isso em qualquer estação, inclusive no inverno, ao pé de uma fogueira, real ou acesa com gás, uma prática que provavelmente remonta a um passado muito longínquo, pois é assim que as atividades culturais complexas do anoitecer podem muito bem ter começado, em volta de uma simples fogueira de acampamento, ao ar livre, sob o céu estrelado.

O domínio do fogo começou há não mais de 1 milhão de anos, provavelmente menos, e, segundo Rolim Dubar e John Gowlett, as fogueiras de acampamento já existem há várias centenas de milhares de anos: possivelmente apareceram antes de o *Homo sapiens* ter entrado em cena.[20] O que há de tão importante no controle do fogo? Uma admirável coleção de avanços, sendo o astro principal a prática de cozinhar. O fogo abriu caminho para a invenção da cozinha e a possibilidade de comer carnes digeríveis e nutritivas rapidamente, em contraste com a lenta mastigação de vegetais durante horas a fio, que não permite nenhum ganho de energia substancial. Os corpos e seus cérebros podiam agora crescer em ritmo acelerado, com abundância de proteínas e gorduras animais vitais para ajudar a aguçar a mente incumbida das inúmeras tarefas necessárias ao sustento de todo esse consumo gourmet. A comida cozida na fogueira favorecia um lugar especial para fazer as refeições, reduzia o tempo necessário para mastigar o alimento e, com isso, liberava tempo para outras atividades. E é aqui que descobrimos uma vantagem oculta do fogo: um contexto específico e conducente a atividades recém-criadas. Uma tribo inteira podia reunir-se em volta da fogueira, não só para cozinhar e comer, mas também para conviver. Até então, o anoitecer normalmente levava o cérebro a desencadear a secreção do hormônio melatonina e o sono resultante. Mas a luz da fogueira retardava a secreção da melatonina e aumentava as horas usáveis do dia. Ninguém iria sair para caçar ou coletar durante a noite, e, mais tarde, ninguém iria cultivar a terra. A duração de um dia aumentou. A comunidade encerrava suas horas de trabalho, mas continuava acordada e disposta a relaxar e reparar, no velho e amplo sentido da expressão. Não é difícil imaginar conversas sobre problemas e sucessos, amizades e inimizades, relações de trabalho e amorosas, ainda que possam ter sido conversas muito simples; no entanto, não há razão para supor que elas tenham sido tão simples assim depois que o *Homo sapiens* amadureceu. Não haveria melhor momento para reparar laços rompidos durante o dia, ou para consolidar relações iniciadas horas antes? Nem melhor ocasião para castigar as crianças desobedientes e ensinar-lhes? E pense na visão do céu e das estrelas, implorando por respostas para o que tudo aquilo significava — crepúsculos, luzes bruxuleantes, vias lácteas, uma lua que se deslocava lá em cima e mudava de forma caprichosamente, mas de maneira previsível, e, por fim, o amanhecer. Também não é difícil imaginar o canto, a dança e até a feitiçaria.

Baseada em seus estudos contemporâneos dos boxímanes do povo ju/'hoansi do sul da África, Polly Wiessner escreveu persuasivamente sobre as reuniões ao pé da fogueira.[21] Ela supõe que, assim que as tarefas de forrageio terminavam, a luz do fogo abria caminho para o uso produtivo das primeiras horas da noite: conversar, contar muitas histórias, falar da vida alheia, naturalmente, reparar o que tinha sido estragado por obra humana durante o dia de trabalho, consolidar papéis sociais em pequenos grupos.

Da próxima vez que você se deleitar sentado ao pé do fogo, pergunte a si mesmo: por que os humanos ainda querem construir uma coisa tão antiquada e muitas vezes inútil como uma lareira em suas casas modernas? A resposta talvez seja que a lareira ainda funciona do prolífico modo cultural como funcionou no passado, que a ideia do cenário potencialmente vantajoso ainda produz um encorajador sentimento de expectativa. Diga simplesmente que é magia.

11. Medicina, imortalidade e algoritmos

MEDICINA MODERNA

Não é difícil vislumbrar a importância homeostática da maioria das práticas culturais humanas, mas é na medicina que ela mais se destaca. Desde seu início formal, milhares de anos atrás, toda a prática da medicina tem sido um esforço para reparar processos, órgãos e sistemas doentes, ocasionalmente em associação com mágica e religião e, por fim, com a ciência e a tecnologia.

O atual panorama dos avanços na ciência e tecnologia relacionadas à medicina é amplo, e os objetivos vão dos convencionais aos ilusórios. No extremo convencional, encontramos tratamentos para doenças razoavelmente compreendidas que se beneficiam de instrumentos farmacológicos ou cirúrgicos possibilitados pelo progresso científico e técnico recente. A história das doenças infecciosas é um bom exemplo. As devastações antes fatais por infecções têm sido controladas pela criação de antibióticos, vacinas ou ambos. A batalha não tem fim, pois novos agentes infecciosos surgem em cena, ou os antigos mudam tanto — frequentemente, como resultado de terapia antibiótica — que passam a comportar-se tão danosamente como se fossem novos. A saga de novas correções, porém, nunca cessa. A natureza é defensiva e evasiva, como deve ser, mas à ciência médica não faltam engenhosidade e persistência. Por exemplo, quando a causa da doença é um vírus perigoso que normalmente tem como portador certa espécie de inseto, agora é possível alterar o genoma do inseto de modo a bloquear sua condição de portador. Esse recurso ousado e recente deve-se à descoberta de uma técnica, chamada de CRISPR-Cas9, que permite fazer modificações bem-sucedidas em um genoma.[1] Obviamente, nada garante que os vírus combatidos não virão a sofrer mutação em resposta ao dissuasor genético e a desafiar a nova barreira que eles enfrentam aumentando sua malignidade. E assim por diante. A homeostase sabe brincar de gato e rato, e às vezes nós também sabemos.

Usando as mesmas técnicas inovadoras, é possível produzir modificações no genoma humano destinadas a eliminar certas doenças hereditárias. Esse é mais um esforço louvável e potencialmente valioso, porém muito complicado, pois a maioria das doenças hereditárias que acometem a humanidade não é causada por um único gene problemático, e sim por vários, e, às vezes, muitos. Genes frequentemente variam em conjunto, mais ou menos como as hipotecas tóxicas do mercado financeiro. Garantir que o resultado de uma intervenção não produzirá efeitos perigosos indesejáveis é muito arriscado.

Muito mais problemáticos são alguns avanços nada convencionais na medicina, como induzir modificações genéticas destinadas a assegurar características intelectuais e físicas favoráveis, ou retardar e eliminar a morte. Também nesses casos, o alvo da intervenção é a linha germinal humana e as intervenções são capacitadas pela ousada nova técnica já mencionada.

Problemas sérios precisam ser levados em conta na implementação desses últimos projetos. No nível prático, existem importantes riscos envolvidos na manipulação de material genético que, até o presente, parecem não ter sido adequadamente estudados. Em um nível mais fundamental, mexer no processo natural da evolução traz consequências imprevistas para a evolução da humanidade, em termos rigorosamente biológicos e também socioculturais, políticos e econômicos. Se o objetivo é eliminar uma doença que causa sofrimento e não é associada a nenhum benefício, a justificativa para proceder é eloquente. O mandamento clássico da medicina é, "antes de tudo, não causar dano", e, desde que essa injunção seja observada, devemos aplaudir a modificação. Mas, e se não houver doença? Como justificar a tentativa de melhorar a capacidade de memória ou o calibre intelectual de uma pessoa por meios genéticos em vez de pela prática de resolver desafios ao intelecto? E quanto às características físicas — cor dos olhos e da pele, traços faciais, altura? E quanto à manipulação da razão de sexo?

Alguém poderia argumentar que essas são mudanças "cosméticas", e que a cirurgia cosmética vem sendo praticada há décadas sem grandes danos e com uma profusão de clientes satisfeitos (na verdade, há milênios, se contarmos as tatuagens, piercings, circuncisões e coisas do gênero). Mas podemos comparar os liftings faciais e outras cirurgias plásticas com uma intervenção no genoma que pode não se limitar àquilo que a pessoa pretende? E, nessas mesmas linhas, os futuros pais têm o direito de decidir sobre a constituição física ou intelectual de seus descendentes? O que, afinal de contas, os pais estão tentando garantir ou evitar? O que há de tão problemático, para o desenvolvimento de um ser humano, em enfrentar a sorte e definir seu próprio destino, combinando a força de vontade com sejam lá quais forem os talentos e as falhas dados pela natureza? O que há de errado em fortalecer o caráter superando a má sorte no desenvolvimento, ou exercitando a modéstia quando os dons com que se nasceu são favoráveis? Absolutamente nada, pelo que eu saiba, embora um colega meu, que leu esta passagem, reclame que demonstro um excesso de aceitação dos meus defeitos — bem sei que minha estatura deixa a desejar — e que minha atitude faz de mim uma vítima da síndrome de Estocolmo, condição na qual os reféns afeiçoam-se aos seus sequestradores. Estou disposto a ouvir argumentos contrários e mudar de opinião.

Ocorreram ainda avanços importantes em inteligência artificial (IA) e robótica, e alguns deles também estão totalmente inscritos no imperativo homeostático que governa a evolução cultural. Complementar a cognição humana, desde a percepção e a inteligência até o desempenho motor, é uma velha prática impelida pela homeostase. Pense nos óculos de leitura, binóculos e microscópios, aparelhos auditivos, bengalas e cadeiras de rodas. Ou nas calculadoras e dicionários. Órgãos artificiais e membros protéticos não são novidade nem raridade, assim como não o são, do lado mais escuro da rua, os aprimoradores de desempenho que metem em encrenca tantos atletas olímpicos e campeões do Tour de France. Conseguir acesso a estratégias e recursos que podem acelerar o movimento ou melhorar o desempenho intelectual dificilmente traz problemas, exceto em competições.

A aplicação da inteligência artificial ao diagnóstico médico é muito promissora. O diagnóstico de doenças e a interpretação de procedimentos diagnósticos é o principal ganha-pão da medicina, e depende do reconhecimento de padrões. Programas de *machine learning* são uma ferramenta natural nessa área, e têm gerado resultados seguros e confiáveis.[2]

Em comparação com algumas das intervenções genéticas hoje em pauta, grande parte dos avanços nessa área geral é benigna e potencialmente valiosa. O cenário mais provável e imediato é a criação de próteses que possam não apenas compensar funções perdidas, mas também melhorar ou aumentar a percepção humana. Entre os exemplos estão os implantes de retina artificial para cegueira e a criação de membros protéticos, controlados por eventos mentais autoimpelidos, ou seja, com a intenção de movê-los. Esses dois exemplos já são realidade, e no futuro próximo serão aperfeiçoados. Eles constituem acessos significativos ao mundo da hibridação humano-máquina. Aplicações benéficas incluem exoesqueletos para vítimas de acidentes que se tornam paraplégicas ou tetraplégicas — o exoesqueleto é literalmente um segundo esqueleto, protético, instalado ao redor dos membros paralisados e apoiado na coluna vertebral. Essa prótese é movida por computadores ativados por um operador externo ou pelo paciente. Nesse segundo caso, ela é guiada pela *intenção* de mover-se, aproveitando a captação de sinais elétricos do cérebro associados ao comando mental do movimento.[3] Avançamos bastante na direção de criar híbridos de organismos vivos e componentes projetados, mais ou menos como os ciborgues da ficção científica.

IMORTALIDADE

Woody Allen declarou, de brincadeira, que queria alcançar a imortalidade não morrendo. Mal sabia ele que um dia a ideia de livrar-se da morte não seria só uma piada. Os humanos agora estão achando que essa possibilidade é real e, discretamente, vêm trabalhando por esse objetivo. E por que não? Se for mesmo possível prolongar a vida indefinidamente, devemos abrir mão dessa opção?

A resposta prática a essa questão é clara. Pode valer a pena tentar, contanto que não seja preciso confrontar um criador supremo que talvez tenha outros planos, e contanto que esse viver para sempre possa ser um bem viver, sem as doenças que se tornam tão frequentes com a longevidade prolongada — principalmente cânceres e demências. A audácia do projeto é de tirar o fôlego, assim como a arrogância nele implícita. Mas assim que recobra a calma — e cansado de cair na armadilha da síndrome de Estocolmo —, você diz: "Tudo bem, mas permitam-me fazer algumas perguntas: Quais são as consequências de um projeto como esse, imediatamente e a longo prazo, para os indivíduos e as sociedades? Que concepção de humanidade fundamenta o empreendimento de tornar os humanos eternos?".

Do ponto de vista da homeostase básica, a imortalidade é a perfeição, a realização do sonho não sonhado da natureza: a perpetuidade da vida. As condições primordiais da homeostase foram tais que promoveram a continuidade da vida e, inadvertidamente, a vida no futuro. Os dispositivos não planejados que asseguraram a vida futura incluíram o surgimento do mecanismo genético. Em nosso cenário futurista, a imortalidade seria o estágio supremo do empreendimento da vida, uma realização que se tornaria ainda mais fascinante e louvável por ter sido obra da criatividade humana. Na verdade, isso parece natural, uma vez que a própria criatividade é uma consequência da homeostase. Mas, e quanto às desvantagens? Nem tudo que é natural é necessariamente bom, tampouco é aconselhável permitir que as coisas naturais aconteçam descontroladamente.

A imortalidade eliminaria o motor mais potente da homeostase impelida pelos sentimentos: a descoberta de que a morte é inevitável e a angústia que essa constatação gera. Não deveríamos nos preocupar com a perda desse motor? Obviamente que sim. Alguém poderia argumentar que talvez pudéssemos manter, como motores sobressalentes do processo da homeostase, a dor e o sofrimento decorrentes de outras causas que não a morte prevista, juntamente com o prazer. Mas faríamos isso realmente? Alguém consegue imaginar que, uma vez concedido o nosso desejo da imortalidade, a eliminação radical da dor e do sofrimento ficaria muito atrás? E quanto ao prazer? Será que o manteríamos por perto e transformaríamos a Terra em um éden? Ou eliminaríamos também o prazer e entraríamos no universo dos zumbis, onde — às vezes fico pensando — alguns dos paladinos da imortalidade não se incomodariam de viver?

Nada disso provavelmente acontecerá em breve, ainda que não seja por falta de tentativas de veneráveis futuristas e visionários. Por exemplo, a ideia fundamental por trás do chamado "transumanismo" é que a mente humana pode ser "carregada" em um computador, para assim garantir sua vida eterna.[4] No momento, esse cenário é implausível. Ele revela uma noção limitada do que a vida realmente é, além de deixar transparecer a falta de entendimento das condições nas quais os verdadeiros seres humanos constroem experiências mentais. O que os transumanistas realmente iriam carregar no computador ainda é um mistério. Decerto não seriam suas experiências mentais, pelo menos não se estas amoldarem-se aos relatos que a maioria dos humanos faria sobre sua mente consciente, e que requerem os recursos e mecanismos já descritos aqui. Uma das principais ideias deste livro é que as mentes surgem de interações de corpos e cérebros, e não de cérebros isoladamente. Por acaso os transumanistas estão planejando carregar o corpo também?

Sou receptivo a cenários ousados para o futuro e costumo lamentar deficiências na imaginação científica, mas não consigo conceber desdobramentos dessa ideia. A essência do problema talvez seja mais bem explicada se indicarmos por que existem limites claros para a aplicação das noções de código e algoritmo — dois conceitos fundamentais em ciência da computação e inteligência artificial — a sistemas vivos, uma questão de que tratarei a seguir.

A CONCEPÇÃO ALGORÍTMICA DA HUMANIDADE

Um avanço notável da ciência no século XX foi a descoberta de que tanto as estruturas físicas como a comunicação de ideias podem ser montadas com base em algoritmos que fazem uso de códigos. Usando um alfabeto de ácidos nucleicos, o código genético ajuda organismos vivos a montar os elementos básicos de outros organismos vivos e a guiar seu desenvolvimento; analogamente, linguagens verbais permitem criar alfabetos com os quais podemos montar uma infinidade de palavras que nomeiam uma infinidade de objetos, ações, relações e eventos, com regras gramaticais que governam o sequenciamento das palavras. Assim, construímos sentenças e histórias que narram o curso dos acontecimentos e explicam ideias. A essa altura da evolução, muitos aspectos da montagem de organismos naturais e da comunicação dependem de algoritmos e de codificação, e o mesmo podemos dizer de muitos aspectos da computação e dos empreendimentos da inteligência artificial e da robótica. Contudo, esse fato deu margem à ideia abrangente de que os organismos naturais poderiam, de alguma forma, ser redutíveis a algoritmos.

Os mundos da inteligência artificial, da biologia e até da neurociência andam inebriados com essa ideia. É aceitável dizer, sem ressalvas, que organismos são algoritmos, assim como corpos e cérebros. Isso é parte de uma alegada singularidade, permitida pelo fato de podermos escrever algoritmos artificialmente e relacioná-los à variedade natural, e misturá-los, por assim dizer. Pensando assim, a singularidade não está apenas próxima: já chegou.

Esse uso e essas ideias ganharam certa aceitação nos círculos de tecnologia e ciências. São parte de uma tendência cultural, porém não são cientificamente bem fundamentados. Não podem ser aplicados sem restrição ao ser humano.

Dizer que organismos vivos são algoritmos é, no mínimo,

equivocado e, rigorosamente falando, falso. Algoritmos são fórmulas, receitas, enumerações de passos na construção de determinado resultado. Os organismos vivos, inclusive o humano, são construídos segundo algoritmos e fazem uso deles para operar seu maquinário genético. Mas eles próprios NÃO são algoritmos. São consequências do emprego de algoritmos e apresentam propriedades que podem ou não ter sido especificadas nos algoritmos que guiaram sua construção. Acima de tudo, são grupos de tecidos, órgãos e sistemas nos quais cada célula componente é uma entidade viva vulnerável feita de proteínas, lipídeos e açúcares. Eles *não* são linhas de código; são matéria palpável.

A ideia de que organismos vivos são algoritmos ajuda a perpetuar a falsa noção de que os substratos usados na construção de um organismo, seja vivo ou artificial, não são uma questão relevante. Ela implica que o substrato sobre o qual o algoritmo opera não importa, assim como o contexto da operação. Por trás do uso corrente do termo "algoritmo" parece espreitar a ideia de uma independência de contexto e substrato, embora os termos, em si, não tenham ou não devessem ter essas implicações.

Presumivelmente, de acordo com o uso corrente, aplicar o mesmo algoritmo a diferentes substratos e em novos contextos produziria resultados semelhantes. Contudo, não há razão para que isso ocorra. Os substratos são importantes. O substrato da nossa vida é um tipo específico de química organizada, um servo da termodinâmica e do imperativo da homeostase. Pelo que sabemos, esse substrato é essencial para explicar quem somos. Por quê? Delinearei a seguir três razões.

Primeiro, a fenomenologia do sentimento revela que os sentimentos humanos resultam do imageamento multidimensional e interativo das operações da nossa vida com seus componentes químicos e viscerais. Os sentimentos refletem a *qualidade* dessas operações e sua *viabilidade* futura. É possível imaginar sentimentos surgindo a partir de um substrato diferente? Sim, embora não haja razão para que esses possíveis sentimentos se assemelhem a sentimentos humanos. Sou capaz de imaginar algo "como" sentimentos surgindo a partir de um substrato artificial, desde que eles fossem reflexos de "homeostase" no dispositivo engendrado e sinalizassem a qualidade e viabilidade das operações do dispositivo. Mas não há razão para esperar que sentimentos assim fossem comparáveis as dos seres humanos ou aos de outras espécies, na ausência do substrato que os sentimentos realmente usam para retratar os estados de seres vivos no planeta Terra.

Também posso imaginar sentimentos em uma espécie diferente nalguma parte da nossa galáxia, onde a vida teria surgido e os organismos seguissem um imperativo homeostático semelhante ao nosso, tendo sido gerada, em um substrato fisiologicamente diferente, mas vivo, uma variante dos nossos sentimentos. A experiência que essa espécie misteriosa teria de seus sentimentos seria formalmente análoga à nossa, porém não idêntica, pois seu substrato não seria exatamente igual ao nosso. Mudando o substrato dos sentimentos, muda-se o que será imageado interativamente, e com isso também mudam os sentimentos.

Em suma, os substratos são importantes porque o processo mental ao qual nos referimos é uma descrição mental desses substratos. A fenomenologia é importante.

Há muitas evidências de que organismos artificiais podem ser projetados para operar de modo inteligente e até suplantar a inteligência de organismos humanos. Mas não há evidências de que esses organismos artificiais, criados com o único propósito de ser inteligentes, possam gerar sentimentos só porque estão se comportando inteligentemente. Os sentimentos naturais surgiram pela evolução e permaneceram porque deram contribuições vitais aos organismos afortunados o bastante para tê-los.

É curioso que processos puramente intelectuais prestem-se

bem a uma interpretação logarítmica e não pareçam depender do substrato. Essa é a razão pela qual programas de IA bem concebidos podem derrotar campeões de xadrez, jogar Go com mestria e dirigir carros. No entanto, até o momento, não há evidências de que processos intelectuais, sozinhos, possam constituir a base do que nos torna distintamente humanos. Ao contrário, processos intelectuais e processos de sentimento têm de ser interconectados funcionalmente para produzir algo que se assemelhe às operações de organismos vivos, em especial de seres humanos. Aqui é essencial recordar a distinção crítica, discutida na parte II, entre os processos emotivos, que são programas de ação relacionados a afeto, e os sentimentos, que são as experiências mentais de estados do organismo, incluindo estados que resultam de emoções.

Por que isso é tão importante? Porque os valores morais surgem de processos de recompensa e punição operados por processos químicos, viscerais e neurais em seres dotados de mente. Os processos de recompensa e punição resultam em nada menos do que sentimentos de prazer e dor. Os valores que nossas culturas celebram sob as formas de artes, crenças religiosas, justiça e governo justo foram forjados com base em sentimentos. Se removêssemos o atual substrato químico do sofrimento e do seu oposto, prazer e prosperidade, removeríamos a base natural dos sistemas morais que temos hoje.

Obviamente, seria possível construir sistemas artificiais para operar segundo "valores morais". No entanto, isso *não* significaria que esses dispositivos conteriam uma base para esses valores e que seriam capazes de construí-los independentemente. A presença de "ações" não garante que o organismo ou dispositivo "experiencie mentalmente" as ações.

Nada do que foi dito implica que as funções superiores de organismos vivos, baseadas em sentimentos, são intangíveis ou que não se prestam à investigação científica. Elas certamente foram e continuam a ser passíveis de estudo. Tampouco estou argumentando contra o uso da noção de algoritmo com o propósito de introduzir mistério na discussão. Porém, enquanto não se provar o contrário, os estudos de organismos vivos precisam levar em conta o substrato vivo e a complexidade dos processos resultantes. A implicação dessas distinções não é trivial quando contemplamos a nova era da medicina já mencionada, na qual a extensão da vida humana será possível por meio da engenharia genética e da criação de híbridos humanos/artificiais.

Em segundo lugar, a previsibilidade e inflexibilidade que o termo "algoritmo" conjura não se aplicam aos níveis superiores do comportamento e mente humanos. A abundante presença de sentimento consciente no ser humano garante que a execução dos algoritmos naturais pode ser tolhida pela inteligência criativa. Decerto é limitada nossa liberdade de desobedecer aos impulsos que os anjos bons ou maus da nossa natureza tentam nos impor, mas permanece o fato de que podemos agir para contrariar esses impulsos bons ou maus. A história das culturas humanas é, em grande medida, uma narrativa da nossa resistência a algoritmos naturais por meio de invenções não preditas por esses algoritmos. Em outras palavras, mesmo se deixássemos a cautela de lado e liberalmente declarássemos que os cérebros humanos são "algoritmos", as coisas que os seres humanos fazem não são algoritmos, e não somos necessariamente predeterminados.

Alguém poderia argumentar que os afastamentos de algoritmos naturais são, por sua vez, passíveis de uma interpretação algorítmica. Isso é correto, porém permanece o fato de que os algoritmos "iniciadores" não criam todos os comportamentos. Sentimento e pensamento contribuem com sua parte, usando seus consideráveis graus de liberdade. Sendo assim, qual é a vantagem de usar o termo?

Em terceiro lugar, uma interpretação algorítmica da humanidade que implique os problemas delineados — independência de substrato e contexto, inflexibilidade e previsibilidade — é o tipo de posição reducionista que frequentemente leva pessoas bem-intencionadas a descartar a ciência e a tecnologia como aviltantes e a lamentar o fim de uma era na qual a filosofia, acompanhada pela sensibilidade artística e por uma resposta humana ao sofrimento e à morte, alçou-nos muito acima das espécies em cujos ombros biológicos nos sustentávamos. A meu ver, não devemos negar o mérito de um projeto científico, nem impedi-lo pelo fato de ele conter uma interpretação problemática da humanidade. Meu argumento é mais simples. Apresentar interpretações da humanidade que parecem diminuir a dignidade humana — mesmo que não tenham o intuito de fazê-lo — não favorece a causa humana.

Favorecer a causa humana não é a pauta daqueles que acreditam que estamos adentrando uma fase "pós-humanista" da história, na qual a maioria dos indivíduos perdeu sua utilidade para a sociedade. No quadro esboçado por Yuval Harari, quando os humanos não forem mais necessários para combater em guerras — a ciberguerra poderá fazer isso por eles —, e depois de perderem seus empregos para a automação, a maioria deles simplesmente definhará. A história pertencerá àqueles que prevalecerem *adquirindo* a imortalidade — ou, pelo menos, uma longuíssima longevidade —, e que permanecerem para beneficiar-se dessa possibilidade. Digo "beneficiar-se", e não "usufruir", porque imagino que a condição dos seus sentimentos será nebulosa.[5] O filósofo Nick Bostrom sugere outra visão alternativa, na qual robôs muito inteligentes e destrutivos se apoderarão do mundo e liquidarão o ser humano.[6] Em qualquer um desses cenários, presume-se que as vidas e mentes do futuro dependam, ao menos em parte, de "algoritmos eletrônicos" que simulam artificialmente o que os "algoritmos bioquímicos" fazem hoje. Além disso, da perspectiva desses pensadores, a descoberta de que a vida humana é comparável, em essência, à vida de todas as demais espécies vivas solapa a tradicional plataforma do humanismo: a ideia de que os seres humanos são excepcionais e distintos das outras espécies. É isso que Harari parece concluir, e, caso seja de fato essa a sua conclusão, ela com certeza está errada. Os humanos têm numerosos aspectos da vida em comum com todas as outras espécies, porém são realmente distintos em algumas características. O escopo de nossos sofrimentos e alegrias é unicamente humano, graças à ressonância dos sentimentos em memórias do passado e nas memórias que eles constroem do futuro antevisto.[7] Mas talvez Harari apenas queira nos aterrorizar com sua fábula do *Homo Deus*, e espere fazer alguma coisa antes que seja tarde demais. Nesse caso, estamos de acordo.

Desaprovo essas visões distópicas por mais uma razão: elas são infinitamente sem graça e maçantes. Que decadência em comparação com o *Admirável mundo novo*, de Aldous Huxley,[8] e sua concepção de uma vida de prazeres. As novas visões lembram a existência repetitiva e tediosa dos personagens de Luis Buñuel em *O anjo exterminador*. Prefiro, sem comparação, os perigos e astúcias de *Intriga internacional*, de Alfred Hitchcock. Cary Grant lida com todas as dificuldades, vence em espertez o vilão James Mason e conquista Eva Marie Saint.

ROBÔS A SERVIÇO DOS HUMANOS

Um bom número das iniciativas atuais em relação ao mundo em expansão da IA e robótica não tenciona criar robôs parecidos com humanos, e sim dispositivos que *façam* coisas que nós precisamos que sejam feitas do modo mais competente, econômico e rápido possível. A ênfase ocorre em programas de ação inteligentes. Não importa que nenhum programa produza sentimentos, muito menos experiências conscientes.[9]

A ideia de construir robôs semelhantes a humanos que possam tornar-se ajudantes ou companheiros convenientes é perfeitamente razoável. Se a IA e a engenharia puderem nos levar até lá, por que não? Contanto que as criaturas fabricadas estejam sob supervisão humana, que não tenham como adquirir autonomia e se voltar contra nós e que não tenhamos meios para programar robôs para que possam destruir o mundo, por que não? Cabe acrescentar que existem vários cenários tenebrosos relacionados não tanto a robôs do futuro, mas a programas de IA que realmente têm potencial para uma catástrofe aniquiladora e requerem cautela. Ainda assim, a essa altura, o risco de robôs projetados tornarem-se perversos para nós é pequeno quando comparado ao risco real da ciberguerra. Não tema que o neto de Hal, o robô de Kubrick em *2001: uma odisseia no espaço*, um belo dia apareça e se apodere do Pentágono. Mas você pode temer isso de humanos muito maus.

A razão de esses cenários de ficção científica talvez andarem mais eloquentes do que nunca são os óbvios e notáveis sucessos que programas de jogos inteligentes têm obtido jogando contra campeões de xadrez e Go. A razão de os cenários de ficção científica provavelmente não se materializarem é que o tipo de inteligência mostrada por esses programas de IA, embora espetacular, merece de fato o nome de *artificial* e tem apenas uma semelhança limitada com os processos mentais de seres humanos. Esses programas possuem cognição pura, mas não afeto, o que significa que os passos intelectuais em suas mentes "espertas" não são capazes de interagir com sentimentos prévios, acompanhantes ou preditos. Na ausência de sentimentos, desaparece grande parte de sua esperança de ganhar uma condição semelhante à humana, pois é a parte dos sentimentos nos humanos que gera nossas vulnerabilidades, fato essencial para experienciarmos o sofrimento pessoal e a alegria e sentirmos empatia com o sofrimento e a alegria de outros; em suma, essencial para alicerçar uma considerável porção daquilo que constitui a moralidade e a justiça e que forma os ingredientes da dignidade humana.

Quando falamos em robôs que se assemelham a humanos e parecem ter vida, e descobrimos que eles não têm sentimentos, estamos falando sobre um mito absurdo, algo não existente. Seres humanos têm vida e sentimentos; esses robôs, não.

No entanto, é possível mostrar mais nuanças na situação. Podemos inserir algo que se aproxime ao processo da vida em um robô, embutindo nele as condições de homeostase que definem a vida. Isso acarretaria altos custos para a sua eficiência, mas não há razão para que essa implantação não seja viável. Seria preciso projetar um "corpo" que buscasse obedecer a alguns parâmetros reguladores integrados semelhantes à homeostase. O germe dessa ideia remonta ao roboticista pioneiro Grey Walter.[10]

No entanto, a questão dos sentimentos continua espinhosa. Geralmente, em vez de sentimentos, os roboticistas integram nos robôs comportamentos como as expressões falsas que vemos em brinquedos, como sorriso, exclamações, beicinho etc. O resultado fica parecido com emoticons animados. Na verdade, estamos falando em manejar fantoches. As ações não são motivadas por nenhum estado interno do robô, mas simplesmente programadas segundo os desígnios do projetista. Podem assemelhar-se a emoções no sentido de que estas são programas de ação, porém não são emoções *motivadas*. Nós ainda nos encantamos com esses robôs, e somos perfeitamente capazes de querer interagir com eles como se fossem seres de carne e osso. As pessoas crescem, mas continuam capazes de imaginar que há vida em seus brinquedos e bonecas da infância, e mantêm os resíduos dessas identificações. Podemos facilmente entrar no mundo dos fantoches se o cenário for adequado. De fato, nunca encontrei nenhum robô de quem não gostasse, e todos eles pareciam "gostar" de mim.

Se as animações de robôs não são emoções, certamente não

são sentimentos, os quais, como sabemos, são a experiência mental de um estado do corpo — o que, na verdade, significa experiências mentais subjetivas. E é aqui que o problema se agrava: para ter experiências mentais, precisamos de mentes, e mais ainda, de mentes *conscientes*. Para sermos conscientes, para termos experiências subjetivas, necessitamos absolutamente dos dois ingredientes descritos no capítulo 9: *uma perspectiva individual do nosso organismo* e o *sentimento individual*. Podemos criar isso em robôs? Bem, em parte, sim. Acredito que poderíamos integrar perspectiva em um robô com relativa facilidade se nos empenhássemos seriamente em resolver esse problema. Por outro lado, integrar sentimentos requer um corpo vivo. Um robô com características homeostáticas seria um passo nessa direção, porém a questão crucial é o grau em que esquemáticos fantasmas do corpo e alguma simulação da fisiologia corporal poderiam servir como substrato para alguma coisa semelhante ao sentimento, que dirá sentimento humano. Essa é uma importante questão em aberto, e precisamos investigá-la.

Supondo que iremos progredir nessa direção, poderíamos considerar a possibilidade do sentimento e, acompanhando-o, alguma semelhança com a inteligência humana — nesse contexto, posso ver intuição surgindo de análises de Big Data — e uma possível entrada para comportamentos semelhantes aos humanos, com seus riscos previsíveis, vulnerabilidades sentidas, laços afetivos, alegrias, tristezas, sabedoria, as falhas e as glórias do julgamento humano.

Não seria difícil, mesmo na ausência de sentimentos, que robôs chamados humanoides pudessem jogar e vencer muitos tipos de jogos, ou conversar tão bem quanto Hal parece fazer em *Uma odisseia no espaço*, ou servir de companhia para humanos, embora seja um tanto arrepiante a perspectiva de uma sociedade que *necessite* de robôs como companheiros. Não haverá desempregados o suficiente para exercer essas tarefas, depois que os carros e caminhões sem motorista tiverem tirado seu ganha-pão? Posso visualizar robôs humanoides fazendo a previsão do tempo, operando máquinas pesadas e talvez até se voltando contra nós. Mas vai demorar um bocado até que eles *realmente* sintam e até que a simulação de condição humana venha a ser exatamente isso, uma simulação.

DE VOLTA À MORTALIDADE

Enquanto aguardamos as prometidas e apregoadas singularidades, bem que poderíamos nos dedicar seriamente a dois dos maiores problemas de saúde em qualquer parte do mundo: a dependência de drogas e o manejo da dor. A importância fundamental dos sentimentos e da homeostase para uma explicação das culturas humanas fica muito clara diante da resistência desses problemas assiduamente estudados a soluções razoavelmente satisfatórias. Podemos culpar, por assegurarem a continuidade da dependência de drogas, os cartéis do narcotráfico, a indústria farmacêutica e os médicos irresponsáveis. Certamente são culpados. Podemos culpar a internet por possibilitar que indivíduos inteligentes e instruídos preparem drogas viciantes misturando compostos isoladamente não viciantes obtidos mediante prescrições lícitas. No entanto, toda essa atribuição de culpa oculta o mais importante. Os vícios estão relacionados tanto a moléculas que governam processos homeostáticos fundamentais desde o período Cambriano como a todo um conjunto de receptores opioides. Sentimentos bons, ruins ou intermediários estão ligados ao que acontece nesses receptores, e esses sentimentos, por sua vez, refletem o quanto a nossa vida está indo bem antes do uso de qualquer droga. As moléculas e os receptores dos quais nossos sentimentos dependem são velhos e experientes. Sobrevivem há centenas de milhões de anos, são insidiosos e têm efeitos poderosos. Condizentemente com sua natureza, eles produzem sentimentos arrebatadores e tirânicos. Os efeitos das drogas são destrutivos para a saúde física e mental dos usuários e promovem objetivos exatamente opostos aos da homeostase. E, enquanto as pessoas se preocupam em carregar a si mesmas num computador, essas moléculas e receptores continuam a devastar cérebros e corpos de pessoas desafortunadas que sofrem de síndromes de dor crônica, de dependência de drogas ou de ambas as coisas.

12. Sobre a condição humana hoje

UM ESTADO DE COISAS AMBÍGUO

À beira do mar da Galileia, numa ensolarada manhã de inverno, a alguns passos da sinagoga de Cafarnaum, onde Jesus de Nazaré falou a seus seguidores, meus pensamentos passam das longínquas tribulações do Império Romano à atual crise da condição humana. É intrigante essa crise, pois, embora as condições locais nas várias partes do mundo sejam distintas, elas ensejam respostas semelhantes, caracterizadas por raiva e confronto, além de apelar para o isolamento e resvalar para a autocracia; também é uma crise desalentadora, porque não deveria estar acontecendo. Seria de esperar que pelo menos as sociedades mais avançadas tivessem sido imunizadas pelos horrores da Segunda Guerra e pelas ameaças da Guerra Fria, bem como conseguido encontrar modos cooperativos de superar de modo gradual e pacífico todos os tipos de problemas defrontados por culturas complexas. Considerando o que hoje sabemos, deveríamos ter sido menos relapsos.

Esta poderia ser a melhor de todas as épocas para estar vivo, porque estamos imersos em descobertas científicas espetaculares e brilhantismo técnico que tornam a vida cada vez mais confortável e conveniente; porque a quantidade de conhecimentos disponíveis e a facilidade de acesso a eles nunca foram tão imensas, e o mesmo vale para a interligação humana em escala planetária, medida com base nas viagens, comunicações eletrônicas e acordos internacionais para todo tipo de cooperação em ciências, artes e comércio; porque a habilidade de diagnosticar, tratar e até curar doenças continua a expandir-se, e a longevidade continua a aumentar tão notavelmente que os seres humanos nascidos a partir do ano 2000 têm grande probabilidade de viver, esperemos que bem, em média até no mínimo cem anos. Logo seremos transportados por carros robóticos que nos pouparão esforços e vidas, pois, a certa altura, deveremos ter poucos acidentes fatais.

Entretanto, para considerar a nossa época a mais perfeita de todas, seria preciso muita distração, para não dizer indiferença ao sofrimento de nossos semelhantes desvalidos. As taxas de alfabetização e os conhecimentos científicos elementares nunca foram tão elevados, mas as pessoas passam pouco tempo lendo romances ou poesia, ainda o modo mais seguro e gratificante de entrar em contato com a comédia e o drama da existência humana, além de ter a oportunidade de refletir sobre quem somos ou podemos ser. Parece não haver tempo a gastar numa coisa nada prática, como apenas existir. Uma parte das sociedades que celebram a ciência e a tecnologia moderna, e que mais se beneficiam delas, parece espiritualmente falida, no sentido secular e religioso do termo "espiritual". A julgar por sua aceitação despreocupada de crises financeiras problemáticas — a bolha da internet em 2000, os escândalos das hipotecas de 2007 e o colapso bancário de 2008 —, elas também parecem falidas moralmente. É curioso, ou talvez não tanto, que o nível de felicidade nas sociedades que mais se beneficiam do espantoso progresso da nossa época seja estável ou declinante, supondo que podemos confiar nas respectivas medições.[1]

Nestas últimas quatro ou cinco décadas, o público em geral nas sociedades mais avançadas tem aceitado com pouca ou nenhuma resistência um tratamento cada vez mais deformado das notícias e assuntos públicos, projetados para corresponder ao modelo de entretenimento da televisão e rádio comerciais. E sociedades não tão avançadas imitam isso facilmente. A conversão de quase toda a mídia de interesse público em empresas que visam ao lucro degradou ainda mais a qualidade das informações. Embora uma sociedade viável deva se preocupar com o modo pelo qual o governo promove o bem-estar dos cidadãos, a ideia de que devemos dedicar alguns minutos do nosso dia a conhecer as dificuldades e êxitos de governos e cidadãos não só é antiquada, como quase desapareceu. Quanto à ideia de que devemos tomar conhecimento desses assuntos com seriedade e respeito, ela é, hoje, um conceito que causa estranheza. O rádio e a televisão transformam cada questão de governo em "uma matéria jornalística", e o que contam são a "forma" e o valor da matéria como entretenimento, mais do que o seu conteúdo factual. Quando escreveu o livro *Amusing Ourselves to Death: Public Discourse in the Age of Show Business* [Divertindo-nos até a morte: o discurso público na era do show business], em 1985, Neil Postman fez um diagnóstico preciso, mas não tinha ideia de que a doença acarretaria tanto sofrimento.[2] O problema foi agravado pelo corte de verbas para o ensino público e o previsível declínio da preparação dos cidadãos, e exacerbado, nos Estados Unidos, pela revogação, em 1987, da Fairness Doctrine [Doutrina da imparcialidade], de 1949, uma política que determinava que as concessionárias de rádio e televisão deviam apresentar os assuntos públicos de maneira equitativa e honesta. O resultado, agravado pelo declínio dos meios de comunicação impressos e pelo advento do domínio quase completo da comunicação digital e da televisão, é uma profunda carência de conhecimentos detalhados e imparciais sobre os assuntos públicos, associada ao abandono gradual das práticas de reflexão tranquila e discernimento dos fatos. É preciso ter cuidado para não exagerar na nostalgia de um tempo que nunca existiu de fato. Nem todo mundo era bem informado com seriedade, reflexão e discernimento. Nem todos tinham nobreza de espírito e reverência pela verdade, e sem falar pela vida. Ainda assim, a atual derrocada na conscientização do público é problemática. As sociedades humanas são previsivelmente fragmentadas segundo uma variedade de medidas como taxa de alfabetização, nível educacional, comportamento cívico, aspirações espirituais, liberdade de expressão, acesso à justiça, posição econômica, saúde e segurança ambiental. Dadas as circunstâncias, é ainda mais difícil incentivar o público a promover e defender uma plataforma comum de valores, direitos e obrigações não negociáveis para seus cidadãos.

Diante do avanço assombroso da nova mídia, as pessoas têm a chance de tomar conhecimento mais detalhado dos fatos reais por trás das economias, do estado dos governos locais e globais e do estado da sociedade em que vivem — o que, sem dúvida, é vantajoso, ao permitir a elas uma voz mais ativa; além disso, outra vantagem em potencial é a internet proporcionar um meio de deliberação fora das instituições comerciais ou governamentais. Por outro lado, o público geralmente não dispõe de tempo nem de método para converter quantidades colossais de informação em conclusões sensatas e aplicáveis na prática. Ademais, as companhias que administram a distribuição e agregação das informações prestam uma assistência dúbia ao público: o fluxo de informações é dirigido por algoritmos da companhia, e esta distorce a apresentação dos dados para que atendam a uma variedade de interesses financeiros, políticos e sociais, sem falar nos gostos dos usuários, de modo que eles possam continuar dentro de seu próprio silo de opiniões.

Para sermos justos, temos de reconhecer que as vozes sábias do passado — as vozes de experientes e conscienciosos editores de jornais e de programas de rádio e televisão — também eram parciais e favoreciam visões específicas sobre como as sociedades deviam funcionar. Em vários casos, porém, essas visões específicas podiam ser identificadas com determinadas perspectivas filosóficas ou sociopolíticas, e as pessoas podiam aprovar as conclusões ou resistir a elas. Hoje, o grande público não tem essa oportunidade. Cada pessoa possui acesso direto ao mundo por intermédio de seu aparelhinho portátil todo equipado com aplicativos, e é incentivada a maximizar sua autonomia. Há pouco incentivo para lidar com visões dissidentes, muito menos para buscar uma conciliação.

O novo mundo da comunicação é uma bênção para os cidadãos cosmopolitas que têm conhecimentos históricos e foram treinados para pensar de modo crítico. Mas, e quanto àquelas pessoas seduzidas por um mundo no qual a vida é entretenimento e comércio? Em grande medida, elas foram educadas por um mundo em que a provocação emocional negativa é regra, e não exceção, e onde as melhores soluções para um problema estão ligadas sobretudo a interesses próprios de curto prazo. Podemos mesmo criticá-las?

Paradoxalmente, a disponibilidade generalizada da comunicação quase instantânea e abundante de informações públicas e pessoais — um óbvio benefício — reduz o tempo necessário para refletir sobre essas informações. Administrar a avalanche de conhecimentos disponíveis em geral requer classificar rapidamente os fatos como bons ou ruins, desejáveis ou não. É provável que isso contribua para um aumento de opiniões polarizadas sobre acontecimentos sociais e políticos. A exaustão diante da avalanche de fatos recomenda o recuo para as crenças e opiniões que o indivíduo já tem, geralmente aquelas do grupo ao qual pertence. Isso é agravado pelo fato de que, por mais inteligentes e bem informados que sejamos, nossa tendência natural é resistir a mudanças de nossas crenças, mesmo se houver evidências que as refutem. Um estudo do nosso Instituto demonstra esse argumento para o caso de crenças políticas, mas desconfio que ele se aplica a um vasto conjunto de crenças sobre religião, justiça e estética. Esse mesmo estudo mostra que a resistência à mudança está associada a uma relação conflitante de sistemas cerebrais relacionados a emotividade e razão. Essa resistência está associada, por exemplo, à mobilização de sistemas responsáveis pela produção de raiva.[3] Construímos algum tipo de refúgio natural para nos defender de informações contraditórias. Eleitores descontentes no mundo todo não comparecem para votar, ou anulam seu voto. Em um clima assim, a disseminação de notícias falsas e pós-verdades é facilitada. O mundo distópico que George Orwell descreveu tendo em mente a extinta União Soviética voltou, e agora condiz com uma situação sociopolítica diferente. A velocidade das comunicações e a resultante aceleração do ritmo de vida também são possíveis fatores do declínio da civilidade, detectável na impaciência do discurso público e na crescente grosseria na vida urbana.[4]

Uma questão separada, mas importante, que continua sem avaliação é a natureza viciante da mídia eletrônica, desde as simples comunicações por e-mail até as redes sociais. O vício desvia tempo e atenção da experiência imediata do ambiente para aquela mediada por aparelhos eletrônicos de todo tipo. Ele agrava o descompasso entre o volume de informações e o tempo necessário para processá-las.

O colapso da privacidade que acompanha o uso universal da internet e das redes sociais garante a monitoração de cada ato e ideia expressa. Além disso, todo tipo de vigilância, desde a necessária para a segurança pública até a do tipo intrusivo e abusivo, agora é uma realidade, praticada por governos e pelo setor privado com impunidade garantida. A vigilância faz a espionagem — inclusive a das superpotências, uma atividade bem estabelecida que já existe há milênios — parecer algo respeitável e pueril. Aliás, está à venda, muito lucrativamente, por diversas companhias de tecnologia. O acesso irrestrito a informações privadas vem sendo usado para gerar escândalos embaraçosos, mesmo quando o assunto não é de natureza criminal. Em consequência, candidatos políticos acovardados silenciam, receando que eles e suas campanhas políticas sejam destruídos por revelações pessoais. Hoje, esse é outro fator importante na governança pública. Em vastos setores das regiões tecnicamente mais avançadas do mundo, pequenos e grandes escândalos influenciam resultados eleitorais e intensificam a já crescente desconfiança da população contra os políticos e as elites de profissionais especializados. Sociedades que já sofrem com problemas de distribuição de renda e deslocamentos humanos em razão de desemprego e guerra tornam-se quase ingovernáveis. Eleitores desorientados falam com saudade ou revolta de um passado longínquo e ilusoriamente melhor. Mas essa nostalgia é equivocada, e a raiva muitas vezes é dirigida ao alvo errado. Elas refletem uma compreensão limitada da profusão de fatos despejada pela mídia, talhados principalmente para entreter, promover interesses sociais, políticos e comerciais particulares com vistas a colossais retornos financeiros.

É crescente a tensão entre, de um lado, o poder de um grande público que parece mais bem informado do que nunca, mas não dispõe de tempo ou ferramentas para julgar e interpretar as informações, e, de outro, o poder das companhias e governos que controlam as informações e sabem tudo o que há para saber sobre esse mesmo público. Ninguém é capaz de dizer como poderia ser resolvido o conflito resultante dessa tensão.

Há outros riscos. Conflitos catastróficos envolvendo armas

nucleares e biológicas representam riscos reais e possivelmente maiores hoje do que quando as armas eram controladas pelas potências da Guerra Fria; o mesmo vale para os riscos do terrorismo e da ciberguerra, assim como para o de infecções resistentes a antibióticos. Podemos pôr a culpa disso tudo na modernidade, globalização, distribuição de renda, desemprego, diversidade e na velocidade e onipresença radicalmente paralisantes da comunicação digital. Mas, talvez, a perspectiva de sociedades ingovernáveis seja a principal ameaça para nós.

Essa visão desalentadora é amenizada pela de Manuel Castells, um dos mais renomados estudiosos da tecnologia de comunicação e eminente sociólogo, cujo trabalho é essencial para a compreensão das lutas pelo poder nas culturas do século XXI. Segundo ele, por exemplo, ao revelar a inadequação e a corrupção de governos em democracias importantes, a mídia digital na verdade abriu o caminho para uma remodelação profunda e, esperamos, sadia do modo de governar. Ainda não vimos bons resultados. Castells acredita que ainda é possível uma reorganização dos poderes humanos compatível com a democracia. Ele também se mostra cético quanto à existência de uma época mítica na qual os meios de comunicação, a educação, o comportamento cívico e a governança teriam sido menos problemáticos do que em nossos dias. As democracias liberais passam por uma crise de legitimidade que precisa ser encarada o quanto antes. A internet e a comunicação digital, de modo mais geral, poderiam ser mais uma bênção do que uma maldição.[5]

É importante celebrar o reconhecimento amplo dos direitos humanos e a crescente atenção para a violação desses direitos. Já foram semeadas com êxito as sementes da ideia de que as características básicas dos seres humanos são as mesmas em qualquer parte do planeta e têm raízes em um ancestral comum universal. Mais do que nunca, hoje é aceito que todos os seres humanos têm o mesmo direito a buscar a felicidade e a ter sua dignidade respeitada. Após a Segunda Guerra Mundial, as Nações Unidas adotaram uma Declaração Universal dos Direitos Humanos, o mais próximo que temos de uma lei internacional desejável, mas até agora não escrita, que dá os mesmos direitos a todos os seres humanos. Em algumas partes do mundo, as violações desses direitos podem ser julgadas por tribunais internacionais como crimes contra a humanidade. Também é cada vez mais amplamente aceito que os seres humanos têm obrigações uns para com os outros e talvez, um dia, para com outras espécies vivas e para com o planeta. Tudo isso é verdadeiramente progresso. O círculo da consideração humana sem dúvida ampliou-se, como salientaram Peter Singer, Martha Nussbaum e Steven Pinker, entre outros.[6] Mas por que estamos vendo o colapso das próprias instituições que possibilitaram esses avanços? Por que, mais uma vez, as coisas deram errado no progresso humano, de maneiras que, desconcertantemente, lembram o passado? A biologia pode explicar?

HÁ UMA BIOLOGIA POR TRÁS DO ATUAL ESTADO DE COISAS NA CULTURA?

De uma perspectiva biológica, o que podemos dizer sobre o significado desse estado de coisas? Por que os seres humanos arruínam, periodicamente, os ganhos culturais que tiveram, ao menos em parte? Compreender as bases biológicas da mente cultural não é uma resposta prática, nem imediatamente efetiva, mas pode nos ajudar a entender o problema.

Na verdade, da perspectiva biológica que delineei, os repetidos fracassos dos esforços culturais não deveriam nos surpreender. Vejamos por quê. O fundamento fisiológico e principal objetivo da homeostase básica é a vida de um organismo individual dentro de suas fronteiras. Nessas circunstâncias, a homeostase básica permanece uma tarefa de escopo um tanto restrito, concentrada no templo que a subjetividade humana projetou e erigiu: o eu. Ela pode ser estendida com mais ou menos esforço à família e ao pequeno grupo. E pode ser estendida ainda mais para abranger grupos maiores, com base em circunstâncias e negociações nas quais haja uma perspectiva de equilíbrio generalizado de benefícios e poder. Mas a homeostase, como é encontrada em cada um de nós, organismos individuais, não se ocupa *espontaneamente* de grupos muito grandes, sobretudo heterogêneos, quanto mais de culturas ou civilizações como um todo. Esperar harmonia homeostática *espontânea* de coletividades humanas grandes e destoantes é esperar o improvável.

Infelizmente, as "sociedades", "culturas" e "civilizações" tendem a ser vistas como organismos vivos grandes e singulares. Em muitos aspectos, elas são concebidas como versões maiores de um organismo humano individual, igualmente animadas pelo propósito de persistir e prosperar como uma unidade. Metaforicamente, elas são assim, é claro, mas na vida real isso raramente acontece. Sociedades, culturas e civilizações costumam ser fragmentadas, constituídas por "organismos" justapostos e separáveis, cada qual com fronteiras mais ou menos imperfeitas. A homeostase natural tende a fazer seu trabalho relativamente a *cada* organismo separável, e não mais. Deixados por conta própria, sem o efeito compensador de resolutos esforços civilizatórios e o benefício de circunstâncias favoráveis, os organismos culturais não se fundem.

A distinção pode ficar mais clara com uma ilustração extraída da biologia. Em nossos organismos humanos individuais, em circunstâncias normais, o sistema circulatório não combate o sistema nervoso visando à dominância, e o coração não duela com os pulmões para decidirem qual deles é o mais importante. Mas essa situação pacífica não vigora quando se trata de grupos sociais de um país, nem de países de uma união geopolítica. Ao contrário, eles frequentemente lutam entre si. Conflitos e lutas pelo poder entre grupos sociais são componentes intrínsecos das culturas. Às vezes, o conflito resulta até mesmo da aplicação de uma solução motivada pelo afeto para um problema anterior.

As gritantes exceções às regras que governam a homeostase de um organismo natural *individual* são situações graves, como os cânceres malignos e as doenças autoimunes; se não combatidas, elas não só lutam contra outras partes do organismo ao qual pertencem, mas podem até acarretar sua destruição.

Grupos humanos fizeram as mais complexas descobertas sobre a regulação da vida cultural em diferentes ambientes geográficos e fases de suas respectivas histórias. A diversidade das etnias e identidades culturais, uma característica fundamental da humanidade, é o resultado natural dessa variedade e tende a enriquecer todos os participantes. No entanto, ela contém o germe do conflito: aprofunda as linhas de falha intra e extragrupo, fomenta a hostilidade e dificulta a descoberta e a implementação de soluções gerais de governo, ainda mais em uma era de globalização e fertilização cruzada de culturas.

Não é provável que a solução desse problema seja a homogeneização forçada das culturas, algo que, na prática, é inalcançável e indesejável. A ideia de que só a homogeneidade torna as sociedades mais governáveis desconsidera um fato biológico: dentro de um mesmo grupo étnico, os indivíduos diferem em afeto e temperamento. Em parte, é provável que essas diferenças se alinhem com preferências distintas por certos tipos de governança e perfis distintos de valores morais, como indica o estudo de Jonathan

Haidt.⁷ A única solução razoável para o problema consiste em grandes esforços civilizatórios para que, por meio da educação, as sociedades consigam cooperar em direção aos requisitos fundamentais da governança, apesar das diferenças grandes e pequenas.

Nada que esteja aquém de uma intensa e esclarecida negociação entre afeto e razão poderá ter êxito. Mas o sucesso será garantido caso um esforço assim extraordinário seja feito? Eu diria que a resposta é não. Existem outras fontes de desarmonia além dos conflitos gerados pelas dificuldades de conciliar interesses individuais com os de grupos pequenos e grandes. Refiro-me a *conflitos originados em cada indivíduo*, no embate íntimo entre impulsos positivos e afetuosos e impulsos negativos e destrutivos para o próprio indivíduo e para outros. Em seus derradeiros anos de vida, Sigmund Freud viu na bestialidade do nazismo a confirmação de suas dúvidas de que a cultura algum dia seria capaz de domar a nefanda pulsão de morte, que, na opinião dele, está presente dentro de cada um de nós. Antes disso, Freud já havia começado a articular seu raciocínio na coletânea de textos intitulada *O mal-estar na civilização* (publicada em 1930 e revista em 1931),⁸ mas é em sua correspondência com Albert Einstein que seus argumentos melhor se expressam. Einstein escreveu a Freud em 1932, pedindo conselho sobre como prevenir a conflagração letal que julgava iminente, aproximando-se depressa na esteira da Primeira Guerra Mundial. Em sua resposta, Freud descreveu a condição humana com uma clareza implacável e disse que sentia muitíssimo, mas, considerando as forças em campo, ele não tinha nenhum conselho a dar, nenhuma ajuda, nenhuma solução.⁹ A principal razão de seu pessimismo, devemos ressaltar, era a condição internamente imperfeita do ser humano. Ele não culpava antes de tudo as culturas ou grupos específicos. Culpava o ser humano.

Hoje, como naquela época, o que Freud chamou de "pulsão de morte" permanece um fator importante por trás dos fracassos sociais humanos, embora minha descrição seja em palavras menos misteriosas e poéticas. Esse fator, a meu ver, é um componente estrutural da mente cultural humana. Em termos neurobiológicos contemporâneos, a "pulsão de morte" freudiana corresponde ao desencadeamento irrefreado de um conjunto específico de emoções negativas, sua subsequente perturbação da homeostase e a tremenda devastação que elas causam no indivíduo e em comportamentos humanos coletivos. Essas emoções são parte do mecanismo do afeto descrito nos capítulos 7 e 8. Sabemos que várias emoções "negativas" são, na verdade, importantes protetoras da homeostase. Elas incluem, por exemplo, tristeza, luto, pânico, medo e nojo. A raiva é um caso especial. Ela permaneceu na caixa de ferramentas da emoção humana porque, em certas circunstâncias, pode dar uma vantagem ao indivíduo raivoso, provocando o recuo de seu adversário. Mas a raiva, que pode intensificar-se até se transformar em cólera e fúria violenta, é um bom exemplo de emoção negativa, cujos benefícios vêm diminuindo no decorrer da evolução. O mesmo vale para a inveja, o ciúme e o desprezo, provocados por todo tipo de humilhação e ressentimento. Costuma-se dizer que a ativação dessas emoções negativas é um retorno à nossa emotividade animal, mas isso é um insulto desnecessário a muitos animais. A avaliação acerta em parte, mas nem sequer começa a captar a natureza mais sinistra do problema. Nos humanos, a destrutividade da cobiça, raiva e desprezo sem freios, por exemplo, tem sido responsável por crueldades impensáveis, perpetradas por humanos contra seus pares desde tempos pré-históricos. Em muitos aspectos, ela lembra a crueldade dos grandes primatas nossos parentes, famosos por trucidar os corpos de rivais reais ou presumidos, só que agravada por refinamentos humanos. Chimpanzés nunca crucificaram outros chimpanzés, mas os romanos inventaram a crucifixão, e com ela executavam seres humanos. É preciso a invenção criativa do homem para conceber novos métodos de tortura e morte. A raiva e a malignidade humanas são auxiliadas por conhecimentos abundantes, por raciocínios tortuosos e pelos poderes irrefreados da tecnologia e ciência à disposição do ser humano. É provável que atualmente menos humanos se dediquem à destruição maliciosa de outros, um sinal de que fizemos algum progresso. Mas o potencial para a destruição em massa que esse número menor de indivíduos tem ao seu dispor nunca foi maior. Freud talvez estivesse às voltas com esse fato quando se perguntou, no começo do capítulo 7 de *Civilização*, por que animais não tinham lutas culturais. Ele não respondeu a essa pergunta, porém está claro que os animais carecem do aparato intelectual para isso. Nós não.

O grau em que as pulsões nefandas estão presentes em sociedades humanas e o quanto elas influenciam o comportamento público não são iguais entre as populações. Para começar, existem diferenças de gênero.[10] Homens ainda têm maior probabilidade de ser fisicamente violentos do que mulheres, o que condiz com seus papéis sociais ancestrais, de caçar e lutar por território, e mulheres também podem ser violentas; é evidente, porém, que a maioria dos homens é composta de indivíduos compassivos e que nem todas as mulheres o são. O afeto de proteger e cuidar pode ser encontrado em abundância nos dois lados.

Há ainda outras restrições a agir por impulso, seja ele bom ou mau. Agir por impulso depende, por exemplo, do temperamento individual, o qual, por sua vez, depende de como os impulsos e as emoções são geralmente ativados em um indivíduo em decorrência de numerosos fatores — genética, desenvolvimento e experiências na primeira infância, e ambientes histórico e social, onde a estrutura familiar e a educação figuram com destaque. A expressão do temperamento é influenciada inclusive pelo ambiente social corrente e pelo clima.[11] As estratégias cooperativas são parte da constituição biológica guiada pela homeostase nos seres humanos, o que significa que o germe da resolução de conflitos está presente em grupos humanos, juntamente com a tendência a conflitos. No entanto, parece razoável supor que o equilíbrio entre a cooperação salutar e a competição destrutiva depende substancialmente do refreamento civilizacional e de uma governança justa e democrática, representativa dos indivíduos governados. Por sua vez, o refreamento civilizacional depende de conhecimento, discernimento e de pelo menos um pouco da sabedoria que resulta da educação, do progresso científico e técnico e da modulação de tradições humanas, religiosas ou seculares.

Na ausência desses resolutos esforços civilizatórios, grupos de indivíduos com identidades culturais distintas e características psicológicas, físicas e sociopolíticas relacionadas lutarão para obter o que necessitam ou desejam pelos meios disponíveis. Isso é exatamente o que a constituição biológica dos grupos, dirigida pela homeostase, promove naturalmente quando eles se fundem como uma entidade de fronteiras indistintas. Salvo um controle despótico de um grupo sobre outro, ou outros, o único modo de impedir ou resolver lutas destrutivas é o comportamento cooperativo, o tipo de negociação de conflitos inteligente que caracteriza os melhores momentos das sociedades humanas.

A organização desses esforços cooperativos requer também a presença de governantes obrigados a prestar contas aos indivíduos que devem ser os beneficiários de tais esforços, juntamente com uma população educada, capaz de implementar os esforços e monitorar os resultados. À primeira vista, pode parecer que, quando começamos a falar em governo, deixamos o reino da biologia. Mas isso não é verdade. *O prolongado processo de negociação requerido pela tarefa de governar é necessariamente intrínseco à biologia do afeto, conhecimento, raciocínio e tomada de decisão.* Os *seres humanos estão inevitavelmente presos ao mecanismo do afeto e suas conciliações com a razão. Não há como escapar a essa condição.*

Deixando de lado os êxitos passados, qual a probabilidade de um esforço civilizacional ser bem-sucedido hoje? Em um cenário possível, ela seria nula, pois os próprios instrumentos com os quais inventamos soluções culturais — uma complicada interação de sentimentos e raciocínios — são solapados pelos objetivos homeostáticos conflitantes de diferentes eleitorados: o indivíduo, a família, o grupo de identidade cultural e organismos sociais maiores. Nessa versão dos nossos apuros, os fracassos periódicos das culturas seriam resultantes das origens biológicas antiquíssimas e pré-humanas de algumas das nossas características comportamentais e mentais distintivas, uma espécie de pecado original indelével, cujas características permeiam e corrompem as soluções para os conflitos humanos e sua aplicação.

Como não será possível livrar das suas origens biológicas as atuais soluções culturais ou sua aplicação, ou ainda ambas as coisas, alguns dos nossos melhores e mais nobres desígnios serão inevitavelmente impedidos. Não há esforço de educação ao longo das gerações que provavelmente seja capaz de corrigir esse defeito. Seremos sempre puxados para baixo como Sísifo, que, como punição por sua arrogância, foi condenado a empurrar uma pedra enorme morro acima só para vê-la sempre rolar de volta para baixo e ele ter eternamente que recomeçar.

Um paralelo a esse cenário de fracasso foi articulado por historiadores e filósofos versados no mundo da IA e robótica.[12] Como vimos no capítulo anterior, eles imaginam que o progresso científico e tecnológico degradará o status dos seres humanos e da humanidade, predizem o surgimento de superorganismos e vaticinam que nem os sentimentos nem a consciência terão um lugar nos organismos do futuro. A ciência por trás dessas visões distópicas é controversa, e as predições podem ser errôneas. No entanto, mesmo se forem corretas, não vejo razão para aquiescer sem resistência com essa versão do futuro.

Em outro cenário, a cooperação finalmente passa a dominar, graças a um empenho civilizatório contínuo ao longo de muitas gerações. Em alguns aspectos, apesar das letais catástrofes humanas do século XX, ocorreram numerosos avanços positivos ao longo da história. Afinal de contas, abolimos a escravidão, uma prática cultural muito disseminada por milhares de anos, e é difícil imaginar um ser humano equilibrado defendendo essa prática hoje. Na culturalmente avançada Atenas de Platão, Aristóteles e Epicuro, que admiramos com razão, apenas 30 mil indivíduos eram cidadãos em uma população de 150 mil pessoas; os demais eram escravos.[13] Singularidades e retrocessos à parte, os humanos prestaram atenção e houve avanços.

A educação, no sentido mais amplo do termo, é o caminho óbvio a seguir. Um projeto de educação de longo prazo, destinado a criar ambientes sadios e socialmente produtivos, precisa dar destaque a comportamentos éticos e cívicos e incentivar as virtudes morais clássicas — honestidade, gentileza, empatia e compaixão, gratidão, modéstia. Também deve promover valores humanos que transcendam o atendimento das necessidades imediatas da vida.

O círculo de consideração por outros seres humanos e, até mais recentemente, por espécies não humanas e pelo planeta revela um reconhecimento crescente da difícil situação humana, e até mesmo a consciência das condições particulares da vida e do meio ambiente. Algumas estatísticas também indicam declínio em certas modalidades de violência, embora essas tendências possam não ser sustentáveis. Nesse cenário, a pior parte da natureza barbaresca dos humanos já teria sido domada, e as culturas por fim conseguirão controlar o barbarismo e o conflito se lhes dermos tempo, uma perspectiva bastante atrativa. Culturalmente, seríamos ainda em alto grau uma obra em andamento, longe de nos amoldarmos, no espaço sociocultural, à quase perfeição homeostática que foi alcançada, no nível biológico básico, ao longo dos bilhões de anos de evolução. Considerando que a evolução precisou de tanto tempo para otimizar as operações homeostáticas, como esperar, nos míseros milhares de anos da nossa condição humana comum, que já tivéssemos conseguido harmonizar as necessidades homeostáticas de grupos culturais tão numerosos e diversos? Esse cenário admite retrocessos temporários, mas oferece a esperança de algum progresso, a despeito da atual crise das democracias liberais.

Não é a primeira vez que cenários soturnos e ensolarados da natureza humana são contrastados diante dos nossos olhos. Em meados do século XVII, a visão que identificamos com Thomas Hobbes via os seres humanos como solitários, perversos e grosseiros. Ao contrário, um século mais tarde, a visão da humanidade que associamos a Jean-Jacques Rousseau apresentava os humanos como bons e nobres, além de incorruptos no início de sua jornada. Embora Rousseau acabasse reconhecendo que a sociedade corrompia a angélica pureza dos humanos, nenhuma dessas concepções captou o quadro completo.[14] A maioria dos humanos, na verdade, pode ser grosseira, selvagem, ardilosa, egoísta, nobre, tola, inocente e adorável. Ninguém consegue ser tudo isso ao mesmo tempo, embora alguns até tentem. As visões ensolaradas ou soturnas da humanidade continuam intactas nas obras acadêmicas contemporâneas. O argumento de que nossa consciência da dignidade de vida humana aumentou e de que o progresso é possível é refutado pela realidade de fracassos periódicos. Essa é a posição do filósofo John Gray, um pessimista irredutível, para quem o progresso é uma ilusão, uma canção sedutora inventada pelos que se converteram aos mitos iluministas.[15] Os iluminismos têm suas partes escuras, não iluminadas, algo que Max Horkheimer e Theodor Adorno reconheceram em meados do século XX.[16]

Uma sólida razão de esperança no meio da crise atual é o fato de que, até o presente, nenhum projeto educacional foi implementado com consistência, duração e abrangência suficientes para provar, sem sombra de dúvida, que ele não levaria à melhor condição humana pela qual ansiamos.

UM EMBATE NÃO RESOLVIDO

Sombrio, mas com esperança, ou sombrio e sem esperança: é impossível decidir qual dos cenários tem maior probabilidade de se concretizar. Há incógnitas demais, e as consequências finais da comunicação digital, IA, robótica e ciberguerra são um fator especialmente imprevisível. Ciência e tecnologia podem ser usadas muito proveitosamente para melhorar nosso futuro — seu potencial continua a ser extraordinário —, ou podem trazer nossa aniquilação. Nesse meio-tempo, a preferência de cada um de nós pelo primeiro ou pelo segundo cenário depende acentuadamente de se ter um temperamento otimista ou pessimista. O problema é que até mesmo a índole típica de uma pessoa tende a oscilar entre luz e escuridão quando as tribulações e a incerteza são tão grandes. Enquanto isso, podemos avaliar o problema com calma e tirar as conclusões a seguir.

A condição humana engloba dois mundos. Um deles é composto pelas regras da regulação da vida dadas pela natureza, cujas cordas são tangidas pelas mãos invisíveis da dor e do prazer. Não temos consciência das regras, nem de seus alicerces; apenas percebemos certos resultados que chamamos de dor ou prazer. Não tivemos nenhuma participação na criação dessas regras — aliás, nem na existência das poderosas forças da dor e do prazer — e não podemos modificá-las, do mesmo modo que não podemos alterar os movimentos das estrelas ou prevenir terremotos. Também não tivemos nenhuma participação no modo como a seleção natural vem atuando ao longo das eras na construção do mecanismo do afeto, o qual, em boa medida, governa nossa vida social e individual com base na limitação da dor e no aumento do prazer, o mais das vezes em nível individual, com consideração apenas parcial por outros indivíduos, inclusive pelos que pertencem ao nosso grupo.

Mas existe outro mundo. Podemos contornar as condições que nos são impostas, e realmente o fazemos, inventando formas culturais de administrar a vida para complementar a variedade básica. Os resultados têm sido as descobertas que continuamos a fazer sobre universos dentro de nós e à nossa volta e a nossa extraordinária habilidade de acumular conhecimento na memória interna e em registros externos. Aqui, a situação é diferente. Podemos refletir sobre o conhecimento, esmiuçá-lo, manipulá-lo inteligentemente e inventar os mais variados tipos de resposta às regras da natureza. Às vezes, nosso conhecimento, que ironicamente inclui a descoberta das regras de regulação da vida que não podemos modificar, permite-nos fazer algo a respeito das cartas que nos foram dadas. Culturas e civilizações são os nomes que damos aos resultados cumulativos desses esforços.

Tem sido tão difícil lidar com o abismo que separa a regulação da vida imposta pela natureza e as respostas que inventamos, que a condição humana frequentemente se assemelha a uma tragédia e, talvez não com suficiente frequência, a uma comédia. A habilidade de inventar soluções é um imenso privilégio, porém é propensa a falhar e extremamente cara. Podemos chamar essa situação de "o ônus da liberdade", ou, para ser mais exato, "o ônus da consciência".[17] Se *desconhecêssemos* essa condição — se não a *sentíssemos subjetivamente* —, não nos preocuparíamos. Mas assim que a nossa preocupação guiada pela subjetividade se encarregou de responder à nossa condição, orientamos o processo em direção aos nossos compreensíveis interesses individuais, os quais, se deixados por conta própria, incluem o círculo dos que nos são mais próximos e mal se estendem ao nosso grupo cultural. Essa tendência tem solapado nossos esforços, ao menos em parte, e perturbado a homeostase em diferentes pontos de um sistema cultural global. Mas eis um possível remédio: controlar a incessante busca do autointeresse e ampliar o que puder o escopo dos nossos esforços homeostáticos. As filosofias orientais há muito levam em conta esse objetivo, e as religiões abraâmicas procuraram aplicar certos freios aos interesses egoístas. O cristianismo até introduziu o perdão e a redenção e, no processo, enfatizou a compaixão e a gratidão. Poderão as sociedades finalmente introduzir, por meios seculares ou religiosos, uma forma de altruísmo inteligente e bem recompensada, que substitua a autoabsorção hoje reinante? O que será preciso para que esses esforços sejam bem-sucedidos?[18]

A particularidade da condição humana, portanto, provém dessa combinação singular. De um lado, especificações para a vida que nunca tivemos chance de estipular — por exemplo, as necessidades, os riscos e as exuberantes forças propulsoras de dor, prazer, desejo e impulso reprodutivo — vêm de tempos remotíssimos e de ancestrais não humanos, cujo poder intelectual era inexistente ou limitado e que não eram capazes de compreender substancialmente a situação em que se encontravam. Seu destino, assim como o de sua espécie, ficava por conta do que aconteceria com sua dotação biológica, em especial com os genes que os construíam e em grande medida governavam seu comportamento. Seu destino era transmitido aos descendentes e construía as gerações subsequentes — ou não, e a espécie desaparecia. Do outro lado, nós, humanos, graças a recursos cognitivos que se expandiram gradualmente, tivemos uma habilidade incremental de diagnosticar as situações responsáveis pelos sentimentos bons ou ruins que experienciamos, e somos capazes de responder de modos variados e cada vez mais inventivos que não são prescritos por nossos genes. Esses modos são imediatamente transmissíveis por meios culturais, históricos e não genéticos, sujeitos a uma seleção não menos ativa que aquela aplicada aos genes. Aqui reside a grande novidade evolucionária das culturas humanas: a possibilidade de negar à nossa herança genética o controle absoluto sobre nosso destino, ao menos temporariamente. Podemos contrariar, de modo direto e voluntário, o nosso imperativo genético quando nos recusamos a agir de acordo com nosso apetite por comida ou sexo, ou resistir ao impulso de punir alguém, ou quando seguimos uma ideia que contraria uma tendência natural, como procriar ou dilapidar recursos naturais como marinheiros bêbados. Também é novo o fato de que podemos transmitir avanços culturais através de tradições orais e escritas, o que, por sua vez, criou registros externos de acontecimentos históricos e abriu caminho para a reflexão e a teoria. As consequências são impressionantes. Hoje, as forças químicas e físicas que são a base da vida, os genes e a cultura, cada qual sujeita a processos seletivos, interagem abundantemente.

Apesar da inovação espetacular e do progresso da ciência, tecnologia e reflexão baseada em informações, a capacidade de compreender nosso lugar no universo permanece não só incompleta, mas também inadequada; o mesmo vale para nossa capacidade de controlar a natureza. Quanto a repelir o sofrimento e favorecer a prosperidade, a nossa capacidade é limitada e errática. Os próprios expedientes que os humanos foram motivados a criar para assegurar o bem viver — preceitos morais, religiões, modos de governar, economia, ciência e tecnologia, sistemas filosóficos e as artes — permitiram ganhos inquestionáveis em bem-estar. No entanto, alguns desses mesmos expedientes também ensejaram graus indizíveis de sofrimento, destruição e morte, por conflitarem com a regulação homeostática simples e com a complexa, porém não deliberada. Vezes sem conta, os humanos imprudentemente concluíram que haviam chegado a uma era de estabilidade e razão, na qual a injustiça e a violência seriam banidas para sempre, mas descobriram que os horrores da desigualdade gritante ou da guerra haviam retornado com força cada vez maior.

Vem daí a tragédia, tão bem captada pelo teatro ateniense 25 séculos atrás, quando as desgraças que se abatem sobre os personagens de uma peça são causadas não tanto por suas decisões, e mais por forças volúveis externas a eles, divinas, incontroláveis e inevitáveis. Édipo mata o pai sem saber e desconhece o fato de que Jocasta, sua nova esposa, é sua mãe. É impelido a executar essas várias ações comportando-se tão cegamente como o cego que ele finalmente se torna.

As condições não eram diferentes no século XVI, quando Shakespeare retornou a esse mesmo espírito trágico, com grande profundidade, em seu tratamento de emoções malignas e ex machina em *Macbeth*, *Otelo*, *Coriolano*, *Hamlet* e *Lear*. Essas tragédias foram apenas levemente contrabalançadas pela elegíaca ternura amarga de seu personagem Falstaff nas peças *Henrique IV* e *As alegres comadres de Windsor*. "Ah, os dias que vimos!", diz o juiz Shallow a John Falstaff, com arrependimento e saudade, pensando em todas as tribulações e divertimentos que eles não só viram ou ouviram, mas também sentiram na carne. Os dias que eles viram, uns trágicos, outros cômicos, ilustram a condição não só deles, mas também a nossa.

É fascinante que a grande ópera, que recuperou os cenários da tragédia grega combinando drama e música, tenha retornado, no século XIX, a esses mesmos temas trágicos e à comédia que lhes serve de contrapeso. Verdi compôs versões notáveis de *Macbeth* e *Otelo*, e encerrou sua carreira com um tom otimista inspirador: uma ópera inteira dedicada ao Falstaff de Shakespeare que, reveladoramente, omite a triste ruína do personagem e termina em uma jubilosa coda. Não havia na época, como também não há agora, uma perspectiva e um tratamento únicos para a condição humana, mesmo quando os seres humanos vivem na mesma parte do mundo e têm em comum uma biografia esquematicamente comparável. As diferenças humanas reinam.[19]

Da perspectiva teatral, nossa situação geral deu um passo, da tragédia para o drama puro e simples, com bem-vindos intervalos cômicos. O equilíbrio entre nossas decisões e as forças que elas combatem claramente deslocou-se em nosso favor. Contudo, ainda pagamos constantemente por doenças que não criamos, ou por erros cometidos que não tínhamos desejado cometer.

Um vislumbre de esperança, uma grande diferença entre esforços passados e tentativas futuras, está no vasto conhecimento sobre a natureza humana que agora temos à disposição e na possibilidade de planejar uma estratégia mais humanamente inteligente do que no passado. Essa abordagem consideraria a ideia de que a razão deve estar no comando como pura tolice, um mero resíduo dos piores excessos do racionalismo, mas também rejeitaria a ideia de que devemos simplesmente obedecer às recomendações das emoções — sermos gentis, compassivos, raivosos, sentir nojo — sem passá-las pelo filtro do conhecimento e da razão.[20] Promoveria uma parceria produtiva entre sentimentos e razão, enfatizando as emoções salutares e suprimindo as negativas. Por fim, ela rejeitaria a noção da mente humana como um equivalente das criações da inteligência artificial.

Embora talvez não haja cura para a vida, e enquanto aguardamos os efeitos dos esforços civilizatórios, podem existir remédios de prazo mais curto. Podemos, por exemplo, improvisar ponderadamente a busca da felicidade e o afastamento da dor para o coletivo humano. Isso requereria defender como valores não negociáveis e sagrados a dignidade e a reverência pela vida humana; além de um conjunto de objetivos capazes de transcender as necessidades homeostáticas imediatas e inspirar e elevar a mente até um nível projetado no futuro. Não é nada fácil implementar a arquitetura social para esses remédios diante da velocidade da mudança da humanidade e seu alto grau de diversidade.

A busca estratégica da felicidade, assim como a variedade espontânea, baseia-se em sentimentos. Na ausência deles, os motivos por trás da busca — os mal-estares da vida e seus contrapesos prazerosos — não poderiam ser imaginados. Graças ao confronto com a dor e ao reconhecimento do desejo, os sentimentos, bons e maus, deram foco ao intelecto, conferiram-lhe propósito e ajudaram a criar novos modos de regular a vida. Sentimentos e intelecto expandido resultaram em uma alquimia poderosa. Libertaram os humanos para *tentar* a homeostase por meios culturais, em vez de permanecerem cativos de seus mecanismos biológicos. Os humanos já estavam bem adiantados nessa nova empresa quando, em humildes cavernas, cantavam e inventavam flautas e, imagino, seduziam e consolavam outros conforme necessitavam. Analogamente, quando encarnaram Moisés recebendo os mandamentos de Deus numa montanha; quando, em nome de Buda, conceberam o Nirvana; quando, sob a forma de Confúcio, elaboraram preceitos éticos; e quando, nos papéis de Platão, Aristóteles e Epicuro, começaram a explicar aos conterrâneos atenienses à sua volta como deveria ser o bem viver. Seu trabalho nunca foi concluído.

Uma vida não sentida não teria necessidade de cura. Uma vida sentida, mas não examinada, não seria curável. Os sentimentos lançaram e têm ajudado a navegar mil navios intelectuais.

13. A estranha ordem das coisas

O título deste livro foi sugerido por dois fatos. O primeiro é que, 100 milhões de anos atrás, algumas espécies de insetos já haviam adquirido uma coleção de comportamentos, práticas e instrumentos sociais que podem, apropriadamente, intitular-se culturais quando comparados a seus análogos sociais humanos. O segundo fato é que, em um tempo ainda mais remoto, muito provavelmente há vários bilhões de anos, organismos unicelulares também apresentavam comportamentos sociais cujas linhas gerais condizem com aspectos de comportamentos socioculturais humanos.

Esses fatos certamente contradizem uma noção convencional: a de que algo tão complexo como comportamentos sociais capazes de melhorar a gestão da vida só poderia ter surgido da mente de organismos evoluídos, não necessariamente humanos, mas complexos o bastante e suficientemente próximos dos humanos para engendrar o refinamento necessário. As características sociais sobre as quais escrevo apareceram nos primórdios da história da vida, são abundantes na biosfera e não precisaram esperar o surgimento na Terra de alguma coisa parecida com o ser humano. Isso é verdadeiramente estranho, inesperado, para dizer o mínimo.

Um exame mais atento revela detalhes por trás desses fatos fascinantes, por exemplo, comportamentos cooperativos bem-sucedidos do tipo que tendemos a associar, e com razão, à sabedoria e maturidade no ser humano. No entanto, estratégias cooperativas não precisaram esperar que surgissem mentes sábias e maduras. Estratégias desse tipo possivelmente são tão antigas quanto a própria vida, e nunca se manifestaram com maior brilhantismo do que no conveniente tratado celebrado entre duas bactérias: uma ambiciosa e atrevida, que quis apoderar-se de outra, maior e mais bem estabelecida. A batalha resultou em empate, e a bactéria atrevida tornou-se um satélite cooperativo da bactéria estabelecida. Os eucariotas, células com um núcleo e organelas complexas como as mitocôndrias, provavelmente nasceram dessa maneira, na mesa de negociações da vida.

As bactérias da história descrita não possuem mente, quanto mais uma mente sábia. A bactéria atrevida opera *como se* concluísse que "se não pode vencê-la, junte-se a ela". Por sua vez, a estabelecida opera como se pensasse "eu bem que poderia aceitar essa invasora, se ela me oferecesse algo em troca". Mas, obviamente, nenhuma delas *pensou* coisa alguma. Não houve reflexão mental, consideração manifesta de conhecimentos prévios, astúcia, ardileza, bondade, lisura ou conciliação diplomática. A equação do problema foi resolvida cegamente, e a partir *de dentro* do processo, de baixo para cima, como uma opção que, analisando hoje, podemos ver que funcionou bem para os dois lados. No entanto, a solução foi moldada pelos requisitos imperativos da homeostase, e isso não foi mágica, exceto em um sentido poético. Ela consistiu em restrições físicas e químicas concretas aplicadas ao processo da vida, dentro das células, no contexto de suas relações físico-químicas com o ambiente. Notavelmente, a ideia de algoritmo é aplicável a essa situação. O mecanismo genético dos organismos bem-sucedidos assegurou que a estratégia permanecesse no repertório das gerações futuras. Se a opção não tivesse funcionado, teria ido para o imenso cemitério da evolução. Nunca teríamos sabido do fato.

O fascinante processo de cooperação não se sustenta sozinho, sem ajuda. As bactérias são capazes de perceber a presença de outras, graças a sondas químicas instaladas em suas membranas, e podem até distinguir as suas parentes das forasteiras por meio da estrutura molecular dessas sondas. Esse é um modesto precursor da nossa percepção baseada em imagens.

Esses surgimentos em ordem tão estranha revelam o imenso poder da homeostase. O indomável imperativo homeostático, atuando por tentativa e erro, selecionou naturalmente soluções comportamentais disponíveis para vários problemas da gestão da vida. Os organismos vasculharam e avaliaram, impremeditadamente, a física de seu ambiente e a química dentro de suas membranas e, da mesma forma, chegaram a soluções no mínimo adequadas mas frequentemente boas para a manutenção e a prosperidade da vida. O espantoso é que, quando configurações de problemas comparáveis foram encontradas em outras ocasiões, em outros pontos da emaranhada evolução das formas de vida foram encontradas as mesmas soluções. A tendência a determinadas soluções, a esquemas semelhantes, a algum grau de inevitabilidade, resulta da estrutura e das circunstâncias de organismos vivos e de sua relação com o ambiente, e depende da homeostase de forma assombrosa. Tudo isso faz pensar nos textos de D'Arcy W. Thompson sobre crescimento e forma — por exemplo, as formas e estruturas de células, tecidos, ovos, casulos etc.[1]

A cooperação evoluiu como gêmea da competição, e isso ajudou a selecionar os organismos que mostraram as estratégias mais produtivas. Em consequência, quando nos comportamos cooperativamente hoje, com algum sacrifício pessoal, e quando chamamos esse comportamento de altruísta, não quer dizer que nós, humanos, inventamos a estratégia cooperativa por bondade. Ela surgiu estranhamente cedo, e não é mais nenhuma novidade. O que, sem dúvida, é diferente e "moderno" é o fato de que agora, quando encontramos um problema que pode ser resolvido com ou sem uma resposta altruísta, podemos pensar e *sentir* o processo em nossa mente e, ao menos em parte, selecionar deliberadamente o nosso modo de agir. Temos opções. Podemos afirmar o altruísmo e sofrer as perdas correspondentes, ou negar o altruísmo e não perder coisa alguma, ou até ganhar, ao menos por algum tempo.

A questão do altruísmo é, toda ela, uma boa porta de entrada para fazermos a distinção entre as culturas primordiais e a variedade plenamente desenvolvida. Sua origem é a cooperação cega, mas o altruísmo pode ser desconstruído e ensinado em famílias e escolas como uma estratégia humana deliberada. Como no caso de várias emoções benevolentes e beneficentes — compaixão, admiração, reverência, gratidão —, o comportamento altruísta pode ser incentivado, exercitado, treinado e praticado na sociedade. Ou não. Embora nada garanta que o altruísmo sempre funcionará, ele está disponível como um recurso humano consciente, acessível por meio da educação.

Outro exemplo de contraste entre origens e culturas plenamente desenvolvidas pode ser visto na noção de lucro. Há muito, muito tempo, as células literalmente buscam o lucro, e com isso quero dizer que elas procuram governar seu metabolismo de modo a gerar balanços energéticos positivos. As células muito bem-sucedidas na vida são hábeis em gerar balanços energéticos positivos, isto é, "lucros". Mas o fato de o lucro ser natural e em geral benéfico não o torna *necessariamente* bom, da perspectiva cultural. As culturas podem decidir quando coisas naturais são boas — e determinar o grau em que isso ocorre — e quando não são. A cobiça é tão natural quanto o lucro, porém não é culturalmente boa, ao contrário da famosa afirmação de Gordon Gekko.[2]

As faculdades superiores que surgiram na ordem mais estranha provavelmente são os sentimentos e a consciência. Não é disparatado — apenas incorreto — imaginar que o refinamento mental que conhecemos como sentimentos teria começado nos seres mais avançados na evolução, quando não com exclusividade nos humanos. O mesmo se aplica à consciência. A subjetividade, marca registrada da consciência, é a capacidade de sermos os donos das nossas experiências mentais e de dotá-las de uma perspectiva individual. A noção ainda prevalente é que a subjetividade provavelmente não surgiu em nenhum ser além dos refinados humanos. Ainda mais incorretamente costuma-se supor que processos complexos como sentimento e consciência têm de resultar da operação das estruturas mais modernas e mais humanamente evoluídas do sistema nervoso central: os gloriosos córtices cerebrais. De fato, o público interessado nesses assuntos favorece os córtices cerebrais e acabou-se; o mesmo fazem notáveis cientistas e filósofos da mente. A busca pelos "correlatos neurais da consciência" vigorosamente empreendida por cientistas contemporâneos concentra-se apenas no córtex cerebral. E não só isso: concentra-se no processo da visão. Esse também é processo eleito pelos filósofos da mente para alicerçar suas discussões sobre a experiência mental, a subjetividade e a referência aos *qualia*.

No entanto, a visão prevalecente é errada em todos os aspectos. Sentimentos e subjetividade, até onde podemos concluir, dependeram do surgimento prévio de sistemas nervosos com componentes centrais, mas não há justificativa para favorecer o córtex cerebral como o responsável pelo trabalho. Ao contrário, núcleos do tronco encefálico e do telencéfalo, todos localizados em nível inferior ao do córtex cerebral, são as estruturas cruciais para sustentar os sentimentos e, por extensão, os *qualia*, que são parte da nossa compreensão da consciência. No que diz respeito à consciência, é provável que apenas dois dos processos cruciais que analisei — a construção da perspectiva do fantasma do corpo e o processo de integração de experiências — dependam principalmente de córtices cerebrais. Além disso, o surgimento de sentimento e subjetividade não é nada recente, e muito menos exclusivo do ser humano. Ambos provavelmente apareceram muito tempo atrás, no período Cambriano. Não só todos os vertebrados provavelmente têm experiências conscientes de vários sentimentos, mas também vários invertebrados, cuja estrutura do sistema nervoso central assemelha-se à dos humanos no que diz respeito à coluna vertebral e ao tronco encefálico. Os insetos sociais provavelmente se encaixam nessa categoria, assim como os encantadores polvos, dotados de um desenho cerebral bem diferente.

A conclusão inevitável é que sentimento e subjetividade são faculdades antigas e não dependeram do complexo córtex cerebral dos vertebrados superiores, quanto mais dos humanos, para fazer sua estreia. Isso já pode ser chamado de "estranho", porém, mais uma vez, as coisas ficam ainda mais estranhas. Muito antes do período Cambriano, organismos unicelulares podiam responder a danos à sua integridade com reações químicas e físicas defensivas e estabilizadoras, estas últimas um tanto semelhantes aos atos de encolher-se e estremecer. Ora, em termos práticos, essas reações são respostas emotivas, o tipo de programas de ação que mais adiante, na evolução, seria representado na mente como um sentimento. Curiosamente, é provável que até o processo de estabelecer uma perspectiva tenha origem muito antiga. O sentir e responder de uma única célula tem uma "perspectiva" implícita, a do organismo "individual" específico e somente dele, com a ressalva de que essa perspectiva não é representada secundariamente em um mapa separado. Isso pode muito bem ser um ancestral da subjetividade, que um dia se tornou explícito em organismos dotados de mente. Devo insistir em que, por mais brilhantes que sejam esses processos antigos, eles são totalmente relacionados a *comportamentos,* ações engenhosas úteis. A meu ver, neles não há nada de mental ou experiencial — sem mente, não há sentimento nem consciência. Receberia de muito bom grado mais revelações do mundo dos pequenos organismos, mas prevejo que não lerei sobre a fenomenologia dos micro-organismos tão cedo. Ou nunca.[3]

Em resumo, a construção daquilo que se tornou para nós os sentimentos e a consciência aconteceu de modo gradual, incremental, mas *irregular,* em linhas separadas da história evolucionária. O fato de podermos encontrar tanta coisa em comum nos comportamentos sociais e afetivos de organismos unicelulares, esponjas e hidras, cefalópodes e mamíferos sugere uma raiz comum para os problemas da regulação da vida em diferentes seres e também uma solução comum a todos: obedecer ao imperativo homeostático.

Na história das *acreções* que favorecem a homeostase, destaca-se o surgimento de sistemas nervosos. Eles abriram o caminho para os mapas e imagens, para as representações "assemelhadoras", configurativas, e isso foi, no mais profundo dos sentidos, *transformador*. Foram transformadores mesmo que não trabalhassem e não trabalhem sozinhos, mesmo que fossem principalmente servidores de uma tarefa maior: manter vidas produtivas e obedientes à homeostase em organismos complexos.

Tais considerações nos levam a outra parte importante do surgimento em ordem tão estranha da mente, sentimentos e consciência, uma parte que é sutil e fácil de passar despercebida. Ela se relaciona à noção de que *nem partes dos sistemas nervosos nem cé-*

rebros inteiros são os únicos fabricantes e provedores de fenômenos mentais. É improvável que fenômenos neurais pudessem, sozinhos, produzir os alicerces funcionais necessários a tantos aspectos da mente, e certamente é verdade que eles *não* poderiam ter esse papel quando falamos em sentimentos. É preciso que haja uma interação muito próxima entre os sistemas nervosos e as estruturas não nervosas dos organismos. As estruturas neurais e não neurais não são apenas contíguas, mas parceiras *contínuas,* interativas. Não são entidades distantes que sinalizam umas para as outras como chips em um telefone celular. Em palavras simples: corpos e cérebros estão na mesma sopa capacitadora.

Inúmeros problemas da filosofia e da psicologia podem começar a ser investigados produtivamente assim que as relações entre "corpo e cérebro" passarem a ser vistas sob essa nova ótica. O entranhado dualismo que começou em Atenas, teve Descartes como avô, resistiu às investidas de Espinosa e foi avidamente explorado pelas ciências da computação é uma posição cujo tempo já passou. Precisamos agora de uma nova posição que seja biologicamente integrada.

Nada poderia ser mais diferente da concepção da relação entre mentes e cérebros com a qual iniciei minha carreira. Comecei a ler Warren McCulloch, Norbert Wiener e Claude Shannon aos vinte anos, e, por várias guinadas do destino, McCulloch logo se tornaria meu primeiro mentor americano, junto com Norman Geschwind. Aquele foi um tempo fundamental e visionário da ciência, que abriu caminho para os sucessos extraordinários das ciências da computação, neurofisiologia e inteligência artificial. Contudo, analisando hoje, ele não teve muito a oferecer no que diz respeito a uma noção realista sobre o feitio e a sensação das mentes humanas. E como poderia, se a respectiva teoria desvinculava a enxuta descrição matemática da atividade neuronal da termodinâmica do processo da vida? A álgebra booleana tem seus limites quando o assunto é a mente.[4]

Uma coisa que fez bom uso dos córtices cerebrais, embora não tivesse que esperar pelo surgimento dessas estruturas em humanos e não humanos, foi a capacidade de monitorar as operações de numerosos sistemas no interior de organismos vivos, bem como de formular predições sobre o futuro dessas operações com base na história passada do organismo e em seu desempenho atual. Em outras palavras, estou falando em monitoração, e uso esse termo refletidamente.

Quando descrevi a estrutura e funcionamento dos nossos sistemas nervosos periféricos, mencionei que, em razão da espantosa continuidade e interatividade dos sistemas nervosos e organismos, fibras nervosas "visitam" todas as partes do corpo e informam sobre o estado das operações em todos esses locais aos gânglios espinais, gânglios trigeminais e núcleos do sistema nervoso central. Em poucas palavras, fibras nervosas são as "monitoradoras" dos vastos territórios do organismo. E, a propósito, o mesmo fazem os linfócitos do sistema imune, que patrulham toda a massa territorial do nosso corpo à procura de invasores bacterianos e virais que precisam ser mantidos sob controle. Vários núcleos na medula espinhal, tronco encefálico e hipotálamo possuem o know-how neural necessário para responder às informações assim coligidas e agir com base nelas, defensivamente, conforme seja preciso. Além disso, os córtices cerebrais podem vasculhar uma profusão de dados previamente relacionados e prever o que acontecerá em seguida. Convenientemente, eles podem até prever afastamentos indesejáveis do funcionamento interno. Essas predições úteis são reveladas sob a forma de sentimentos, os quais, como vimos, são experiências mentais complexas que resultam da fusão de conjuntos de dados originados no momento corrente em certas regiões, ou até em âmbito global, relativamente ao corpo como um todo.[5]

Recentemente, entrou em voga nas ciências da computação e no mundo da IA falar sobre o "Big Data" e seus poderes preditivos como invenções da tecnologia moderna. Acontece que os cérebros, conforme dissemos, e não apenas o cérebro humano, há muito tempo são manipuladores de "Big Data" quando operam a homeostase em nível neural superior. Por exemplo, quando humanos intuem o resultado de dada disputa, fazem amplo uso dos nossos sistemas de suporte de "Big Data". Recorremos à monitoração passada, registrada na memória e em algoritmos de predição.

Devemos salientar que as extraordinárias capacidades de monitoração e espionagem ao alcance de governos modernos, gigantes das redes sociais e companhias que prestam serviços de espionagem são apenas as usuárias mais recentes da invenção original da natureza, como uma franquia não remunerada. Não podemos criticar a natureza por ensejar o desenvolvimento de sistemas de monitoração homeostaticamente úteis, muito pelo contrário; no entanto, podemos questionar e julgar os governos e companhias que reinventaram a fórmula da monitoração meramente para aumentar seu poder e valor monetário. Questionar e julgar são funções legítimas das culturas.

A ordenação de todos esses surgimentos relacionados à cultura é bem estranha, e dificilmente alguém a adivinharia logo de saída. No entanto, existem algumas exceções bem-vindas. Seria de esperar que a investigação filosófica, crenças religiosas, sistemas morais e artes teriam aparecido mais tarde na evolução e sido prevalentemente humanos. De fato, assim foi, e eles são.

O quadro que se apresenta quando examinamos esses surgimentos estranhamente ordenados agora é mais claro. Durante a maior parte da história da vida, especificamente por cerca de 3,5 bilhões de anos ou mais, numerosas espécies de animais e plantas mostraram abundantes habilidades de sentir o mundo ao seu redor e responder a ele, apresentaram comportamentos sociais inteligentes e acumularam mecanismos biológicos que lhes permitiram viver com mais eficiência ou por mais tempo, ou ambas as coisas, e foram capazes de transmitir aos descendentes o segredo da prosperidade de suas vidas. Esses seres mostraram apenas os precursores das mentes e dos sentimentos, do pensamento e da consciência, mas não essas faculdades propriamente ditas.

Faltava-lhes a capacidade de representar uma semelhança dos objetos e eventos da realidade externa *e* interna ao organismo. As condições para que o mundo das imagens e mentes se materializasse começaram a surgir há cerca de meio bilhão de anos, e mentes humanas apareceram em tempo ainda mais recente, possivelmente meros 200 milhões de anos atrás.

O começo das representações em forma analógica permitiu o surgimento de imagens baseadas em várias modalidades sensoriais e abriu caminho para o sentimento e a consciência. Mais tarde, representações simbólicas incluíram códigos e franquearam o caminho para as linguagens das palavras e da matemática. Surgiram então os mundos da memória, imaginação, reflexão, investigação, discernimento e criatividade, todos baseados em imagens. As culturas foram suas principais manifestações.

Nossa vida atual e seus objetos e práticas culturais podem ser ligados, embora não facilmente, às vidas do passado, dos tempos em que não existiam sentimentos e subjetividade, anteriores às palavras e decisões. A ligação entre os dois conjuntos de fenômenos viaja por um labirinto intricado, onde é fácil enveredar pelo caminho errado e perder-se. Aqui e ali encontra-se um fio condutor — um fio de Ariadne. A tarefa da biologia, psicologia e filosofia é tornar esse fio contínuo.

Muitos receiam que um conhecimento maior da biologia reduza a vida cultural complexa, voluntária e determinada pela mente a uma vida pré-mental, automatizada. A meu ver, isso não acontecerá. Em primeiro lugar, um maior conhecimento da biologia enseja algo espetacularmente diferente: o aprofundamento da conexão entre as culturas e o processo da vida. Em segundo, a riqueza e a originalidade de inúmeros aspectos das culturas não são reduzidas. Em terceiro, um conhecimento maior sobre a vida e os substratos e processos que temos em comum com outros seres vivos não diminui a distinguibilidade biológica do ser humano. Vale a pena repetir que a condição excepcional dos humanos, acima de tudo o mais que eles têm em comum com os demais seres, deriva do modo único como seus sofrimentos e alegrias são amplificados por memórias individuais e coletivas do passado e pela imaginação de um futuro possível. O conhecimento crescente da biologia, desde as moléculas até os sistemas, reforça o projeto humanista.

Também vale a pena repetir que não existe conflito nenhum entre interpretações do comportamento humano atual que favoreçam a influência cultural autônoma ou a influência da seleção natural transmitida geneticamente. Ambas têm seu papel, em proporções e ordem diferentes.

Embora este capítulo seja dedicado a reordenar o surgimento de habilidades e faculdades que podem ajudar a explicar nossa condição humana, usei a biologia convencional e o pensamento evolucionário convencional para explicar a inesperada estranheza do curso corrigido dos acontecimentos, bem como os fenômenos que estou tentando elucidar de maneira menos convencional, a saber, mente, sentimento e consciência. Talvez seja apropriado, nesse contexto, fazer dois comentários adicionais.

Primeiro, é natural, sob a influência de novas e poderosas

descobertas científicas, deixar-se enganar por certezas e interpretações prematuras que o tempo descartará implacavelmente. Estou disposto a defender minhas ideias atuais sobre a biologia dos sentimentos, consciência e raízes da mente cultural, mas sei bem que essas ideias poderão precisar de revisão em breve. Segundo, é evidente que podemos falar com certa confiança sobre as características e operações de organismos vivos e de sua evolução, e que podemos situar o começo do respectivo universo em aproximadamente 13 bilhões de anos atrás. No entanto, não dispomos de uma explicação científica satisfatória sobre as origens e o significado do universo — em suma, não temos uma teoria de tudo que nos diz respeito. Isso é um lembrete do quanto nossos esforços são modestos e provisórios e do quanto precisamos ser receptivos ao confrontar o que ainda não sabemos.

Agradecimentos

A criação de um livro é um longo processo de planejamento e reflexão, mas chega o dia em que é preciso sentar e escrever. Em geral, lembro vividamente quando isso aconteceu, em cada livro, e quais foram as circunstâncias. E também costumo retornar a essas lembranças, como se elas revelassem o tom no qual o texto deve ser escrito. No caso deste livro, isso aconteceu na Provença, na casa de nossos amigos Laura e Emanuel Ungaro, depois de uma conversa com Emanuel sobre como é comum uma ferida específica incitar à criação. Estávamos falando sobre o curioso *O ateliê de Giacometti*, escrito por Jean Genet, que Picasso considerou o mais bem escrito de todos os livros sobre a criação artística. As palavras de Genet — "A beleza não tem outra origem senão a ferida singular, diferente para cada pessoa, oculta ou visível" — ligavam-se bem à ideia de que o sentimento é um agente fundamental no processo cultural. Pude, então, começar de fato a escrever o meu livro, e me recordo de que, um ano mais tarde, naquela mesma região, expliquei o primeiro esboço a outro amigo, Jean-Baptiste Huynh.

Escrevi as seções iniciais em outra parte da França, na casa de Barbara Guggenheim e Bert Fields. Agradeço a todos esses amigos pela inspiração que eles e os lugares que inventam trazem com tanta naturalidade.

Aqui também cabe mencionar uma ressalva sobre o título do livro. Muitos, quando o ouviram pela primeira vez, perguntaram-me se era uma referência a Michel Foucault. Não era, certamente, mas sei por que perguntaram: Foucault escreveu um livro cujo título original em francês é *Les Mots et les choses* [*As palavras e as coisas*, na tradução brasileira], e na versão inglesa foi intitulado *The Order of Things* [A ordem das coisas]. Absolutamente, nenhuma relação com o meu título.

O meu lar intelectual é o Dornsife College of Letters, Arts and Sciences, da Universidade do Sul da Califórnia. Vários colegas do nosso Brain and Creativity Institute leram com paciência o manuscrito inteiro e comentaram minuciosamente várias passagens. Ganhei muito com seus comentários e sou profundamente grato a todos, mas sobretudo a Kingson Man, Max Henning, Gil Carvalho e Jonas Kaplan. Outros cujas leituras, comentários e incentivo foram importantes são Morteza Dehghani, Assal Habibi, Mary Helen Immordino-Yang, John Monterosso, Rael Cahn, Helder Araujo e Matthew Sachs.

Um grupo de colegas, de um elenco mais abrangente de disciplinas, foi igualmente generoso e fez muitas sugestões valiosas. São eles Manuel Castells, um acadêmico excepcional que há vários anos vem acompanhando o desenvolvimento das minhas ideias, Steve Finkel, Marco Verweij, Mark Johnson, Ralph Adolphs, Camelo Castillo, Jacob Soll e Charles McKenna. Agradeço-lhes por seus conhecimentos extraordinários e conselhos brilhantes.

Outro grupo fez a gentileza de ler partes do manuscrito ou de ajudar em questões específicas: Keith Baverstock, Freeman Dyson, Margaret Levi, Rose McDermott, Howard Gardner, Jane Isay e Maria de Sousa.

Finalmente, alguns amigos muito pacientes leram e comentaram versões do livro e ouviram minhas reflexões sobre a questão sempre espinhosa de preparar epígrafes. Foram eles Jorie Graham, Peter Sacks, Peter Brook, Yo-Yo Ma e Bennett Miller.

As pesquisas que fundamentam grande parte deste livro só foram possíveis graças ao apoio de duas fundações: a Mathers Foundation, que por décadas tem sido um exemplo de apoio a pesquisas em biologia, e a Berggruen Foundation, cujo presidente, Nicolas Berggruen, tem uma curiosidade infinita sobre assuntos humanos. Agradeço a ambas as fundações pelo financiamento.

Dan Frank, da Pantheon, uma voz conhecedora, sábia e tranquilizadora, é o tipo de pessoa que precisamos ter ao nosso lado quando chegamos a uma bifurcação na estrada e não podemos seguir pelos dois caminhos. Minha gratidão é imensa. Agradeço também a Betsy Sallee, do escritório de Frank, por sua ajuda atenciosa.

Michael Carlisle tem sido um grande amigo há mais de trinta anos, e meu agente há 25. É um profissional impecável e de bom coração. Sou grato a ele e à sua equipe da Inkwell, especialmente Alexis Hurley.

Quero agradecer ainda a Denise Nakamura, um modelo de atenção aos detalhes, confiabilidade e paciência, e a Cinthya Nunez, que é a responsável pelo funcionamento harmonioso do setor administrativo do Brain and Creativity Institute, e está sempre pronta para resolver um problema a qualquer momento. O manuscrito deve muito à sua dedicação. Agradeço também a Ryan Veiga, que digitou partes do manuscrito e me ajudou a preparar a bibliografia.

Por fim, preciso dizer que Hanna lê tudo o que escrevo e é a minha melhor — ou seja, a pior — crítica. Ela contribui em cada etapa do caminho e de todos os modos imagináveis. Sempre tento convencê-la a ser coautora, mas não consigo. A maior parte da minha gratidão vai para ela, naturalmente.

Notas

1. SOBRE A CONDIÇÃO HUMANA [pp. 19-44]

1. Essa afirmação não se aplica às situações anômalas dos estados maníaco-depressivos nas quais os sentimentos podem não ser mais indicadores acurados do estado homeostático.

2. Os capítulos 7 e 8 trazem mais detalhes sobre o afeto — impulsos, motivações, emoções e sentimentos. Outros textos relevantes encontram-se em: António Damásio, *O erro de Descartes* (São Paulo: Companhia das Letras, 2012); *O mistério da consciência* (São Paulo: Companhia das Letras, 2015); António Damásio e Gil B. Carvalho, "The Nature of Feelings: Evolutionary and Neurobiological Origins" (*Nature Reviews Neuroscience*, n. 2, pp. 143-52, 2013); Jaak Panksepp, *Affective Neuroscience: The Foundations of Human and Animal Emotions* (Nova York: Oxford University Press, 1998); Jaak Panksepp e Lucy Biven, *The Archaeology of Mind* (Nova York: W. W. Norton and Company, 2012); Joseph LeDoux, *The Emotional Brain* (Nova York: Simon & Schuster, 1996); Arthur D. Craig, "How Do You Feel? Interoception: The Sense of the Physiological Condition of the Body" (*Nature Reviews Neuroscience*, v. 3, n. 8, pp. 655-66, 2002); Ralph Adolphs, Daniel Tranel, Hanna Damásio e António Damásio, "Impaired Recognition of Emotion in Facial Expressions Following Bilateral Damage to the Human Amygdala" (*Nature*, v. 372, n. 6507, pp. 669-72, 1994); Ralph Adolphs, Daniel Tranel, Hanna Damásio e António Damásio, "Fear and the Human Amygdala" (*Journal of Neuroscience*, v. 15, n. 9, pp. 5879-91, 1995); Ralph Adolphs,

Daniel Tranel e António Damásio, "The Human Amygdala in Social Judgment" (*Nature*, v. 393, n. 6684, 1998); Ralph Adolphs, F. Gosselin, T. Buchanan, Daniel Tranel, P. Schyns e António Damásio, "A Mechanism for Impaired Fear Recognition After Amygdala Damage" (*Nature*, v. 433, n. 7021, pp. 68-72, 2005); Stephen W. Porges, *The Polyvagal Theory* (Nova York; Londres: W. W. Norton, 2011); Kent Berridge e Morten Kringelbach, *Pleasures of the Brain* (Oxford: Oxford University Press, 2009); Mark Solms, *The Feeling Brain: Selected Papers on Neuropsychoanalysis* (Londres: Karnac Books, 2015); e Lisa Feldman Barrett, "Emotions are Real" (*Emotion*, v. 12, n. 3, p. 413, 2012).

3. Essa data continua a ser reajustada para ainda mais cedo, talvez já em 400 mil anos atrás, no caso da península Ibérica. Richard Leakey, *The Origin of Humankind* (Nova York: Basic Books, 1994); Merlin Donald, *Origins of the Modern Mind: Three Stages in the Evolution of Culture and Cognition* (Cambridge, MA: Harvard University Press, 1991); Steven Mithen, *The Singing Neanderthals: The Origins of Music, Language, Mind, and Body* (Cambridge, MA: Harvard University Press, 2006); Ian Tattersall, *The Monkey in the Mirror: Essays on the Science of What Makes Us Human* (Nova York: Harcourt, 2002); John Allen, *Home: How Habitat Made Us Human* (Nova York: Basic Books, 2015); Craig Stanford, John S. Allen e Susan C. Anton, *Exploring Biological Anthropology: The Essentials* (Nova Jersey: Pearson Higher Ed., 2012). O Center for Academic Research and Training on Anthropology, ou Carta, fornece informações científicas da melhor qualidade sobre a investigação da origem dos humanos, uma disciplina conhecida como antropogenia: <https://carta.anthropogeny.org/about/carta>.

4. Michael Tomasello, *The Cultural Origins of Human Cognition* (Cambridge, MA: Harvard University Press, 1999); Michael Tomasello, *A Natural History of Human Thinking* (Cambridge, MA: Harvard University Press, 2014); Michael Tomasello, *A Natural History of Human Morality* (Cambridge, MA: Harvard University Press, 2016).

5. Relatos do zoológico de Londres sobre a visita da rainha Vitória em 1842; Jonathan Weiner, "Darwin at the Zoo" (*Scientific American*, v. 295, n. 6, pp. 114-9, 2006).

6. Entre as obras consultadas para esta seção estão: Paul B. Rainey e Katrina Rainey, "Evolution of Cooperation and Conflict in Experimental Bacterial Populations" (*Nature*, v. 425, n. 6953, pp. 72-4, 2003); Kenneth H. Nealson e J. Woodland Hastings, "Quorum Sensing on a Global Scale: Massive Numbers of Bioluminescent Bacteria Make Milky Seas" (*Applied and Environmental Microbiology*, v. 72, n. 4, pp. 2295-7, 2006); Stephen P. Diggle, Ashleigh S. Griffin, Genevieve S. Campbell e Stuart A. West, "Cooperation and Conflict in Quorum-Sensing Bacterial Populations" (*Nature*, v. 450, n. 7168, pp. 411-4, 2007); Lucas R. Hoffman,

David A. D'Argenio, Michael J. MacCoss, Zhaoying Zhang, Roger A. Jones e Samuel I. Miller, "Aminoglycoside Antibiotics Induce Bacterial Biofilm Formation" (*Nature*, v. 436, n. 7054, pp. 1171-5, 2005); Ivan Erill, Susana Campoy e Jordi Barbé, "Aeons of Distress: An Evolutionary Perspective on the Bacterial SOS Response" (*FEMS Microbiology Reviews*, v. 31, n. 6, pp. 637-56, 2007); Delphine Icard-Arcizet, Olivier Cardoso, Alain Richert e Sylvie Hénon, "Cell Stiffening in Response to External Stress is Correlated to Actin Recruitment" (*Biophysical Journal*, v. 94, n. 7, pp. 2906-13, 2007); Vanessa Sperandio, Alfredo G. Torres, Bruce Jarvis, James P. Nataro e James B. Kaper, "Bacteria–Host Communication: The Language of Hormones" (*Proceedings of the National Academy of Sciences*, v. 100, n. 15, pp. 8951-6, 2003); Robert K. Naviaux, "Metabolic Features of the Cell Danger Response" (*Mitochondrion*, v. 16, pp. 7-17, 2014); Daniel B. Kearns, "A Field Guide to Bacterial Swarming Motility" (*Nature Reviews Microbiology*, v. 8, n. 9, pp. 634-44, 2010); Alexandre Persat, Carey D. Nadell, Minyoung Kevin Kim, François Ingremeau, Albert Siryaporn, Knut Drescher, Ned S. Wingreen, Bonnie L. Bassler, Zemer Gitai e Howard A. Stone, "The Mechanical World of Bacteria" (*Cell*, v. 161, n. 5, pp. 988-97, 2015); David T. Hughes e Vanessa Sperandio, "Inter--Kingdom Signaling: Communication between Bacteria and their Hosts" (*Nature Reviews Microbiology*, v. 6, n. 2, pp. 111-20, 2008); Thibaut Brunet e Detlev Arendt, "From Damage Response to Action Potentials: Early Evolution of Neural and Contractile Modules in Stem Eukaryotes" (*Philosophical Transactions of the Royal Society*, v. 371, n. 1685, p. 20150043, 2016); Laurent Keller e Michael G. Surette, "Communication in Bacteria: An Ecological and Evolutionary Perspective" (*Nature Reviews*, v. 4, pp. 249-58, 2006).

7. Alexandre Jousset, Nico Eisenhauer, Eva Materne e Stefan Scheu, "Evolutionary History Predicts the Stability of Cooperation in Microbial Communities". *Nature Communications*, n. 4, 2013.

8. Karin E. Kram e Steve E. Finkel, "Culture Volume and Vessel Affect Long--Term Survival, Mutation, Frequency, and Oxidative Stress of *Escherichia coli*" (*Applied and Environmental Microbiology*, n. 80, pp. 1732-8, 2014); "Rich Medium Composition Affects *Escherichia coli* Survival, Glycation, and Mutation Frequency during Long-Term Batch Culture" (*Applied and Environmental Microbiology*, v. 81, n. 13, pp. 4442-50, 2015).

9. Pierre Louis Moreau de Maupertuis, "Accord des différentes lois de la nature qui avaient jusqu'ici paru incompatibles" (*Mémoires de l'Académie des Sciences*, pp. 417-26, 1744); Richard Feynman, "The Principle of Least Action", em *The Feynman Lectures on Physics* (v. II, cap. 19). Disponível em: <www.feymanlectures.caltech.edu/II_toc.html>. Acesso em: 20 jan. 2017.

10. Edward O. Wilson escreveu detalhadamente sobre a complexa vida so-

cial dos insetos. Seu livro *The Social Conquest of the Earth* (Nova York: Liveright Publishing Corporation, 2012) traz um panorama dessa espetacular área de estudo. [Ed. bras.: *A conquista social da Terra*. São Paulo: Companhia das Letras, 2013.]

11. Como já dissemos, a relação consistente entre sentimentos rompe-se durante sentimentos negativos intensos. A tristeza extrema não necessariamente expressa uma deficiência extrema de homeostase básica, embora possa resultar nessa deficiência e até ser responsável pelo suicídio. A tristeza e a depressão circunstanciais expressam situações sociais desfavoráveis, e, em circunstâncias assim, sentimentos realmente atuam como indicadores de perigo iminente para a regulação homeostática.

12. Talcott Parsons, "Evolutionary Universals in Society" (*American Sociological Review*, n. 3, pp. 339-57, 1964); "Social Systems and the Evolution of Action Theory", 1980 (*Ethics*, v. 90, n. 4, pp. 608-11, 1980). As ideias de outros pensadores das ciências sociais — por exemplo, Pierre Bourdieu, Michel Foucault e Alain Touraine — são mais fáceis de traduzir para a minha perspectiva biológica.

13. F. Scott Fitzgerald, *The Great Gatsby*. Nova York: Scribner's, 1925. [Ed. bras.: *O grande Gatsby*. São Paulo: Penguin-Companhia das Letras, 2011.]

2. EM UMA REGIÃO DE DESSEMELHANÇA [pp. 45-56]

1. A frase "região de dessemelhança" aparece em Santo Agostinho, e a poeta Jorie Graham usou-a no título de seu primeiro livro. Para mim, ela encerra a ideia de que a vida ocorre em um perímetro celular apartado e de que o processo não tem semelhança com nenhum outro.

2. Freeman Dyson, *Origins of Life*. Nova York: Cambridge University Press, 1999.

3. Pierre Louis Moreau de Maupertuis, "Accord des différentes lois de la nature qui avaient jusqu'ici paru incompatibles", op. cit.; Richard Feynman, "The Principle of Least Action", op. cit.

4. Ver António Damásio, *Looking for Spinoza: Joy, Sorrow, and the Feeling Brain*. Nova York: Harcourt, 2003. [Ed. bras.: *Em busca de Espinosa: Prazer e dor na ciência dos sentimentos*. São Paulo: Companhia das Letras, 2004.]

5. Essa frase é o título de um livro de Paul Éluard publicado em 1946, ilustrado por Marc Chagall. Discurso de William Faulkner ao aceitar o Prêmio Nobel em 1949, proferido em 1950.

6. Christian de Duve, *Vital Dust: The Origin and Evolution of Life on Earth*

(Nova York: Basic Books, 1995); *Singularities: Landmarks in the Pathways of Life* (Cambridge: Cambridge University Press, 2005).

7. Francis Crick, *Life Itself: Its Origins and Nature*. Nova York: Simon & Schuster, 1981.

8. Tibor Gánti, *The Principles of Life*. Nova York: Oxford University Press, 2003.

9. Richard Dawkins, *The Selfish Gene*. Nova York: Oxford University Press, 2006. [Ed. bras.: *O gene egoísta*. São Paulo: Companhia das Letras, 2007.]

10. Stanley L. Miller, "A Production of Amino Acids under Possible Primitive Earth Conditions". *Science*, n. 117, pp. 528-9.

11. Além das obras mencionadas aqui, na preparação deste texto foi consultada a seguinte literatura: Eörs Szathmáry e John Maynard Smith, "The Major Evolutionary Transitions" (*Nature*, v. 374, n. 6519, pp. 227-32, 1995); Arto Annila e Erkki Annila, "Why Did Life Emerge?" (*International Journal of Astrobiology*, v. 7, n. 3-4, pp. 293-300, 2008); Thomas R. Cech, "The RNA Worlds in Context" (*Cold Spring Harbor Perspectives in Biology*, v. 4, n. 7, p. a006742, 2012); Gerald F. Joyce, "Bit by Bit: The Darwinian Basis of Life" (*PLoS Biol.*, v. 10, n. 5, p. e1001323, 2012); Michael P. Robertson e Gerald F. Joyce, "The Origins of the RNA World" (*Cold Spring Harbor Perspectives in Biology*, v. 4, n. 5, p. a003608, 2012); Liudmila S. Yafremava, Monica Wielgos, Suravi Thomas, Arshan Nasir, Minglei Wang, Jay E. Mittenthal e Gustavo Caetano-Anollés, "A General Framework of Persistence Strategies for Biological Systems Helps Explain Domains of Life" (*Frontiers in Genetics*, n. 4, p. 16, 2013); Robert Pascal, Addy Pross e John D. Sutherland, "Towards an Evolutionary Theory of the Origin of Life Based on Kinetics and Thermodynamics" (*Open Biology*, v. 3, n. 11, p. 130156, 2013); Arto Annila e Keith Baverstock, "Genes without Prominence: A Reappraisal of the Foundations of Biology" (*Journal of the Royal Society Interface*, v. 11, n. 94, p. 20131017, 2014); Keith Baverstock e Mauno Rönkkö, "The Evolutionary Origin of Form and Function" (*The Journal of Physiology*, v. 592, n. 11, pp. 2261-5, 2014); Kepa Ruiz-Mirazo, Carlos Briones e Andrés de la Escosura, "Prebiotic Systems Chemistry: New Perspectives for the Origins of Life" (*Chemical Reviews*, v. 114, n. 1, pp. 285--366, 2014); Paul G. Higgs e Niles Lehman, "The RNA World: Molecular Cooperation at the Origins of Life" (*Nature Reviews Genetics*, v. 16, n. 1, pp. 7-17, 2015); Stuart Kauffman, "What Is Life?" (*Israel Journal of Chemistry*, v. 55, n. 8, pp. 875--9, 2015); Abe Pressman, Celia Blanco e Irene A. Chen, "The RNA World as a Model System to Study the Origin of Life" (*Current Biology*, v. 25, n. 19, pp. R953-R963, 2015); Jan Spitzer, Gary J. Pielak e Bert Poolman, "Emergence of Life: Physical Chemistry Changes the Paradigm" (*Biology Direct*, v. 10, n. 33, 2015); Arto Annila e Keith Baverstock, "Discourse on Order vs. Disorder" (*Communicative & Inte-*

grative Biology, v. 9, n. 4, p. e1187348, 2016); Lucas John Mix, "Defending Definitions of Life" (*Astrobiology*, v. 15, n. 1, pp. 15-9, 2015); Robert A. Foley, Lawrence Martin, Marta Mirazón Lahr e Chris Stringer, "Major Transitions in Human Evolution" (*Philosophical Transactions of the Royal Society*, v. 371, n. 1698, p. 20150229, 2016); Humberto R. Maturana e Francisco J. Varela, "Autopoiesis. The Organization of the Living", em Humberto R. Maturana e Francisco J. Varela (Orgs.), *Autopoiesis and Cognition* (Dordrecht: Reidel Publishing Co., pp. 73--155, 1980).

12. Erwin Schrödinger, *What Is Life?* New York: MacMillan, 1944.

13. Daniel G. Gibson, John I. Glass, Carole Lartigue, Vladimir N. Noskov, Ray-Yuan Chuang, Mikkel A. Algire, Gwynedd A. Benders et al., "Creation of a Bacterial Cell Controlled by a Chemically Synthetized Genome". *Science*, v. 329, n. 5987, pp. 52-6, 2010.

3. VARIEDADES DE HOMEOSTASE [pp. 57-66]

1. Paul Butke e Scott C. Sheridan, "An Analysis of the Relationship between Weather and Aggressive Crime in Cleveland, Ohio". *Weather, Climate, and Society*, v. 2, n. 2, pp. 127-9, 2010.

2. Joshua S. Graff Zivin, Solomon M. Hsiang e Matthew J. Neidell, "Temperature and Human Capital in the Short- and Long-Run". *National Bureau of Economic Research*, p. w21157, 2015.

3. Maya E. Kotas e Ruslan Medzhitov, "Homeostasis, Inflammation, and Disease Susceptibility". *Cell*, v. 160, n. 5, pp. 816-27, 2015.

4. António Damásio e Hanna Damásio, "Exploring the Concept of Homeostasis and Considering Its Implications for Economics" (*Journal of Economic Behavior & Organization*, v. 125, pp. 126-9, 2016), no qual este capítulo é parcialmente baseado; António Damásio, *Self Comes to Mind: Construction of the Conscious Brain* (Nova York: Pantheon, 2010 [Ed. bras.: *E o cérebro criou o homem*. São Paulo: Companhia das Letras, 2011]); António Damásio e Gil B. Carvalho, "The Nature of Feelings: Evolutionary and Neurobiological Origins", op. cit.; Kent C. Berridge e Morten L. Kringelbach, "Pleasure Systems in the Brain" (*Neuron*, v. 86, n. 3, pp. 646-64, 2015).

5. Para uma síntese breve e inteligente desse estudo, ver Michael Pollan, "The Intelligent Plant" (*The New Yorker*, 23 e 30 dez. 2013); Anthony J. Trewavas, "Aspects of Plant Intelligence" (*Annals of Botany*, n. 92, pp. 1-20, 2003) e "What Is Plant Behavior" (*Plant Cell and Environment*, n. 32, pp. 606-16, 2009).

6. John S. Torday, "A Central Theory of Biology". *Medical Hypotheses*, v. 85, n. 1, pp. 49-57, 2015.

7. Claude Bernard, *Leçons sur les phénomènes de la vie communs aux animaux et aux végétaux*. Paris: Librarie J. B. Baillière et Fils, 1879. Reimpressões da Coleção da Biblioteca da Universidade de Michigan.

8. Walter B. Cannon, "Organization for Physiological Homeostasis" (*Physiological Review*, n. 9, pp. 399-431, 1929) e *The Wisdom of the Body* (Nova York: Norton, 1932); Curt P. Richer, "Total Self-Regulatory Functions in Animals and Human Beings" (*Harvey Lecture Series*, v. 38, n. 63, pp. 1942-3, 1943).

9. Bruce S. McEwen, "Stress, Adaptation, and Disease: Allostasis and Allostatic Load". *Annals of the New York Academy of Sciences*, v. 840, n. 1, pp. 33-44, 1998.

10. Trevor A. Day, "Defining Stress as a Prelude to Mapping its Neurocircuitry: No Help from Allostasis". *Progress in Neuro-Psychopharmacology and Biological Psychiatry*, v. 29, n. 8, pp. 1195-200, 2005.

11. David Lloyd, Miguel A. Aon e Sonia Cortassa, "Why Homeodynamics, Not Homeostasis?". *The Scientific World Journal*, n. 1, pp. 133-45, 2001.

4. DE CÉLULAS ÚNICAS A SISTEMAS NERVOSOS E MENTES [pp. 67-83]

1. Margaret J. McFall-Ngai, "The Importance of Microbes in Animal Development: Lessons from the Squid-Vibrio Symbiosis" (*Annual Review of Microbiology*, n. 68, pp. 177-94, 2014); Margaret J. McFall-Ngai, Michael G. Hadfield, Thomas C. G. Bosch, Hannah V. Carey, Tomislav Domazet-Lošo, Angela E. Douglas, Nicole Dubilier et al., "Animals in a Bacterial World, a New Imperative for the Life Sciences" (*Proceedings of the National Academy of Sciences*, v. 110, n. 9, pp. 3229-36, 2013).

2. Lynn Margulis, *Symbiotic Planet: A New View of Evolution*. Nova York: Basic Books, 1998.

3. As épocas em que provavelmente surgiram sistemas circulatórios, sistemas imunes e sistemas hormonais variam notavelmente. Sistemas circulatórios surgiram há 700 milhões de anos. A cavidade gastrovascular dos cnidários (aproximadamente 740 milhões de anos atrás) são sistemas protocirculatórios, como indicado em Euni Park, Dae-Sik Hwang, Jae-Seonf Lee, Jun-Im Song, Tae-Kun Seo e Yong-Jin Won, "Estimation of Divergence Times in Cnidarian Evolution Based on Mitochondrial Protein-Coding Genes and the Fossil Record" (*Molecular Phylogenetics and Evolution*, v. 62, n. 1, pp. 329-45, 2012).

Os sistemas circulatórios abertos, presentes em artrópodes há cerca de 600 milhões de anos, permitem que sangue e líquido linfático misturem-se livremente. Ver Gregory D. Edgecombe e David A. Legg, "Origins and Early Evolution of Arthropods" (*Paleonthology*, v. 57, n. 3, pp. 457-68, 2014).

O sistema circulatório fechado dos vertebrados caracteriza-se pela presença de uma barreira celular, o endotélio, que separa os tecidos do sangue em circulação. O endotélio evoluiu em vertebrados ancestrais, por volta de 540-510 milhões de anos atrás, e otimizou a dinâmica dos fluidos, a função de barreira, a imunidade local e a coagulação. Ver R. Monahan-Earley, A. M. Dvorak e W. C. Aird, "Evolutionary Origins of the Blood Vascular System and Endothelium" (*Journal of Thrombosis and Haemostasis*, v. 11, n. S1, pp. 46-66, 2013).

O sistema imune inato parece ter começado em cnidários, no período Pré-Cambriano. Ver Thomas C. G. Bosch, Rene Augustin, Friederike Anton-Erxleben, Sebastian Fraune, Georg Hemmrich, Holger Zill, Philip Rosenstiel et al., "Uncovering the Evolutionary History of Innate Immunity: The Simple Metazoan Hydra Uses Epithelial Cells for Host Defence" (*Developmental & Comparative Immunology*, v. 33, n. 4, pp. 559-69, 2009).

O sistema imune adaptativo evoluiu há aproximadamente 450 milhões de anos em vertebrados gnatostomados [dotados de maxilas]. Ver Martin F. Flajnik e Masanori Kasahara, "Origin and Evolution of the Adaptive Immune System: Genetic Events and Selective Pressures" (*Nature Reviews Genetics*, v. 11, n. 1, pp. 47-59, 2010).

A regulação hormonal tem origens muito mais antigas, como esperado, e pode ser identificada inicialmente em organismos unicelulares. Células bacterianas "comunicam-se" com moléculas de lipídeo chamadas de autoindutoras, que coordenam a expressão de genes. Ver Vanessa Sperandio, Alfredo G. Torres, Bruce Jarvis, James P. Nataro e James B. Kaper, "Bacteria-Host Communication: The Language of Hormones" (*Proceedings of the National Academy of Science*, v. 100, n. 15, pp. 8951-6, 2003). Adicionalmente, moléculas análogas à insulina são encontradas em organismos unicelulares. Ver Derek Le Roith, Joseph Shiloach, Jesse Roth e Maxine A. Lesniak, "Evolutionary Origins of Vertebrate Hormones: Substances Similar to Mammalian Insulins Are Native to Unicellular Eukariotes" (*Proceedings of the National Academy of Sciences*, v. 77, n. 10, pp. 6184-8, 1980).

4. Para mais informações sobre o funcionamento dos neurônios, ver Eric Kandel, James H. Schwartz, Thomas M. Jessell, Steven A. Siegelbaum e A. J. Hudspeth (Orgs.), *Principles of Neural Science* (5. ed. Nova York: McGraw-Hill, 2013).

5. František Baluška e Stefano Mancuso, "Deep Evolutionary Origins of Neurobiology: Turning the Essence of 'Neural' Upside-Down". *Communicative & Integrative Biology*, v. 2. n. 1, pp. 60-5, 2009.

6. Damásio e Carvalho, op. cit.

7. Anil K. Seth, "Interoceptive Inference, Emotion, and the Embodied Self". *Trends in Cognitive Science*, v. 17, n. 11, pp. 565-73, 2013.

8. Andreas Hejnol e Fabian Rentzsch, "Neural Nets". *Current Biology*, v. 25, n. 18, pp. R782-R786, 2015.

9. Detlev Arendt, Maria Antonietta Toscehs e Heather Marlow, "From Nerve Net to Nerve Ring, Nerve Cord and Brain — Evolution of the Nervous System" (*Nature Reviews Neuroscience*, v. 17, n. 1, pp. 61-72, 2016). Como ficará claro, estou contrastando "inteligência", da qual organismos unicelulares são abundantemente capazes, e "mente, consciência e sentimento", os quais, a meu ver, requerem sistemas nervosos.

10. Para detalhes sobre anatomia, ver Larry W. Swanson, *Brain Architecture: Understanding the Basic Plan* (Oxford: Oxford University Press, 2012); Hanna Damásio, *Human Brain Anatomy in Computerized Images* (2. ed. Nova York: Oxford University Press, 2005); Kandel et al., op. cit.

11. Devemos essa crença fundamental a Warren S. McCulloch, um dos pioneiros da neurociência moderna e um dos fundadores da neurociência computacional. Se ainda estivesse conosco, ele seria um crítico veemente de suas formulações anteriores. Warren S. McCulloch e Walter Pitts, "A Logical Calculus of the Ideas Immanent in Nervous Activity" (*The Bulletin of Mathematical Biophysics*, v. 5, n. 4, pp. 115-33, 1943); Warren S. McCulloch, *Embodiments of Mind* (Cambridge, MA: MIT Press, 1965).

12. Neurônios podem comunicar-se com outros neurônios não só por meio de sinapses, mas também por "comunicação lateral mediada por passagem de corrente extracelular". O fenômeno é conhecido como "efapse" [forma aportuguesada de *ephapsis*] (ver Damásio e Carvalho, op. cit., para uma hipótese relacionada a essa característica).

5. A ORIGEM DAS MENTES [pp. 87-100]

1. Uma profusão de evidências corrobora essa ideia. Para um breve apanhado, ver František Baluška e Michael Levin, "On Having no Head: Cognition throughout Biological Systems" (*Frontiers in Psychology*, n. 7, 2016).

2. Os processos de sentir e responder em relação ao que ocorre externamente são muito reduzidos e, na prática, abolidos durante o sono profundo e a anestesia profunda. Em relação ao interior, sentir e responder continuam a ocorrer em graus variados, de modo a manter a homeostase. A propósito, a anestesia costuma ser concebida como a negação da consciência, mas a meu ver não é

assim. Ver František Baluška, Ken Yokawa, Stefano Mancuso e Keith Baverstock, "Understanding of Anesthesia: Why Consciousness Is Essential for Life and Not Based on Genes" (*Communicative & Integrative Biology*, v. 9, n. 6, p. e1238118, 2016).

Ao que parece, todos os seres vivos podem ser anestesiados, inclusive as plantas. A anestesia suspende os processos de sentir e responder. Acredito que, em seres complexos como os humanos, ela suspende os sentimentos e a consciência porque estes dependem do mecanismo geral de sensação e resposta. Mas sentimentos e consciência também dependem de outros processos; não se limitam ao sentir e responder. Portanto, não é possível concluir que bactérias têm sentimentos e consciência com base em suas respostas a anestésicos. Os comportamentos complexos normais de bactérias não requerem sentimento ou consciência do modo como esses fenômenos são comumente definidos, como explicarei em capítulos posteriores.

3. As conclusões de Tootell e colegas são esclarecedoras para essa questão. Ver Roger B. H. Tootell, Eugene Switkes, Martin S. Silverman e Susan L. Hamilton, "Functional Anatomy of Macaque Striate Cortex. II. Retinotopic Organization" (*Journal of Neuroscience*, n. 8, pp. 1531-68, 1983). Ver também David Hubel e Tortsen Wiesel, *Brain and Visual Perception* (Nova York: Oxford University Press, 2004); Stephen M. Kosslyn, *Image and Mind* (Cambridge, MA: Harvard University Press, 1980); Stephen M. Kosslyn, Giorgio Ganis e William L. Thompson, "Neural Foundations of Imagery" (*Nature Reviews Neuroscience*, n. 2, pp. 635-42, 2001); Stephen M. Kosslyn, William L. Thompson, Irene J. Kim e Nathaniel M. Alpert, "Topographical Representations of Mental Images in Primary Visual Cortex" (*Nature*, n. 378, pp. 496-8, 1995); Scott D. Slotnick, William L. Thompson e Stephen M. Kosslyn, "Visual Mental Imagery Induces Retinotopically Organized Activation of Early Visual Areas" (*Cerebral Cortex*, n. 15, pp. 1570-83, 2005); Stephen M. Kosslyn, Alvaro Pascual-Leone, Olivier Felician, Susana Camposano et al., "The Role of Area 17 in Visual Imagery: Convergent Evidence from PET and rTMS" (*Science*, n. 284, pp. 167-70, 1999); Lawrence W. Barsalou, "Grounded Cognition" (*Annual Review of Psychology*, n. 59, pp. 617-45, 2008); W. Kyle Simmons e Lawrence W. Barsalou, "The Similarity-in-Topography Principle: Reconciling Theories of Conceptual Deficits" (*Cognitive Neuropsychology*, n. 20, pp. 451-86, 2003); Martin Lotze e Ulrike Halsband, "Motor Imagery" (*Journal of Physiology — Paris*, n. 99, pp. 386-95, 2006); Gerald Edelman, em *Neural Darwinism: The Theory of Neuronal Group Selection* (Nova York: Basic Books, 1987), traz uma proveitosa discussão sobre mapas neurais e salienta a noção de valor aplicada à seleção de mapas; ver também Kathleen M. O'Craven e Nancy Kanwisher, "Mental Imagery of Faces and Places Activates Correspon-

ding Stimulus-Specific Brain Regions" (*Journal of Cognitive Neuroscience*, n. 12, pp. 1013-23, 2000); Martha J. Farah, "Is Visual Imagery Really Visual? Overlooked Evidence from Neuropsychology" (*Psychological Review*, n. 95, pp. 307-17, 1988); Eric Kandel, James H. Schwartz, Thomas M. Jessell, Steven A. Siegelbaum e A. J. Hudspeth (Orgs.), *Principles of Neural Science* (5. ed. Nova York: McGraw--Hill, 2013).

4. Hejnol e Rentzsch, op. cit.

5. Inge Depoortere, "Taste Receptors of the Gut: Emerging Roles in Health and Disease" (*Gut*, v. 63, n. 1, pp. 179-90, 2014). Para simplificar, deixei de fora o sentido vestibular, que nos informa sobre a posição do corpo no espaço tridimensional. O sentido vestibular relaciona-se estreitamente à audição, em termos anatômicos e funcionais. Os sensores localizam-se na orelha interna e, portanto, na cabeça. Nosso sentido de equilíbrio depende do sistema vestibular.

6. Os sinais de cada sentido são processados primeiramente em regiões especializadas "iniciais" do córtex, por exemplo, visuais, auditivas, somatossensoriais; mas esses sinais ou sinais relacionados são integrados subsequentemente, conforme necessário, em córtex de associação das regiões temporais, parietais e até frontais. Cada uma dessas regiões é interligada por vias bidirecionais. O processamento conta com assistência adicional de redes de apoio, como a *default mode network* [rede em modo padrão], e de sinais de modulação normais provenientes de núcleos do tronco encefálico e de núcleos do prosencéfalo basal. Ver Kingson Man, António Damásio, Kaspar Meyer e Jonas T. Kaplan, "Convergent and Invariant Object Representations for Sight, Sound, and Touch" (*Human Brain Mapping*, v. 36, n. 9, pp. 3629-40, 2015); Kingson Man, Jonas T. Kaplan, Hanna Damásio e António Damásio, "Neural Convergence and Divergence in the Mammalian Cerebral Cortex: From Experimental Neuroanatomy to Functional Neuroimaging" (*Journal of Comparative Neurology*, v. 521, n. 18, pp. 4097--111, 2013); Kingson Man, Jonas T. Kaplan, António Damásio e Kaspar Meyer, "Sight and Sound Converge to Form Modality-Invariant Representations in Temporo-Parietal Cortex" (*Journal of Neuroscience*, v. 32, n. 47, pp. 16629-36, 2012). Para noções sobre uma arquitetura neural capaz de sustentar esses processos, ver António Damásio, Hanna Damásio, Daniel Tranel e J. P. Brandt, "Neural Regionalization of Knowledge Access: Preliminary Evidence" (*Symposia on Quantitative Biology*, n. 55, pp. 1039-47, 1990); António Damásio, "Time-Locked Multiregional Retroactivation: A Systems-Level Proposal for the Neural Substrates of Recall and Recognition" (*Cognition*, n. 33, pp. 25-62, 1989); António Damásio, Daniel Tranel e Hanna Damásio, "Face Agnosia and the Neural Substrates of Memory" (*Annual Review of Neuroscience*, n. 13, pp. 89-109, 1990). Ver também Kaspar Meyer e António Damásio, "Convergence and Divergence in a Neu-

ral Architecture for Recognition and Memory" (*Trends in Neurosciences*, v. 32, n. 7, pp. 376-82, 2009). As descobertas de células de lugar no hipocampo (por J. O'Keefe) e de células de grade no córtex entorrinal (por M. H. e E. Moser) expandiram nossa compreensão desses sistemas.

6. MENTES EM EXPANSÃO [pp. 101-17]

1. Fernando Pessoa, *Livro do desassossego*. São Paulo: Companhia das Letras, 2011.

2. O personagem representado por Oscar Levant, devaneando sobre seu sucesso tão difícil de alcançar, imagina-se em um palco apresentando-se para um público composto de vários Oscar Levants, todos aplaudindo vibrantemente, é claro. Por fim, ele toca outros instrumentos e rege também.

3. A simplificação da noção sobre as relações periferia/cérebro é um dos principais problemas enfrentados em qualquer tentativa de compreender processos mentais em termos biológicos. O processo real não se encaixa na concepção tradicional do cérebro como um órgão separado, que recebe sinais semelhantes aos de computadores e responde conforme a necessidade. A realidade é que, para começar, os sinais nunca são puramente neurais e mudam gradualmente ao longo do caminho até o sistema nervoso central. Além disso, o sistema nervoso pode responder em vários níveis aos sinais entrantes e, com isso, alterar as condições originais que ensejaram a sinalização.

4. A investigação da base neural do processamento de conceitos e linguagem é uma das principais áreas de estudo da neurociência da cognição. Nosso grupo contribuiu para a área, e as referências a seguir indicam algumas das contribuições que fizemos ao longo dos anos. António Damásio e Patricia Kuhl, "Language", em E. Kanel (Org.), *Principles of Neural Science* (5. ed. Nova York: McGraw-Hill, 2013); Hanna Damásio, Daniel Tranel, Thomas J. Grabowski, Ralph Adolphs e António Damásio, "Neural Systems Behind Word and Concept Retrieval" (*Cognition*, v. 92, n. 1, pp. 179-229, 2004); António Damásio e Daniel Tranel, "Nouns and Verbs Are Retrieved with Differently Distributed Neural Systems" (*Proceedings of the National Academy of Sciences*, v. 90, n. 11, pp. 4957--60, 1993); António Damásio, "Concepts in the Brain" (*Mind and Language*, v. 4, n. 1-2, pp. 24-8, 1989); António Damásio e Hanna Damásio, "Brain and Language" (*Scientific American*, n. 267, pp. 89-95, 1992).

5. Hoje, os correlatos neurais do processo de construir narrativas podem ser estudados em laboratório. Ver, por exemplo, Jonas Kaplan, Sarah I. Gimbel, Morteza Dehghani, Mary Helen Immordino-Yang, Kenji Sagae, Jennifer D.

Wong, Christine Tipper, Hanna Damásio, Andrew S. Gordon e António Damásio, "Processing Narratives Concerning Protected Values: A Cross-Cultural Investigation of Neural Correlates" (*Cerebral Cortex*, v. 27, n. 2, pp. 1-11, 2017).

6. A "rede em modo padrão" compõe-se de um conjunto de regiões corticais bilaterais que se tornam especialmente ativas em certas condições comportamentais e mentais, por exemplo, em repouso ou na divagação mental, e pode se tornar menos ativa quando a mente está concentrada em um conteúdo específico. Ou não, pois, em algumas condições de processamento atento, a rede torna-se *mais* ativa. Os nós da rede correspondem a regiões de alta convergência e divergência de conexões corticais dentro do que é tradicionalmente conhecido como córtices de associação. Essa rede tem provavelmente um papel na organização de conteúdos mentais no processo de busca na memória. Muitas das suas características (e de outras relacionadas) são intrigantes. Observações minuciosas de Marcus Raichle levaram à descoberta; ver Marcus E. Raichle, "The Brain's Default Mode Network" (*Annual Review of Neuroscience*, v. 38, pp. 433-47, 2015).

7. Meyer e Damásio, "Convergence and Divergence in a Neural Architecture for Recognition and Memory", op. cit., e artigos sobre estrutura de convergência-divergência relacionados.

8. O filósofo Avishai Margalit deu uma contribuição importante para o estudo dessas questões. Ver *The Ethics of Memory* (Cambridge, MA: Harvard University Press, 2002).

7. AFETO [pp. 118-37]

1. Ver *O erro de Descartes* para uma primeira menção a essa "alça corpórea virtual". A descrição dos sentimentos por Lisa Feldman Barrett capta minha ideia da intelectualização dos sentimentos. Ela chama a atenção para uma elaboração do processo básico dos sentimentos que depende da memória e do raciocínio. Ver Lisa Feldman Barrett, Batja Mesquita, Kevin N. Ochsner e James J. Gross, "The Experience of Emotion" (*Annual Review of Psychology*, n. 58, p. 373, 2007).

2. Faço uma distinção baseada em princípios entre os conteúdos mentais que pertencem ao processo básico dos sentimentos — por exemplo, a valência — e aqueles pertencentes à intelectualização do processo — memórias, raciocínios, descrições. Dou a César o que é de Cesar, e nada mais.

3. Lauri Nummenmaa, Enrico Glerean, Riita Hari e Jari K. Hietnanen, "Bodily Maps of Emotions". *Proceedings of the National Academy of Sciences*, v. 111, n. 2, pp. 646-51, 2014.

4. William Wordsworth, "Lines Composed a Few Miles above Tintern Ab-

bey, on Revisiting the Banks of the Wye During a Tour. July 13, 1798". *Lyrical Ballads*. Londres: J. and A. Arch, 1974, pp. 111-7.

5. Comunicação pessoal de Mary Helen Immordino-Yang.

6. Condições fisiológicas gratificantes impelem a liberação de moléculas de endorfina endógenas, que são antagonistas do receptor de opioide mu (MOR). Os MOR são mais conhecidos no contexto da analgesia e da dependência de drogas, porém recentemente se descobriu que eles são mediadores da qualidade prazerosa de experiências gratificantes. Ver Morten L. Kringelbach e Kent C. Berridge, "Motivation and Pleasure in the Brain", em Wilhelm Hofmann e Loran F. Nordgren (Orgs.), *The Psychology of Desire* (Nova York: Guilford Press, 2016, pp. 129--45, 2015).

7. Por definição, o estresse é metabolicamente intensivo, e estudos recentes demonstraram que o estresse agudo pode aumentar a intensidade de uma resposta imune, ao passo que o crônico tem o efeito oposto, inibindo a capacidade do organismo para combater agressões através do sistema imune. O acionamento de respostas imunes mobiliza as fábricas celulares produtoras de células imunes. O processo é metabolicamente dispendioso, e gerar uma resposta imune eficaz às vezes requer mais recursos do que um organismo pode disponibilizar com facilidade, em especial se já estiver em um estado de estresse. Quando isso ocorre, o bem-estar deteriora-se e, como ocorrem outros cortes nos orçamentos homeostáticos para sustentar o esforço de defesa, a exaustão e a letargia instalam-se, reduzindo ainda mais as chances de uma recuperação completa. Em um contexto como esse, é evidente que um organismo não estressado tem as melhores chances de organizar uma resposta imune eficaz e, portanto, de sustentar um estado de prosperidade. Ver Terry L. Derting e Stephen Compton, "Immune Response, Not Immune Maintenance, Is Energetically Costly in Wild White--Footed Mice (*Peromyscus leucopus*)" (*Physiological and Biochemical Zoology*, v. 76, n. 5, pp. 744-52, 2003); Firdaus S. Dhabhar e Bruce S. McEwen, "Acute Stress Enhances While Chronic Stress Suppresses Cell-Mediated Immunity in Vivo: A Potential Role for Leukocyte Trafficking" (*Brain, Behavior, and Immunity*, v. 11, n. 4, pp. 286-306, 1997); Suzanne C. Segerstrom e Gregory E. Miller, "Psychological Stress and the Human Immune System: A Meta-Analytic Study of 30 Years of Inquiry" (*Psychological Bulletin*, v. 130, n. 4, p. 601, 2004).

O estresse ativa o eixo hipotálamo-hipófise, liberando o hormônio de corticotrofina (CRH), que se liga ao receptor CRH1 e desencadeia a liberação de dinorfina, uma classe distinta de peptídeo opioide endógeno. A dinorfina é um agonista dos receptores de opioides kappa (KOR) e, enquanto os MOR são associados à qualidade agradável de experiências gratificantes, a atividade dos KOR na amígdala basolateral é apontada como mediadora da qualidade repulsiva das experiências desagradáveis. Ver Benjamin B. Land, Michael R. Bruchas, Julia C. Lemos, Mei Xu, Erica J. Melief e Charles Chavkin, "The Dysphoric Component of Stress Is Encoded by Activation of the Dynorphin K-Opioid System" (*Journal of Neuroscience*, v. 28, n. 2, pp. 407-14, 2008); Michael R. Bruchas, Benjamin B. Land, Julia C. Lemos e Charles Chavkin, "CRF1-R Activation of the Dynorphin/Kappa Opioid System in the Mouse Basolateral Amygdala Mediates Anxiety-Like Behavior" (*PloS One* 4, n. 12, p. e8528, 2009).

8. Jaak Panksepp fez contribuições pioneiras para a compreensão do papel do tronco encefálico e da estrutura do prosencéfalo basal no afeto. Ver Jaak Panksepp, *Affective Neuroscience*, op. cit.; outro trabalho relevante inclui António Damásio, Thomas J. Grabowski, Antoine Bechara, Hanna Damásio, Laura L. B. Ponto, Josef Parvizi e Richard Hichwa, "Subcortical and Cortical Brain Activity During the Feeling of Self-Generated Emotions" (*Nature Neuroscience*, v. 3, n. 10, pp. 1049-56, 2000); António Damásio e Joseph E. LeDoux, "Emotion", em Kandel et al., op. cit. Ver Berridge e Kringelbach, *Pleasures of the Brain* (Oxford: Oxford University Press, 2009); António Damásio e Gil B. Carvalho, op. cit.; Josef Parvizi e António Damásio, "Consciousness and the Brainstem" (*Cognition*, v. 79, n. 1, pp. 135-60, 2001). Para uma análise recente, ver Anand Venkatraman, Brian L. Edlow e Mary Helen Immordino-Yang, "The Brainstem in Emotion: A Review" (*Frontiers in Neuroanatomy*, v. 11, n. 15, pp. 1-12, 2017); Jaak Panksepp, "The Basic Emotional Circuits of Mammalian Brains: Do Animals Have Affective Lives?" (*Neuroscience & Biobehavioral Reviews*, v. 35, n. 9, pp. 1791-804, 2011); Antonio Alcaro e Jaak Panksepp, "The SEEKING Mind: Primal Neuro-Affective Substrates for Appetitive Incentive States and Their Pathological Dynamics in Addictions and Depression" (*Neuroscience & Biobehavioral Reviews*, v. 35, n. 9, pp. 1805-20, 2011); Stephen M. Siviy e Jaak Panksepp, "In Search of the Neurobiological Substrates for Social Playfulness in Mammalian Brains" (*Neuroscience & Biobehavioral Reviews*, v. 35, n. 9, pp. 1821-30, 2011); Jaak Panksepp, "Cross-Species Affective Neuroscience Decoding of the Primal Affective Experiences of Humans and Related Animals" (*PLoS One*, v. 6, n. 9, p. e21236, 2011).

9. Quando você ouve um grito e reage a ele sentindo alguma variação do medo, o mecanismo por trás desse sentimento emocional baseia-se em uma resposta emotiva desencadeada pelas características acústicas do grito — o tom agudo do som pode contribuir para a resposta, mas, como agora supomos, a *aspereza* do som parece ser o elemento crucial. As circunstâncias em que você ouve o grito também são importantes. Se eu ouvir Janet Leigh gritar em *A marca da maldade*, de Orson Welles, ou em *Psicose*, de Hitchcock, filmes a que já assisti muitas vezes, será um grito que eu já estava prevendo; a resposta emotiva negativa ainda acontece, porém é abafada; posso até vencer o sentimento negativo com

um sentimento positivo enquanto vejo como Orson Welles editou a cena. Mas, se eu ouvir um grito parecido quando estiver sozinho, à noite, em uma viela onde estacionei o carro, será outra história. Ficarei assustado. Terei alguma variação da emoção medo e do consequente sentimento de medo. A consequência inevitável de mobilizar um programa emotivo é uma modificação de alguns aspectos do estado homeostático corrente. A representação mental — a formação de imagens — desse processo de modificação e sua culminância durável ou fugaz são um sentimento emocional, a variedade clássica do sentimento provocado. Ver Luc H. Arnal, Adeen Flinker, Andreas Kleinschmidt, Anne-Lise Giraud e David Poeppel, "Human Screams Occupy a Privileged Niche in the Communication Soundscape" (*Current Biology*, v. 25, n. 15, pp. 2051-6, 2015); Ralph Adolphs, Hanna Damásio, Daniel Tranel, Greg Cooper e António Damásio, "A Role for Somatosensory Cortices in the Visual Recognition of Emotion as Revealed by Three-Dimensional Lesion Mapping" (*Journal of Neuroscience*, v. 20, n. 7, pp. 2683-90, 2000).

10. O "desejo" por relações sociais é, não surpreendentemente, antigo e motivado pela homeostase. Vemos precursores desses fenômenos em organismos unicelulares, e podemos encontrar outros exemplos em aves e mamíferos.

Na natureza, um aumento na transmissão de parasitas e na competição por recursos entre animais sociais pode reduzir o êxito reprodutivo e a longevidade. Isso pode ser compensado pela catação social de parasitas, um comportamento adaptativo que não só minimiza a carga de parasitas, mas também forja laços sociais e alianças entre os parceiros de catação. Entre certos primatas, a catação social é o eixo de complexos sistemas de hierarquia social, reciprocidade e trocas de serviços/recursos. As relações sociais formadas em torno das parcerias de catação são vitais para a saúde e o bem-estar dos indivíduos, e sustentam a coesão do grupo. Ver Cyril C. Greuter, Annie Bissonnette, Karin Isler e Carel P. van Schaik, "Grooming and Group Cohesion in Primates: Implications for the Evolution of Language" (*Evolution and Human Behavior*, v. 34, n. 1, pp. 61-8, 2013); Karen McComb e Stuart Semple, "Coevolution of Vocal Communication and Sociality in Primates" (*Biology Letters*, v. 1, n. 4, pp. 381-5, 2005). Ver também Max Henning, Glenn R. Fox, Jonas Kaplan, Hanna Damásio e António Damásio, "A Potential Role for mu-Opioids in Mediating the Positive Effects of Gratitude" (*Frontiers in Psychology*, v. 8, p. 868, jun. 2017).

11. O comportamento da brincadeira social é mediado por circuitos subcorticais do cérebro. Estudos mostram que as brincadeiras de luta entre animais juvenis são cruciais para o aprendizado do que constitui um comportamento social aceitável. Filhotes de gato doméstico, privados da brincadeira social, tornam-se agressivos quando adultos. Adicionalmente, o comportamento da brin-

cadeira social parece ser modulado pelos mecanismos opioidérgicos, com a ativação de opioides mu e kappa, produzindo efeitos facilitadores ou inibitórios. Esses mecanismos opioides são mais comumente associados a impulsos homeostáticos e valência afetiva; seu envolvimento na sociabilidade sugere que o comportamento pró-social é homeostaticamente motivado. Ver Stephen M. Siviy e Jaak Panksepp, "In Search of the Neurobiological Substrates for Social Playfulness in Mammalian Brains" (*Neuroscience & Biobehavioral Reviews*, v. 35, n. 9, pp. 1821-30, 2011); Jaak Panksepp, "Cross-Species Affective Neuroscience Decoding of the Primal Affective Experiences of Humans and Related Animals", op. cit.; Gary W. Guyot, Thomas L. Bennett e Henry A. Cross, "The Effects of Social Isolation on the Behavior of Juvenile Domestic Cats" (*Developmental Psychobiology*, v. 13, n. 3, pp. 317-29, 1980); Louk J. M. J. Vanderschuren, Raymond J. M. Niesink, Berry M. Spruijt e Jan M. Van Ree, "µ-and κ-Opioid Receptor-Mediated Opioid Effects on Social Play in Juvenile Rats" (*European Journal of Pharmacology*, v. 276, n. 3, pp. 257-66, 1995); Hugo A. Tejeda, Danielle S. Counotte, Eric Oh, Sammanda Ramamoorthy, Kristin N. Schultz-Kuszak, Cristina M. Bäckman, Vladmir Chefer, Patricio O'Donnell e Toni S. Shippenberg, "Prefrontal Cortical Kappa-Opioid Receptor Modulation of Local Neurotransmission and Conditioned Place Aversion" (*Neuropsychopharmacology*, v. 38, n. 9, pp. 1770-9, 2013); Stephen W. Porges, *The Polyvagal Theory* (Nova York: W. W. Norton, 2011).

Em estudos recentes de espécies dotadas de sistemas neurais necessários à formação de imagens, verificou-se consistentemente a correlação de valência positiva e negativa com receptores opioides mu e kappa, respectivamente. O quarteto de receptores opioides — delta, mu, kappa e NOP — no corpo humano vem sendo conservado desde o surgimento dos primeiros vertebrados gnatostomados depois da Explosão Cambriana, por volta de 450 milhões de anos atrás, e é fascinante pensar na possibilidade de que a valência, e até o sentimento, possa ser mais comum no reino animal do que convencionalmente se supõe. Ver Susanne Dreborg, Görel Sundström, Tomas A. Larsson e Dan Larhammar, "Evolution of Vertebrate Opioid Receptors" (*Proceedings of the National Academy of Sciences*, v. 105, n. 40, pp. 15487-92, 2008).

8. A CONSTRUÇÃO DE SENTIMENTOS [pp. 138-66]

1. Pierre Beaulieu, David Lussier, Frank Porreca e Anthony Dickenson, *Pharmacology of Pain*. Filadélfia: Lippincott Williams & Wilkins, 2015.

2. Ver George B. Stefano, Beatrice Salzet e Gregory L. Fricchione, "Enkelytin and Opioid Peptide Association in Invertebrates and Vertebrates: Immune Acti-

vation and Pain" (*Immunology Today*, v. 19, n. 6, pp. 265-8, 1998); Michel Salzet e Aurélie Tasiemski, "Involvement of Pro-Enkephalin-Derived Peptides in Immunity" (*Developmental & Comparative Immunology*, v. 25, n. 3, pp. 177-85, 2001); Halina Machelska e Christoph Stein, "Leukocyte-Derived Opioid Peptides and Inhibition of Pain" (*Journal of Neuroimmune Pharmacology*, v. 1, n. 1, pp. 90-7, 2006); Simona Farina, Michele Tinazzi, Domenica Le Pera e Massimiliano Valeriani, "Pain-Related Modulation of the Human Motor Cortex" (*Neurological Research*, v. 25, n. 2, pp. 130-42, 2003); Stephen B. McMahon, Federica La Russa e David L. H. Bennett, "Crosstalk Between the Nociceptive and Immune Systems in Host Defense and Disease" (*Nature Reviews Neuroscience*, v. 16, n. 7, pp. 389--402, 2015).

3. Ver Thibaut Brunet e Detlev Arendt, "From Damage Response to Action Potentials: Early Evolution of Neural and Contractile Modules in Stem Eukaryotes" (*Philosophical Transactions of the Royal Society*, v. 371, n. 1685, p. 20150043, 2016); Lucas R. Hoffman, David A. D'Argenio, Michael J. MacCoss, Zhaoying Zhang, Roger A. Jones e Samuel I. Miller, "Aminoglycoside Antibiotics Induce Bacterial Biofilm Formation" (*Nature*, v. 436, n. 7054, pp. 1171-5, 2005); Robert K. Naviaux, "Metabolic Features of the Cell Danger Response" (*Mitochondrion*, n. 16, pp. 7-17, 2014); Delphine Icard-Arcizet, Olivier Cardoso, Alain Richert e Sylvie Hénon, "Cell Stiffening in Response to External Stress is Correlated to Actin Recruitment" (*Biophysical Journal*, v. 94, n. 7, pp. 2906-13, 2008); Daniel B. Kearns, "A Field Guide to Bacterial Swarming Motility" (*Nature Reviews Microbiology*, v. 8, n. 9, pp. 634-44, 2010); Ivan Erill, Susana Campoy e Jordi Barbé, "Aeons of Distress: An Evolutionary Perspective on the Bacterial SOS Response" (*FEMS Microbiology Reviews*, v. 31, n. 6, pp. 637-56, 2007).

Canais iônicos receptores de potencial transitório (TRP) serviam como sensores em organismos unicelulares, e foram conservados através da filogenia. Em invertebrados, por exemplo, esses sensores podem detectar condições nocivas no ambiente, como calor intenso, por isso são cruciais para um deslocamento seguro. A combinação de mecanismos de detecção sensitiva e sistemas nervosos ensejou, por fim, o surgimento de toda uma classe de neurônios sensitivos chamados "nociceptores".

Os nociceptores distribuem-se por todo o tecido corporal e são equipados com canais iônicos TRP de limiar alto, que respondem a intensidades nocivas de sensações, as quais, em outras condições, seriam inofensivas. Os nociceptores também são equipados com receptores do tipo *toll-like* (TLR), as sentinelas do sistema imune que se distribuem por todo o corpo. A ativação de TLRs induz uma resposta imune. Quando nociceptores TLR são ativados, induzem uma forte resposta inflamatória localizada e sensibilizam canais nociceptivos TLR locais, contribuindo para um aumento da sensibilidade à dor associada a lesão ou infecção. Por sua vez, a dor inibe o córtex motor, e já foi demonstrado até que ela inibe a iniciação do próprio movimento, ativando grupos musculares antagonistas. Em caso de lesão, isso poderia prevenir danos adicionais.

Aferentes sensitivos nociceptivos lidam com a dor e o dano, enquanto aferentes sensitivos não nociceptivos coligem outras informações relevantes sobre as condições dentro e fora do organismo, resultando em imagens que são processadas simultaneamente. Sistemas nervosos permitem a localização precisa da estimulação sensitiva e a coordenação de processos fisiológicos complexos e diversificados, que integram todos os principais sistemas reguladores da vida no esforço homeostático. Ver Giorgio Santoni, Claudio Cardinali, Maria Beatrice Morelli, Matteo Santoni, Massimo Nabissi e Consuelo Amantini, "Danger-and Pathogen-Associated Molecular Patterns Recognition by Pattern-Recognition Receptors and Ion Channels of the Transient Receptor Potential Family Triggers the Inflammasome Activation in Immune Cells and Sensory Neurons" (*Journal of Neuroinflammation*, v. 12, n. 1, p. 21, 2015); Stephen B. McMahon, Federica La Russa e David L. H. Bennett, "Crosstalk between the Nociceptive and Immune Systems in Host Defense and Disease" (*Nature Reviews Neuroscience*, v. 16, n. 7, pp. 389-402, 2015); Ardem Patapoutian, Simon Tate e Clifford J. Woolf, "Transient Receptor Potential Channels: Targeting Pain at the Source" (*Nature Reviews Drug Discovery*, v. 8, n. 1, pp. 55-68, 2009); Takaaki Sokabe e Makoto Tominaga, "A Temperature-Sensitive TRP ION Channel, Painless, Functions as a Noxious Heat Sensor in Fruit Flies" (*Communicative & Integrative Biology*, v. 2, n. 2, pp. 170-3, 2009); Simona Farina, Michele Tinazzi, Domenica Le Pera e Massimiliano Valeriani, "Pain-related Modulation of the Human Motor Cortex" (*Neurological Research*, v. 25, n. 2, pp. 130-42, 2003).

4. Santoni et al., op. cit.; Takaaki Sokabe e Makoto Tominaga, op. cit.

5. Colin Klein e Andrew B. Barron, "Insects Have the Capacity for Subjective Experience". *Animal Sentience: An Interdisciplinary Journal on Animal Feeling*, v. 1, n. 9, p. 1, 2016.

Embora provavelmente as redes nervosas da hidra não fossem capazes de produzir imagens ou mesmo representações, uma etapa intermediária estava surgindo. Receptores do tipo *toll* (TLR), os receptores internos cuja ativação sinaliza a presença de patógenos invasores ou danos a tecido por choque térmico ou outras condições nocivas, são encontrados na hidra e, portanto, antecedem o mapeamento dependente de sistema nervoso. A sensitividade específica dos TLRs a padrões moleculares associados a danos ou patógenos (DAMPs e PAMPs, respectivamente) permite que a ativação de TLR provoque a resposta imune específica, emotiva, inata. Essa especificidade na detecção/resposta é um passo adiante em relação às sensações generalizadas facilitadas pelos canais iônicos receptores de potencial transitório (TRP), presentes em organismos unicelulares. Ver Sören Franzenburg, Sebastian Fraune, Sven Künzel, John F. Baines, Tomislav Domazet-Lošo e Thomas C. G. Bosch, "MyD88-Deficient Hydra Reveal an Ancient Function of TLR Signaling in Sensing Bacterial Colonizers" (*Proceedings of the National Academy of Sciences*, v. 109, n. 47, pp. 19374-9, 2012); Thomas C. G. Bosch, Rene Augustin, Friederike Anton-Erxleben, Sebastian Fraune, Georg Hemmrich, Holger Zill, Philip Rosenstiel et al., "Uncovering the Evolutionary History of Innate Immunity: The Simple Metazoan Hydra Uses Epithelial Cells for Host Defence" (*Developmental & Comparative Immunology*, v. 33, n. 4, pp. 559--69, 2009).

6. Sentimentos podem ser a diferença entre a vida e a morte. Todo organismo vivo precisa responder às condições do ambiente conforme elas são detectadas, porém, em muitos casos, o tempo levado para identificar a qualidade homeostaticamente relevante de um ambiente é crucial para a sobrevivência. Um animal capaz de predizer a presença de predadores a partir de pistas do ambiente já conhecidas tem melhores probabilidades de sobreviver, e os sentimentos propiciam exatamente isso.

Estudos sobre o fenômeno da preferência/aversão condicionada a um local examinam essa questão. Um animal experimental é treinado para associar pistas ambientais neutras a um estímulo homeostaticamente relevante, de modo que as próprias pistas do ambiente passem a induzir a resposta, mesmo na ausência do estímulo homeostaticamente relevante. Não é provável que esse tipo de aprendizado flexível ocorra em organismos desprovidos de sentimentos. Para que isso ocorra, é preciso, primeiro, que haja uma representação interna das pistas ambientais específicas, bem como uma representação de sofrimento fisiológico, para que os dois modelos possam ser reunidos. Na próxima vez que forem detectadas as pistas ambientais, elas provocarão o estado fisiológico associado.

Capacidades de ter sentimentos permitem que um animal reaja previsivelmente a condições percebidas no ambiente externo de um modo que reflita suas experiências passadas. Essa projeção de relevância homeostática subjetiva sobre estímulos ambientais que, de outra forma, seriam neutros permite aumentos significativos nas possibilidades de sobreviver e produzir do organismo. Ver Cindee F. Robles, Marissa Z. McMackin, Katharine L. Campi, Ian E. Doig, Elizabeth Y. Takahashi, Michael C. Pride e Brian C. Trainor, "Effects of Kappa Opioid Receptors on Conditioned Place Aversion and Social Interaction in Males and Females" (*Behavioural Brain Research*, n. 262, pp. 84-93, 2014); M. T. Bardo, J. K. Rowlett e M. J. Harris, "Conditioned Place Preference Using Opiate and Stimulant Drugs: A Meta-Analysis" (*Neuroscience & Biobehavioral Reviews*, v. 19, n. 1, pp. 39-51, 1995).

7. Enquanto a ativação do sistema imune inato induz uma resposta protetora generalizada a qualquer forma de dano em tecidos ou infecção, o sistema imune adaptativo — que evoluiu posteriormente, por volta de 450 milhões de anos atrás, em vertebrados gnatostomados — desfere um ataque direto tendo como alvo um patógeno específico. Assim que este é identificado pela primeira vez, são produzidos receptores seletivos específicos para ele. Subsequentemente, caso esses receptores venham a identificar o mesmo patógeno, um exército de células imunes é gerado rapidamente e vasculha o corpo em busca de quaisquer células que tenham a assinatura molecular do invasor. Essas assinaturas são lembradas por toda a vida do organismo, e a exposição repetida a patógenos fortalece as respostas imunes adaptativas no decorrer do tempo. Ver Martin F. Flajnik e Masanori Kasahara, "Origin and Evolution of the Adaptive Immune System: Genetic Events and Selective Pressures" (*Nature Reviews Genetics*, v. 11, n. 1, pp. 47-59, 2010).

8. Colin Klein e Andrew B. Barron, op. cit.

9. Ver Yasuko Hashiguchi, Masao Tasaka e Miyo T. Morita, "Mechanism of Higher Plant Gravity Sensing" (*American Journal of Botany*, v. 100, n. 1, pp. 91--100, 2013); Alberto P. Macho e Cyril Zipfel, "Plant PRRs and the Activation of Innate Immune Signaling" (*Molecular Cell*, v. 54, n. 2, pp. 263-72, 2014).

10. Meu colega Kingson Man sugeriu o termo "continuidade" para denotar as condições nas quais ocorrem as interações neurocorporais.

11. Sistemas orientais tradicionais de pensamento metafísico afirmam que, embora a dualidade seja inerente ao modo normal da percepção humana, o mundo que percebemos — repleto de objetos ou fenômenos descontínuos e independentes — é uma tela perceptual que mascara um substrato da realidade mais fundamental, "não dual". A "não dualidade" descreve um mundo de interdependência absoluta no qual mente, corpo e todos os fenômenos são inextricáveis. Embora essa visão seja extremamente divergente dos paradigmas culturais dominantes do Ocidente, alguns filósofos ocidentais — em especial Espinosa — chegaram a conclusões semelhantes, e continuam a ser descobertos paralelos entre esses pilares do pensamento oriental tradicional e a vanguarda das ciências naturais. Consideremos, por exemplo, as notáveis descobertas da física quântica, insinuando que sob a realidade objetificada e descontinuada que percebemos com nossos sentidos existe uma interação de forças mais relacional, dinâmica, que refuta nossa percepção dualística. Ver David Loy, *Nonduality: A Study in Comparative Philosophy* (Amherst, NY: Prometheus Books, 2012); Vlatko Vedral,

Decoding Reality: The Universe as Quantum Information (Oxford: Oxford University Press, 2012.

12. Ver Arthur D. Craig, "How Do You Feel? Interoception: The Sense of the Physiological Condition of the Body" (*Nature Reviews Neuroscience*, v. 3, n. 8, pp. 655-6, 2002); "Interoception: The Sense of the Physiological Condition of the Body" (*Current Opinion in Neurobiology*, v. 13, n. 4, pp. 500-5, 2003) e "How Do You Feel — Now? The Anterior Insula and Human Awareness" (*Nature Reviews Neuroscience*, v. 10, n. 1, 2009); Hugo D. Critchley, Stefan Wiens, Pia Rothstein, Arne Öhman e Raymond J. Dolan, "Neural Systems Supporting Interoceptive Awareness" (*Nature Neuroscience*, v. 7, n. 2, pp. 189-95, 2004).

13. Alexander J. Shackman, Tim V. Salomons, Heleen A. Slagter, Andrew S. Fox, Jameel J. Winter e Richard J. Davidson, "The Integration of Negative Affect, Pain and Cognitive Control in the Cingulate Cortex" (*Nature Reviews Neuroscience*, v. 12, n. 3, pp. 154-67, 2011).

14. Jaak Panksepp propôs os núcleos corticais em uma época em que ninguém lhes dava atenção. A ideia recebeu amplo apoio, inclusive do nosso trabalho: António Damásio, Thomas J. Grabowski, Antoine Bechara, Hanna Damásio, Laura L. B. Ponto, Josef Parvizi e Richard D. Hichwa, "Subcortical and Cortical Brain Activity During the Feeling of Self-Generated Emotions" (*Nature Neuroscience*, v. 3, n. 10, pp. 1049-56, 2000). A anatomia do tronco encefálico de primatas é bem explicada em Josef Parvizi e António Damásio, "Consciousness and the Brainstem" (*Cognition*, v. 79, n. 1, pp. 135-60, 2001).

15. A importância desses núcleos pode ser deduzida com base nas projeções maciças relacionadas a mudanças no estado homeopático que eles recebem. Ver Ester-Marije Klop, Leonora J. Mouton, Rogier Hulsebosch, José Boers e Gert Holstege, "In Cat Four Times as Many Lamina I Neurons Project to the Parabrachial Nuclei and Twice as Many to the Periaqueductal Gray as to the Thalamus" (*Neuroscience*, v. 34, n. 1, pp. 189-97).

16. Michel M. Behbehani, "Functional Characteristics of the Midbrain Periaqueductal Gray". *Progress in Neurobiology*, v. 46, n. 6, pp. 575-605, 1995.

17. Ver Craig, "How Do You Feel?", op. cit.; "Interoception"; "How Do You Feel — Now?", op. cit.; Critchley et al., "Neural Systems Supporting Interoceptive Awareness", op. cit.; Richard P. Dum, David J. Levinthal e Peter L. Strick, "The Spinothalamic System Targets Motor and Sensory Areas in the Cerebral Cortex of Monkeys" (*Journal of Neuroscience*, v. 29, n. 45, pp. 14223-1435, 2009); Antoine Louveau, Igor Smirnov, Timothy J. Keyes, Jacob D. Eccles, Sherin J. Rouhani, J. David Peske, Noel C. Derecki et al., "Structural and Functional Features of Central Nervous System Lymphatic Vessels" (*Nature*, v. 523, n. 7560, pp. 337-41, 2015).

18. Ver Michael J. McKinley, *The Sensory Circumventricular Organs of the Mammalian Brain: Subfornical Organ, OVLT and Area Postrema* (Nova York: Springer Science & Business Media, 2003); Robert E. Shapiro e Richard R. Miselis, "The Central Neural Connections of the Area Postrema of the Rat" (*Journal of Comparative Neurology*, v. 234, n. 3, pp. 344-64, 1985).

19. Marshall Devor, "Unexplained Peculiarities of the Dorsal Root Ganglion". *Pain*, v. 82, pp. S27-S35, 1999.

20. He-Bin Tang, Yu Sang Li, Koji Arihiro e Yoshihiro Nakata, "Activation of the Neurokinin-1 Receptor by Substance P Triggers the Release of Substance P from Cultured Adult Rat Dorsal Root Ganglion Neurons". *Molecular Pain*, v. 3, n. 1, p. 42, 2007.

21. J. A. Kiernan, "Vascular Permeability in the Periferal Autonomic and Somatic Nervous Systems: Controversial Aspects and Comparisons with the Blood-Brain Barrier". *Microscopy Research and Technique*, v. 35, n. 2, pp. 122-36, 1996.

22. Ver M. Björnsdotter, I. Morrison e H. Olausson, "Feeling Good: on the Role of C Fiber Mediated Touch in Interoception" (*Experimental Brain Research*, v. 207, n. 3-4, pp. 149-55, 2010); A. Harper e S. N. Lawson, "Conduction Velocity Is Related to Morphological Cell Type in Rat Dorsal Root Ganglion Neurones" (*Journal of Physiology*, v. 359, p. 31, 1985).

23. António Damásio e Gil B. Carvalho, "The Nature of Feelings: Evolutionary and Neurobiological Origins", op. cit.; Ian A. McKenzie, David Ohayon, Huiliang Li, Joana Paes de Faria, Ben Emery, Koujiro Tohyama e William D. Richardson, "Motor Skill Learning Requires Active Central Myelination" (*Science*, v. 346, n. 6207, pp. 317-22, 2014).

24. Um estudo em andamento pelo nosso grupo indica que a transmissão não sináptica em gânglios do sistema nervoso periférico é controlada por um neurotransmissor onipresente que também tem um papel fundamental na transmissão sináptica, assim como na dor, percepção sensitiva, contração de músculos lisos e em várias outras funções do corpo. Curiosamente, essa molécula multifacetada não afeta os neurônios de modo indiscriminado. Ela parece reservar seu maior impacto para os neurônios do tipo C antigos e amielínicos, que formam a maior parte das nossas vias interoceptivas e provavelmente têm um papel na geração de sentimentos. Ver António Damásio e Gil B. Carvalho, "The Nature of Feelings: Evolutionary and Neurobiological Origins", op. cit.; Malin Björnsdotter, India Morrison e Håkan Olausson, "Feeling Good: on the Role of C Fiber Mediated Touch in Interoception" (*Experimental Brain Research*, v. 207, n. 3-4, pp. 149-55, 2010); Gang Wu, Matthias Ringkamp, Timothy V. Hartke, Beth B. Murinson, James N. Campbell, John W. Griffin e Richard A. Meyer, "Early Onset

of Spontaneous Activity in Uninjured C-Fiber Nociceptors After Injury to Neighboring Nerve Fibers" (*Journal of Neuroscience*, v. 21, n. 8, p. RC140, 2001); R. Douglas Fields, "White Matter in Learning, Cognition and Psychiatric Disorders" (*Trends in Neurosciences*, v. 31, n. 7, pp. 361-70, 2008); Ian A. McKenzie, David Ohayon, Huiliang Li, Joana Paes de Faria, Ben Emery, Koujiro Tohyama e William D. Richardson, "Motor Skill Learning Requires Active Central Myelination" (*Science*, v. 346, n. 6207, pp. 318-22, 2014); Julia J. Harris e David Attwell, "The Energetics of CNS White Matter" (*Journal of Neuroscience*, v. 32, n. 1, pp. 356-71, 2012); Richard A. Meyer, Srinivasa N. Raja e James N. Campbell, "Coupling of Action Potential Activity between Unmyelinated Fibers in the Peripheral Nerve of Monkey" (*Science*, n. 227, pp. 184-8, 1985); Hemant Bokil, Nora Laaris, Karen Blinder, Mathew Ennis e Asaf Keller, "Ephaptic Interactions in the Mammalian Olfactory System" (*Journal of Neuroscience*, n. 21, pp. 1-5, 2001); Henry Harland Hoffman e Harold Norman Schnitzlein, "The Numbers of Nerve Fibers in the Vagus Nerve of Man" (*The Anatomical Record*, v. 139, n. 3, pp. 429-35, 1961); Marshall Devor e Patrick D. Wall, "Cross-Excitation in Dorsal Root Ganglia of Nerve-Injured and Intact Rats" (*Journal of Neurophysiology*, v. 64, n. 6, pp. 1733--46, 1990); Eva Sykova, "Glia and Volume Transmission during Physiological and Pathological States" (*Journal of Neural Transmission*, v. 112, n. 1, pp. 137-47, 2005).

25. Emeran Mayer, *The Mind-Gut Connection: How the Hidden Conversation within Our Bodies Impacts Our Mood, Our Choices, and Our Overall Health*. Nova York: HarperCollins, 2016.

26. Ver Jane A. Foster e Karen-Anne McVey Neufeld, "Gut-Brain Axis: How the Microbiome Influences Anxiety and Depression" (*Trends in Neurosciences*, v. 36, n. 5, pp. 305-12, 2013); Mark Lyte e John F. Cryan (Orgs.), *Microbial Endocrinology: The Microbiota-Gut-Brain Axis in Health and Disease* (Nova York: Springer, 2014); Emerson Mayer, *The Mind-Gut Connection: How the Hidden Conversation Within Our Bodies Impacts Our Mood, Our Choices, and Our Overall Health*. (Nova York: HarperCollins, 2016).

27. Doe-Young Kim e Michael Camilleri, "Serotonin: A Mediator of the Brain-Gut Connection". *The American Journal of Gastroenterology*, v. 95, n. 10, p. 2698, 2000.

28. Timothy R. Sampson, Justine W. Debelius, Taren Thron, Stefan Janssen, Gauri G. Shastri, Zehra Esra Ilhan, Collin Challis et al., "Gut Microbiota Regulate Motor Deficits and Neuroinflammation in a Model of Parkinson's Disease". *Cell*, v. 167, n. 6, pp. 1469-80, 2016.

29. A tristeza certamente pode perturbar a saúde, enquanto estados positivos como a gratidão parecem ter o efeito oposto. Esta é induzida quando recebe-

mos uma ajuda ou apoio importante, motivado por compaixão, e é associada a efeitos positivos significativos sobre a saúde e a qualidade de vida. Um estudo recente, baseado em fMRI, de meu colega Glenn Fox definiu os correlatos neurais da gratidão, revelando que a experiência relatada de gratidão significativa correlaciona-se a atividade cerebral em regiões convencionalmente reconhecidas como fundamentais para a regulação do estresse, a cognição social e o raciocínio moral. Essa descoberta corrobora estudos anteriores que mostraram o desenvolvimento do hábito mental da gratidão como forma de melhorar a saúde; isso, por sua vez, corrobora a ideia da continuidade entre mente e corpo. Ver Glenn R. Fox, Jonas Kaplan, Hanna Damásio e António Damásio, "Neural Correlates of Gratitude" (*Frontiers in Psychology*, n. 6, 2015); Alex M. Wood, Stephen Joseph e John Maltby, "Gratitude Uniquely Predicts Satisfaction with Life: Incremental Validity above the Domains and Facets of the Five Factor Model" (*Personality and Individual Differences*, v. 45, n. 1, pp. 49-54, 2008); Max Henning, Glenn R. Fox, Jonas Kaplan, Hanna Damásio e António Damásio, "A Potential Role for mu-Opioids in Mediating the Positive Effects of Gratitude", op. cit.

30. Ver Sarah J. Barber, Phillip C. Opitz, Bruna Martins, Michiko Sakaki e Mara Mather, "Thinking about a Limited Future Enhances the Positivity of Younger and Older Adults' Recall: Support for Socioemotional Selectivity Theory" (*Memory & Cognition*, v. 44, n. 6, pp. 869-82, 2016); Mara Mather, "The Affective Neuroscience of Aging" (*Annual Review of Psychology*, v. 67, pp. 213-38, 2016).

31. Daniel Kahneman e A. Tversky, "Experienced Utility and Objective Happiness: A Moment-Based Approach", em *Choices, Values, and Frames* (Cambridge: Cambridge University Press, 2000, cap. 37) e "Evaluation by Moments: Past and Future" em *Choices, Values, and Frames*, op. cit., cap. 38; Bruna Martins, Gal Sheppes, James J. Gross e Mara Mather, "Age Differences in Emotion Regulation Choice: Older Adults Use Distraction Less than Younger Adults in High-Intensity Positive Contexts" (*The Journals of Gerontology Series B: Psychological Sciences and Social Sciences*, gbw 028, 2016).

9. CONSCIÊNCIA [pp. 167-88]

1. Duas breves observações: primeiro, eu utilizo o termo "subjetividade" no sentido cognitivo e filosófico, e não no sentido popular, no qual "subjetivo" refere-se a "opinião pessoal"; segundo, tenho estudado os problemas da consciência há muitos anos e apresentei algumas das minhas ideias em dois livros: *The Feeling of What Happens: Body and Emotion in the Making of Consciousness* (Nova York:

Harcourt, 1999. [Ed. bras.: *O mistério da consciência: Do corpo e das emoções ao conhecimento de si*. São Paulo: Companhia das Letras, 2015]) e *Self Comes to Mind: Construction of the Conscious Brain* (Nova York, Pantheon, 2010 [Ed. bras.: *E o cérebro criou o homem*. São Paulo: Companhia das Letras, 2011]). Publicações subsequentes introduziram extensões dessas ideias. Ver António Damásio, Hanna Damásio e Daniel Tranel, "Persistence of Feelings and Sentience after Bilateral Damage of the Insula" (*Cerebral Cortex*, n. 23, pp. 833-46, 2012); António Damásio e Gil B. Carvalho, "The Nature of Feelings: Evolutionary and Neurobiological Origins", op. cit.; António Damásio e Hanna Damásio, "Pain and Other Feelings in Humans and Animals" (*Animal Sentience: An Interdisciplinary Journal on Animal Feeling*, v. 1, n. 3, p. 33, 2016). Minhas ideias continuam a evoluir, influenciadas por esforços paralelos em estudos teóricos e empíricos sobre transtornos do sentimento e da consciência.

2. A designação "teatro cartesiano" vem das veementes discussões de Daniel Dennett sobre a consciência, que incluem um descarte claro e bem-vindo dos mitos sobre os "homúnculos" e um alerta sobre os perigos da regressão infinita — a ideia de que uma pessoinha está sentada dentro do nosso cérebro e examina a mente, seguida pela necessidade de postular a existência de outra pessoinha, que examina a segunda, e assim por diante, ad infinitum.

3. Costumava tratar do tema da subjetividade apelando para o termo "self", mas agora evito usá-lo para não dar a possível impressão, totalmente injustificada, de que o self, desde o nível simples até o complexo, é algum tipo de objeto ou centro de controle fixo, bem delimitado. Nunca devemos subestimar o potencial para interpretações mal-intencionadas da noção do self como um homúnculo. A confusão resultante, mesmo que não se mencione uma única palavra sobre os correlatos neuroanatômicos dos fenômenos do self, conjura o espectro da frenologia.

4. Alguns colegas propuseram noções sobre a integração mental que, de modo geral, são compatíveis com as minhas, sobretudo Bernard Baars, Stanislas Dehaene e Jean-Pierre Changeux. Suas ideias são expostas com clareza em Stanislas Dehaene, *Consciousness and the Brain: Deciphering How the Brain Codes Our Thoughts* (Nova York: Viking, 2014).

5. Isso se aplica a uma obscura área do cérebro conhecida como claustro, proposta por Francis Crick e Christof Koch, "A Framework for Consciousness" (*Nature Neuroscience*, v. 6, n. 2, pp. 119-26, 2003); e a uma área bem estudada, o córtex insular, preferida por A. D. Craig. A. D. Craig, em *How Do You Feel? An Interoceptive Moment with Your Neurobiological Self* (Princeton: Princeton University Press, 2015).

6. Embora a essência da consciência seja mental, portanto disponível unicamente para o sujeito que é consciente, uma tradição de longa data considera a

consciência de uma perspectiva comportamental, de fora para dentro, digamos assim. Os clínicos que trabalham em pronto-socorro, sala de cirurgia ou UTI têm conhecimentos sobre essa perspectiva externa e estão preparados para presumir a presença ou ausência de consciência com base em uma observação silenciosa ou em uma conversa com o paciente, caso seja possível conversar. Como neurologista, fui preparado para fazer isso.

O que o clínico procura? Ver se o paciente está desperto, atento, tem animação emotiva e faz gestos intencionais, coisas que são, todas elas, sinais úteis reveladores de consciência. Pacientes inconscientes, como no coma, não estão despertos, nem atentos, nem emotivos, e os gestos que fazem, quando fazem, não são intencionais em relação ao ambiente. No entanto, as conclusões que podem ser tiradas com base nesse cenário são complicadas por condições nas quais a consciência tende a estar prejudicada, por exemplo, em estados vegetativos persistentes, mas nos quais a pessoa alterna períodos de sono com períodos de vigília. O problema de supor a presença ou ausência de consciência com base em manifestações externas pode tornar-se especialmente complicado em uma condição conhecida como síndrome do encarceramento. Nela, a consciência é mantida, mas o paciente encontra-se quase completamente imobilizado, e é fácil deixar de perceber os movimentos sutis que faz, os quais consistem geralmente em piscar e em movimentar ligeiramente os olhos. A arte clínica refinou-se a um ponto de segurança razoável, mas o único modo garantido de estabelecer se alguém está consciente ainda é verificar se fornece um testemunho direto de um estado mental normal. Os clínicos costumam declarar se a pessoa está ou não consciente depois de fazer três perguntas relacionadas (a) à identidade do paciente, (b) ao lugar em que ele se encontra e (c) à data aproximada. Isso não é comparável a saber, de modo direto e inequívoco, se a pessoa tem uma mente consciente em funcionamento.

Existe vasta literatura sobre as condições neurológicas que causam danos à consciência ou que podem parecer causar danos, mas não o fazem, como a síndrome do encarceramento. Também é abundante a literatura sobre anestesia e como a administração de diversos compostos químicos interrompe reversivelmente a experiência mental. Ambos os tipos de literatura fornecem pistas importantes sobre os alicerces neurais da consciência. No entanto, é justo dizer que o dano cerebral específico que causa o coma ou as moléculas responsáveis pela anestesia são instrumentos toscos e não nos permitem descobrir os processos neurobiológicos responsáveis pela experiência mental. Vários anestésicos têm o poder de suspender o processo inicial de sentir e responder que encontramos em bactérias ou mesmo em plantas. Anestésicos congelam a capacidade de sentir e responder em vários ramos inferiores e superiores da vida. Eles não suspendem a consciência diretamente, mas bloqueiam processos dos quais dependem os estados mentais, os sentimentos e o ponto de perspectiva. Ver Josef Parvizi e António Damásio, "Consciousness and the Brainstem" (*Cognition*, v. 79, n. 1, pp. 135-60, 2001); "Neuroanatomical Correlates of Brainstem Coma" (*Brain*, v. 126, n. 7, pp. 1524--36); António Damásio e Kaspar Meyer, "Consciousness: An Overview of the Phenomenon and of Its Possible Neural Basis", em S. Laurey e G. Tononi (Orgs.), *The Neurology of Consciousness* (Burlington, MA: Elsevier, pp. 3-14, 2009).

7. Ver Eric D. Brenner, Rainer Stahlberg, Stefano Mancuso, Jorge Vivanco, František Baluška e Elizabeth Van Volkenburg, "Plant Neurobiology: An Integrated View of Plant Signaling" (*Trends in Plant Science*, v. 11, n. 8, pp. 413-9, 2006); Lauren A. E. Erland, Christina E. Turi e Praveen K. Saxena, "Serotonin: An Ancient Molecule and an Important Regulator of Plant Processes" (*Biotechnology Advances*, 2016); Jin Cao, Ian B. Cole e Susan J. Murch, "Neurotransmitters, Neuroregulators and Neurotoxins in the Life of Plants" (*Canadian Journal of Plant Science*, v. 86, n. 4, pp. 1183-8, 2006); Nicolas Bouché e Hillel Fromm, "GABA in Plants: Just a Metabolite?" (*Trends in Plant Science*, v. 9, n. 3, pp. 110-5, 2004).

Essa é a razão pela qual discordo parcialmente das conclusões de Arthur S. Reber em "Caterpillars, Consciousness and the Origin of Mind" (*Animal Sentience: An Interdisciplinary Journal on Animal Feeling*, v. 1, n. 11, 2016). Organismos unicelulares têm percepção sensitiva e respondem, e essas capacidades são fundamentais para o desenvolvimento posterior da mente, sentimento e subjetividade; no entanto, não podemos considerá-los dotados de mente, sentimentos e consciência.

8. Poucos autores incluíram o sentimento em uma concepção de consciência, e muito menos conceberam a consciência do ponto de vista do afeto. Além de Jaak Panksepp e A. Craig (já citados), encontrei outra exceção na obra de Michel Cabanac, "On the Origin of Consciousness, a Postulate and Its Corollary" (*Neuroscience & Biobehavioral Reviews*, v. 20, n. 1, pp. 33-40, 1996).

9. David J. Chalmers, "How Can We Construct a Science of Consciousness?", em Michael S. Gazzaniga (Org.), *The Cognitive Neurosciences* (Cambridge, MA: MIT Press, 2004, pp. 1111-9, v. III), *The Conscious Mind: In Search of a Fundamental Theory* (Oxford: Oxford University Press, 1996) e "Facing up to the Problem of Consciousness" (*Journal of Consciousness Studies*, v. 2, n. 3, pp. 200-19, 1995).

10. CULTURAS [pp. 191-222]

1. Charles Darwin, *A origem das espécies* (São Paulo: Martin Claret, 2014); William James, *Principles of Psychology* (Miami: HardPress Limited, 2013); Sig-

mund Freud, *The Basic Writings of Sigmund Freud* (Nova York: Modern Library, 1995); Émile Durkheim, *As formas elementares de vida religiosa* (São Paulo: Paulus, 2001).

2. A ideia de que alguns aspectos das culturas têm origens biológicas permanece controversa. O legado de incursões equivocadas da biologia em assuntos sociopolíticos é a relutância de disciplinas das áreas de humanidades e ciências sociais em admitir descobertas da biologia em seus estudos. Existe também uma justificada aversão por explicações de fenômenos mentais e sociais que os reduzem em sua totalidade à biologia e ainda por cima são marcadas pelo triunfalismo científico. Isso faz parte da lendária divisão em duas culturas de C. P. Snow. Era um problema meio século atrás, e infelizmente continua sendo.

3. Ver Edward O. Wilson, *Sociobiology* (Cambridge, MA: Harvard University Press, 1975). A sociobiologia e seu líder, E. O. Wilson, não foram bem recebidos. Ver Richard C. Lewontin, *Biology as Ideology: The Doctrine of DNA* (Nova York: HarperPerennial, 1991), para uma perspectiva crítica sobre a sociobiologia. Curiosamente, a posição de E. O. Wilson sobre o afeto era compatível com a minha, como seu trabalho subsequente continuou a mostrar. Ver E. O. Wilson, *Consilience* (Nova York: Knopf, 1998). Ver também William H. Durham, *Coevolution: Genes, Culture and Human Diversity* (Palo Alto, CA: Stanford University Press, 1991), como um exemplo da compatibilidade entre biologia e processos culturais.

4. Ver Talcott Parsons, *Social Systems and the Evolution of Action Theory* (Nova York: Free Press, 1977); Id., "Evolutionary Universals in Society", op. cit.

5. Seria razoável supor que, além dos processos que mantêm a estabilidade química — a tendência natural de toda matéria a permanecer nas conformações mais estáveis, enquanto as menos estáveis desaparecem —, existiria um processo adicional capaz de levar uma molécula a criar outra semelhante.

6. O grau de violência masculina correlaciona-se com certas características físicas que podem ser agrupadas sob o termo "formidabilidade". Ver Aaron Sell, John Tooby e Leda Cosmides, "Formidability and the Logic of Human Anger" (*Proceedings of the National Academy of Sciences*, 106, n. 35, pp. 15073-8, 2009).

7. Richard L. Velkley, *Being After Rousseau: Philosophy and Culture in Question* (Chicago: University of Chicago Press, 2002). Originalmente em Samuel von Pufendorf e Friedrich Knoch, *Samuelis Pufendorfii Eris Scandica: Qua Adversus Libros de Jure Naturali et Gentium Objecta Diluuntur* (Frankfurt-am-Main: Sumptibus Friderici Knochii, 1686).

8. Entre as obras consultadas para esta seção estão: William James, *The Varieties of Religious Experience* (Nova York: Penguin Classics, 1983); Charles Taylor, *Varieties of Religion Today: William James Revisited* (Cambridge, MA:

Harvard University Press, 2002); David Hume, *Dialogues Concerning Natural Religion and the Natural History of Religion* (Nova York: Oxford University Press, 2008); John R. Bowen, *Religions in Practice: An Approach to the Anthropology of Religion* (Boston: Pearson, 2014); Walter Burkert, *Creation of the Sacred: Tracks of Biology in Early Religions* (Cambridge, MA: Harvard University Press, 1996); Émile Durkheim, *As formas elementares da vida religiosa*, op. cit.; John R. Hinnells (Org.), *The Penguin Handbook of the World's Living Religions* (Londres: Penguin Books, 2010); Claude Lévi-Strauss, *A antropologia diante dos problemas do mundo moderno* (São Paulo: Companhia das Letras, 2012); Scott Atran, *In Gods We Trust: The Evolutionary Landscape of Religion* (Nova York: Oxford University Press, 2002).

9. Ver Martha C. Nussbaum, *Political Emotions: Why Love Matters for Justice* (Cambridge, MA: The Belknap Press of Harvard University Press, 2013); Jonathan Haidt, *The Righteous Mind: Why Good People Are Divided by Politics and Religion* (Nova York: Pantheon Books, 2012); Steven W. Anderson, Antoine Bechara, Hanna Damásio, Daniel Tranel e António Damásio, "Impairment of Social and Moral Behavior Related to Early Damage in Human Prefrontal Cortex" (*Nature Neuroscience*, v. 2, pp. 1032-7, 1999); Joshua D. Greene, R. Brian Sommerville, Leigh E. Nystrom, John M. Darley e Jonathan D. Cohen, "An fMRI Investigation of Emotional Engagement in Moral Judgment" (*Science*, v. 293, n. 5537, pp. 2105-8, 2001); Mark Johnson, *Morality for Humans: Ethical Understanding from the Perspective of Cognitive Science* (Chicago: University of Chicago Press, 2014); L. Young, Antoine Bechara, Daniel Tranel, Hanna Damásio, M. Hauser e António Damásio, "Damage to Ventromedial Prefrontal Cortex Impairs Judgment of Harmful Intent" (*Neuron*, v. 65, n. 6, pp. 845-51, 2010).

10. Ver Cyprian Broodbank, *The Making of the Middle Sea: A History of the Mediterranean from the Beginning to the Emergence of the Classical World* (Londres: Thames & Hudson Ltd., 2015); Malcolm Wiener, "The Interaction of Climate Change and Agency in the Collapse of Civilizations ca. 2300-2000 BC" (*Radiocarbon*, v. 56, n. 4, pp. S1-S16, 2014); Id., "Causes of Complex Systems Collapse in the Aegean, Eastern Mediterranean, Anatolia and Italy at the End of the Bronze Age" em Peter M. Fischer e Teresa Bürge, *"Sea Peoples" Up-to-Date: New Research on Transformation in the Eastern Mediterranean in 13th-11th Centuries BCE* (Viena: Austrian Academy of Sciences Press, 2014).

11. Karl Marx, *Crítica da filosofia do direito de Hegel*. São Paulo: Boitempo, 2013. Como já mencionado, as ideias de cientistas sociais como Bourdieu, Touraine e Foucault também podem ser traduzidas em termos biológicos.

12. Ver Assal Habibi e António Damásio, "Music, Feelings, and the Human Brain" (*Psychomusicology: Music, Mind, and Brain*, v. 24, n. 1, p. 92, 2014); Matthew

Sachs, António Damásio e Assal Habibi, "The Pleasures of Sad Music: a Systematic Review" (*Frontiers in Human Neuroscience*, v. 9, n. 404, pp. 1-12, 2015).

13. António Damásio, "Suoni, significati affettivi e esperienze musicali". *Musica Domani*, n. 176, pp. 5-8, 2017.

14. Sebastian Kirschner e Michael Tomasello, "Joint Music Making Promotes Prosocial Behavior in 4-Year-Old Children". *Evolution and Human Behavior*, v. 31, n. 5, pp. 354-64, 2010.

15. Ver Jaak Panksepp, "Cross-Species Affective Neuroscience Decoding of the Primal Affective Experience of Humans and Related Animals", op. cit.; Henning et al., "A Role for mu-Opioids in Mediating the Positive Effects of Gratitude", op. cit.

16. É fácil justificar a contradição existente na prática de cortar-se na anorexia e na obesidade mórbida. É um fato que certas pessoas podem comprazer-se em fazer cortes na própria pele, uma prática que se qualifica como cultural porque pode disseminar-se pela imitação e tem uma distribuição aparentemente aleatória. Possivelmente, a melhor explicação para esses fenômenos relaciona-se a circunstâncias patológicas dos indivíduos afetados, agravadas por um contexto cultural também patológico. O mesmo se aplica a comunidades on-line intituladas *gainers* [ganhadores], indivíduos que se reúnem e se incentivam mutuamente a consumir grandes quantidades de comida com o objetivo de ganhar peso, ver os resultados uns nos outros e fazer sexo. Ambos os exemplos encaixam-se em um velho diagnóstico: masoquismo. A prática do masoquismo gera, sim, prazer, uma situação que corresponde a uma regulação positiva da homeostase. Acontece que, no fim das contas, os custos da regulação positiva acabam por superar os ganhos, um cenário fisiológico não muito distante do visto em casos de dependência de drogas. Prazeres abrem caminho para dependências e sofrimento. Não é provável que essas práticas estapafúrdias sejam incorporadas na evolução biológica ou selecionadas culturalmente fora de grupos pequenos. O fato de tais práticas e grupos existirem chama a atenção para os riscos de comunidades marginais na internet.

17. Ver Talita Prado Simão, Sílvia Caldeira e Emilia Campos de Carvalho, "The Effect of Prayer on Patients' Health: Systematic Literature Review" (*Religions*, v. 7, n. 1, p. 11, 2016); Samuel R. Weber e Kenneth I. Pargament, "The Role of Religion and Spirituality in Mental Health" (*Current Opinion in Psychiatry*, v. 27, n. 5, pp. 358-63, 2014); Neal Krause, "Gratitude Toward God, Stress, and Health in Late Life" (*Research on Aging*, v. 28, n. 2, pp. 163-83, 2006).

18. Sebastian Kirschner e Michael Tomasello, "Joint Music Making Promotes Prosocial Behavior in 4-Year-Old Children", op. cit.

19. Jason E. Lewis e Sonia Armand, "An Earlier Origin for Stone Tool Ma-

king: Implications for Cognitive Evolution and the Transition to *Homo*". *Philosophical Transactions of the Royal Society*, v. 371, n. 1698, 2016.

20. Robin I. M. Dunbar e John A. J. Gowlett, "Fireside Chat: The Impact of Fire on Hominin Socioecology". In: Robin I. M. Dunbar, Clive Gamble e John A. J. Gowlett (Orgs.), *Lucy to Language: The Benchmark Papers*. Nova York: Oxford University Press, 2014, pp. 277-96.

21. Polly W. Wiessner, "Embers of Society: Firelight Talk among the Ju/'hoansi Bushmen". *Proceedings of the National Academy of Sciences*, v. 111, n. 39, pp. 14027-35, 2014.

11. MEDICINA, IMORTALIDADE E ALGORITMOS [pp. 223-41]

1. Jennifer A. Doudna e Emmanuelle Charpentier, "The New Frontier of Genome Engineering with CRISPR-Cas9". *Science*, v. 346, n. 6213, 2014.

2. Pedro Domingos, *The Master Algorithm: How the Quest for the Ultimate Learning Machine Will Remake Our World*. Nova York: Basic Books, 2015.

3. Ver Krishna V. Shenoy e Jose M. Carmena, "Combining Decoder Design and Neural Adaptation in Brain-Machine Interfaces" (*Neuron*, v. 84, n. 4, pp. 665--80, 19 nov. 2014); Johan Wessberg, Christopher R. Stambaugh, Jerald D. Kralik, Pamela D. Beck, Mark Laubach, John K. Chapin, Jung Kim, S. James Biggs, Mandayam A. Srinivasan e Miguel A. Nicolelis, "Real-Time Prediction of Hand Trajectory by Ensembles of Cortical Neurons in Primates" (*Nature*, v. 408, n. 6810, pp. 361-5, 16 nov. 2000); Ujwal Chaudhary, Bin Xia, Stefano Silvoni, Leonardo G. Cohen e Niels Birbaumer, "Brain-Computer Interface-Based Communication in the Completely Locked-In State" (*PLoS Biol.*, v. 15, n. 1, 31 jan. 2017); Jennifer Collinger, Brian Wodlinger, John E. Downey, Wei Wang, Elizabeth C. Tyler-Kabara, Douglas J. Weber, Angus J. McMorland, Meel Velliste, Michael L. Boninger e Andrew B. Schwartz, "High-Performance Neuroprosthetic Control by an Individual with Tetraplegia" (*Lancet*, v. 381, n. 9866, pp. 557-64, 16 fev. 2013).

4. Ver Ray Kurzweil, *The Singularity Is Near: When Humans Transcend Biology* (Nova York: Penguin, 2005); Luc Ferry, *La Révolution transhumaniste: Comment la technomédicine et l'uberisation du monde vont bouleverser nos vies* (Paris: Éditions Plon, 2016).

5. Yuval Noah Harari, *Homo Deus: Uma breve história do amanhã*. São Paulo: Companhia das Letras, 2016.

6. Nick Bostrom, *Superintelligence: Paths, Dangers, Strategies*. Oxford: Oxford University Press, 2014.

7. Avishai Margalit, *The Ethics of Memory*. Cambridge-MA: Harvard University Press, 2002.

8. Aldous Huxley, *Admirável mundo novo*. São Paulo: Biblioteca Azul, 2014.

9. George Zarkadakis, *In Our Own Image: Savior or Destroyer?: The History and Future of Artificial Intelligence*. Nova York: Pegasus Books, 2015.

10. W. Grey Walter, "An Imitation of Life". *Scientific American*, v. 182, n. 5, pp. 42-5, 1950.

12. SOBRE A CONDIÇÃO HUMANA HOJE [pp. 242-66]

1. Epicuro e Bertrand Russell teriam gostado de saber que suas preocupações filosóficas com a felicidade humana não foram esquecidas. Ver B. Inwood e L. P. Gerson (Orgs.), *The Epicurus Reader* (Indianapolis: Hackett, 1994); Bertrand Russell, *A conquista da felicidade* (Rio de Janeiro: Nova Fronteira, 2017); Daniel Kahneman, "Objective Happiness", em Daniel Kahneman, Edward Diener e Norbert Schwarz (Orgs.), *Well-Being: Foundations of Hedonic Psychology* (Nova York: Russell Sage Foundation, 1999); Amartya Sen, "The Economics of Happiness and Capability", em Luigino Bruni, Flavio Comim e Maurizio Pugno (Orgs.), *Capabilities and Happiness* (Nova York: Oxford University Press, 2008); Richard Davidson e Brianna S. Shuyler, "Neuroscience of Happiness", em John F. Helliwell, Richard Layard e Jeffrey Sachs (Orgs.), *World Happiness Report 2015* (Nova York: Sustainable Development Solutions Network, 2015).

2. Ver Neil Postman, *Amusing Ourselves to Death: Public Discourse in the Age of Show Business* (Nova York: Penguin, 2006). Ver também Robert D. Putnam, *Our Kids* (Nova York: Simon & Schuster, 2015).

3. Jonas T. Kaplan, Sarah I. Gimbel e Sam Harris, "Neural Correlates of Maintaining One's Political Beliefs in the Face of Counterevidence". *Nature Scientific Reports*, n. 6, 2016.

4. Ver Sherry Turkle, *Alone Together: Why We Expect More from Technology and Less from Each Other* (Nova York: Basic Books, 2011); Alain Touraine, *Pourrons-nous vivre ensemble?* (Paris: Fayard, 1997).

5. Ver Manuel Castells, *O poder da comunicação* (Rio de Janeiro: Paz e Terra, 2016); Id., *Redes de indignação e esperança: Movimentos sociais na era da internet* (Rio de Janeiro: Zahar, 2017).

6. Amartya Sen, "The Economics of Happiness and Capability", op. cit.; Onora O'Neill, *Justice across Boundaries: Whose Obligations?* (Cambridge: Cambridge University Press, 2016); Martha C. Nussbaum, *Political Emotions: Why Love Matters for Justice* (Cambridge, MA: The Belknap Press of Harvard University

Press, 2013); Peter Singer, *The Expanding Circle: Ethics, Evolution, and Moral Progress* (Princeton: Princeton University Press, 2011); Steven Pinker, *Os bons anjos da nossa natureza* (São Paulo: Companhia das Letras, 2013).

7. Ver Haid, op. cit.

8. Sigmund Freud, *O mal-estar na civilização*. São Paulo: Companhia das Letras, 2011.

9. Albert Einstein e Sigmund Freud, *Why War? The Correspondence Between Albert Einstein and Sigmund Freud*. Trad. de Fritz Moellenhoff e Anna Moellenhoff. Chicago: Chicago Institute for Psychoanalysis, 1933.

10. Ver Janet L. Lauritsen, Karen Heimer e James P. Lynch, "Trends in the Gender Gap in Violent Offending: New Evidence from the National Crime Victimization Survey" (*Criminology*, v. 47, n. 2, pp. 361-99, 2009); Richard Wrangham e Dale Peterson, *Demonic Males: Apes and the Origins of Human Violence* (Boston; Nova York: Houghton Mifflin Company, 1996); Sell, Tooby e Cosmides, "Formidability and the Logic of Human Anger", op. cit.

11. Zivin, Hsiang e Neidell, "Temperature and Human Capital in the Short- and Long-Run", op. cit.; Butke e Sheridan, "An Analysis of the Relationship between Weather and Aggressive Crime in Cleveland, Ohio", op. cit.

12. Harari, op. cit.; Bostrom, op. cit.

13. Talcott Parsons, "Evolutionary Universals in Society", op. cit.

14. Ver Thomas Hobbes, *Leviatã ou matéria, forma e poder de um Estado eclesiástico e civil* (São Paulo: Martin Claret, 2014); Jean-Jacques Rousseau, *Discurso sobre a origem e os fundamentos da desigualdade entre os homens* (São Paulo: Martin Claret, 2010).

15. Ver John Gray, *Straw Dogs: Thoughts on Humans and Other Animals* (Nova York: Farrar, Straus and Giroux, 2002); Id., *False Dawn: The Delusions of Global Capitalism* (Londres: Granta, 2009); Id., *The Silence of Animals: On Progress and Other Modern Myths* (Nova York: Farrar, Straus and Giroux, 2013).

16. Max Horkheimer e Theodor Adorno, *Dialética do esclarecimento*. Rio de Janeiro: Zahar, 1985.

17. "Ônus" é um termo especialmente apropriado para boa parte dos efeitos da consciência. Devemos a ideia a George Soros, *The Age of Fallibility: Consequences of the War on Terror* (Nova York: Public Affairs, 2006).

18. Sobre essa questão, ver a valiosa monografia de David Sloan Wilson, *Does Altruism Exist?: Culture, Genes, and the Welfare of Others* (New Haven: Yale University Press, 2015).

19. Verdi compôs *Falstaff* em 1893. Uma década antes, e em lugar não muito distante, Richard Wagner, que nunca fora capaz de separar o amor da

morte, ainda era consumido pelo furor pagão. O mais próximo que chegou de uma versão otimista da condição humana foi na redentora *Parsifal*.

20. Nesse aspecto, a qualificação de empatia por Paul Bloom é relevante. Paul Bloom, *Against Empathy: The Case for Rational Compassion* (Nova York: HarperCollins, 2016).

13. A ESTRANHA ORDEM DAS COISAS [pp. 267-79]

1. D'Arcy W. Thompson, "On Growth and Form". In: _____. *On Growth and Form*. Cambridge: Cambridge University Press, 1942.

2. Ver Howard Gardner, *Truth, Beauty, and Goodness Reframed: Educating for the Virtues in the Twenty-First Century* (Nova York: Basic Books, 2011); Mary Helen Immordino-Yang, *Emotions, Learning and the Brain: Exploring the Educational Implications of Affective Neuroscience* (Nova York: W. W. Norton & Company, 2015); David Sloan Wilson, op. cit.; Mark Johnson, op. cit.

3. Ver Colin Klein e Andrew B. Barron, "Insects Have the Capacity for Subjective Experience" (*Animal Sentience*, p. 100, 2016); Peter Godfrey-Smith, *Other Minds: The Octopus, the Sea, and the Deep Origins of Consciousness* (Nova York: Farrar, Straus and Giroux, 2016). Sobre a questão das habilidades comportamentais e cognitivas de animais não humanos, concordo plenamente com a posição de Frans de Waal, de Jaak Panksepp e de um número crescente de biólogos e cientistas cognitivos. Como já mencionado, a posição excepcional dos humanos não requer a diminuição das habilidades de outros animais. Por outro lado, embora eu admita a presença de comportamento inteligente em abundância em espécies muito antigas, minha hipótese é de que inteligência bem adaptada não significa consciência, uma questão na qual Arthur Reber e eu diferimos. A revista *Animal Sentience*, editada por Steven Harnad, é um fórum novo e excelente para o estudo desses temas.

4. Em um ensaio recente sobre o problema da mente e do corpo, Siri Hustvedt expressa a mesma ideia. Ver Siri Hustvedt, *A Woman Looking at Men Looking at Women: Essays on Art, Sex, and the Mind* (Nova York: Simon & Schuster, 2016).

5. Anil K. Seth. "Interoceptive Inference, Emotion and the Embodied Self". *Trends in Cognitive Sciences*, v. 17, n. 11, pp. 565-73, 2013.

Índice remissivo

2001: uma odisseia no espaço (filme de Kubrick), 237, 239

abstração, 110
A-delta, fibras, 154
Admirável mundo novo (Aldous Huxley), 236
Adolphs, Ralph, 282, 285-6n, 296n, 300n
Adorno, Theodor W., 260, 318n
afetos, 11, 118-37, 191, 196, 253-6, 261; consciência e, 191, 261-2, 312n; contraste entre razão e, 121; em mamíferos, 27; em robótica, 237; mecanismo subcortical de controle do, 131; origem de respostas culturais e, 200-2; posição de Wilson sobre, 313n; produção de sentimentos e, 118-22, 192; serotonina e, 159; sociabilidade e, 135-6, 301n; valência e, 122, 124, 126-7, 297n, 301n; *ver também* sentimentos e emoções
Agostinho, Santo, 288n
agressão *ver* violência e agressão
Aird, W. C., 292n
Alegres comadres de Windsor, As (Shakespeare), 264
alfabetos, 215, 230
algorítmicas, interpretações, 234, 269
Allen, John, 286n
Allen, Woody, 227
alostase, 64
altruísmo, 262, 270
Alzheimer, doença de, 13, 113
amielínicas, fibras nervosas, 139, 155-6
amígdala, 131, 151, 181, 298n
amor, 209
Amusing ourselves to death [Divertindo-nos até a morte] (Postman), 244, 317n
anabolismo, 46
analgesia, 298n

analgésicos, opioides, 140
Anderson, Steven W., 314n
anestesia, 90, 293-4n, 311n
Animal Sentience (periódico), 303n, 310n, 319n
Anjo exterminador, O (Buñuel), 236
Annila, Arto, 289n
anorexia, 315n
Aon, Michel, 65, 291n
apoptose, 47
aprendizado, 41, 77-8, 112, 114, 117, 120, 139, 208, 300n, 304n
Araujo, Helder, 282
área postrema, 149, 153
Arendt, Detlev, 287n, 293n, 302n
Aristóteles, 258, 266
Arnal, Luc H., 300n
artes, 206-13; visuais, 210, 219
associação, córtices de, 105, 110, 181, 297n
Ateliê de Giacometti, O (Jean Genet), 281
Attwell, David, 308n
audição, 38, 92, 96, 109, 154, 295n; córtices iniciais e de associação da, 105-6, 112; imagens auditivas, 108, 174; intensificação protética da, 226; memória e, 112; percepção da, 150; postais sensitivos da, 99
Auerbach, plexo mientérico de, 158
ausência de sentimentos, 120
automutilação, 212, 315n
autopoiese, 52
aversão condicionada a um local, 142, 304n
axônios, 71, 153-6, 158-9; *ver também* neurônios

Baars, Bernard, 310n
bactérias e organismos simples, 49, 67-70, 159; consciência e, 183; homeostase de, 29-31, 34, 46, 66, 80, 193-5; inteligência de, 68; sentir e responder em, 88-90, 92, 140, 294n; sociabilidade de, 68, 193-5, 267-9
Baluška, František, 292-4n, 312n
Barbé, Jordi, 287n, 302n
Barber, Sarah J., 309n
barreira hematoencefálica, 149, 152-4
Barrett, Lisa Feldman, 286n, 297n
Barron, Andrew B., 303n, 305n, 319n
Barsalou, Lawrence, 294n
Baverstock, Keith, 52, 283, 289n, 294n
Beaulieu, Pierre, 301n
Bechara, Antoine, 299n, 306n, 314n
Behbehani, Michael M., 306n
Bennett, David L. H., 302-3n
Berggruen, Nicolas, 283
Bernard, Claude, 63-6, 291n
Berridge, Kent C., 135, 286n, 290n, 298-9n
"Big Data", 73, 239, 276
biologia: do sentimento, 27, 29-33, 42, 139-45; origens biológicas da cultura, 13-6, 191-5, 250-60, 277-8, 313n; *ver também* invenção cultural; sentimentos e emoções
Björnsdotter, Malin, 307n
Bosch, Thomas C. G., 291-2n, 304n
Bostrom, Nick, 235, 316n, 318n
Bouché, Nicolas, 312n
Bourdieu, Pierre, 288n, 314n
Brenner, Eric D., 312n
brincar, 136, 215-6, 300n
Broodbank, Cyprian, 314n
Brook, Peter, 283
Brunet, Thibaut, 287n, 302n
Buda, 203, 266
budismo, 203, 219

Buñuel, Luis, 236
Burkert, Walter, 314n
busca da felicidade, 266
Butke, Paul, 290n, 318n

C, fibras, 139, 154
Cabanac, Michel, 312n
Caetano-Anollés, Gustavo, 289n
Cahn, Rael, 282
Camilleri, Michael, 308n
Campoy, Susana, 287n, 302n
canais iônicos receptores de potencial transitório (TRP), 302n, 304n
Cannon, Walter B., 64-5, 291n
Cardinali, Claudio, 303n
Cardoso, Olivier, 287n, 302n
Carlisle, Michael, 283
Carmena, Jose M., 316n
Carta (Center for Academic Research and Training on Anthropology), 286n
Carvalho, Gil B., 282, 285n, 290n, 299n, 307n, 310n
Castells, Manuel, 249, 282, 317n
Castillo, Camelo, 282
catabolismo, 46
Cech, Thomas R., 289n
cefalópodes, 273
células *ver* vida celular
cerebelo, 77-8
cérebro, 77-9; barreira hematoencefálica do, 149, 152-4; claustro, 310n; consciência e, 179-81, 261-2, 271, 310-1n; hemisférios cerebrais, 113, 181; límbico, 151; parceria corpo-cérebro, 15, 20, 87, 147-8, 150-1, 156, 161, 169, 274; "partes emocionais" convencionais do, 151; região cingulada anterior, 151; reptiliano, 151; "segundo cérebro" (sistema nervoso entérico), 157; *ver também* mente; sistemas nervosos
Chalmers, David J., 186-7, 312n
Changeux, Jean-Pierre, 310n
Charpentier, Emmanuelle, 316n
Chaudhary, Ujwal, 316n
chimpanzés, 27, 95, 254; *ver também* primatas
ciberguerra, 235, 237, 249, 260
Cícero, 22
cidadãos: educação cívica dos, 244-6, 258; participação eleitoral dos, 247; supervisão do governo, 248, 276
ciências, 206, 210
cingulada anterior, região, 151
circulação *ver* sistemas circulatórios
círculos humanos, 43
circunventriculares, órgãos, 149, 153
claustro (área do cérebro), 310n
clínicas, perspectivas, 311n
cnidários, 74, 94, 158, 291-2n
cobiça, 13, 254, 271
códigos de conduta/códigos morais, 39, 204
Cohen, Jonathan D., 314n
coliculares, núcleos, 106
colículos: inferiores, 181; superiores, 99, 105-6, 181
Collinger, Jennifer, 316n
compaixão, 12, 20, 32, 119, 132, 135, 199, 203, 209, 258, 262, 270, 309n
competição, 42-3, 69, 196, 256, 269, 300n; *ver também* cooperação
comportamental, perspectiva, 311n
computação, 229-30, 274, 276; *ver também* inteligência artificial
comunismo, 205-6, 213-4
conatus, 48-9, 53, 55

condição humana, 13, 19, 35, 44, 79, 201, 240, 242, 253, 260-2, 265, 278, 319*n*

Confúcio, 266

confucionismo, 219

consciência, 108, 142, 144, 146, 167-88, 191, 215; afeto e, 191, 261-2, 312*n*; cérebro e, 179-81, 261-2, 271, 310-1*n*; controle do autointeresse e, 262-6; evolução da, 182-7, 273, 312*n*, 319*n*; experiência integrada na, 168, 179-81, 271-2; experiência mental e, 239; fantasma do corpo e, 171, 175-6, 239, 272; homeostase consciente, 62, 80; invenção cultural e, 184-7; mente cultural e, 220; observação subjetiva da, 168-73, 310*n*; observações comportamentais da, 311*n*; regiões cerebrais associadas à, 179-81, 310*n*; sentimentos e, 172, 177-8, 184-7; subjetividade da, 168-9, 172-4, 176-9, 184-6, 271-2, 309-10*n*; trilhas verbais e narração da, 170, 172, 185; *ver também* mente; sentimentos e emoções; subjetividade

construção de sentimentos, 138-66, 272; consciência e, 172, 177-8, 184-7; continuidade de corpos e sistemas nervosos na, 146-50, 162, 275-6, 305*n*; cooperação e interação de componentes neurais e não neurais de organismos *ver* capítulos 4, 7-8, 11, 13, 138; evolução de mentes e, 142-5; fibras nervosas amielínicas na, 154-5, 159, 307*n*; homeostase e, 139-42, 162-3, 303*n*; localização e, 159-61; sistema nervoso entérico e, 151-3, 156, 158-9; transformação de sentimentos passados e, 164-5; *ver também* sentimentos e emoções

contagem de histórias/narrativas, 109-10, 115, 185, 209, 215, 296*n*

contato, sentidos de, 150

continuidade de estruturas corporais e estruturas nervosas, 146-50, 305*n*

cooperação, 31, 38, 42, 69, 76, 82, 90, 92, 139-40, 180, 196, 216, 243, 256, 258, 269-70; cooperatividade, 216

Coriolano (Shakespeare), 264

córtices cerebrais, 77-8, 80-1, 95, 105-6, 131, 147, 151-2, 154, 160-2, 175, 180, 182, 271-2, 275; cingulados, 105, 161, 181; insulares, 105, 161, 181; posteromediais, 181; regiões corticais mediais, 181

corticotrofina, hormônio liberador de (CRH), 298*n*

cortisol, 123

Cosmides, Leda, 313*n*, 318*n*

Craig, Arthur D., 285-6*n*, 306*n*, 310*n*, 312*n*

Crick, Francis, 49-50, 53, 289*n*, 310*n*

CRISPR-CAS9 (técnica de modificação de genoma), 224

Critchley, Hugo, D., 306*n*

"cultura", definições de, 22; *ver também* invenção cultural; mente cultural

Damásio, António, 285*n*, 288*n*, 295-6*n*, 299*n*, 306*n*, 310*n*, 312*n*

Damásio, Hanna, 283-5, 293*n*, 310*n*

dança, 209, 216, 219

Darwin, Charles, 27, 191, 286*n*, 312*n*

darwinismo social, 192

Davidson, Richard J., 306*n*, 317*n*

Dawkins, Richard, 51, 289*n*

Day, Trevor A., 291*n*
De Waal, Frans, 319*n*
Declaração Universal dos Direitos Humanos, 250
default mode network ["rede em modo padrão"], 110, 295*n*, 297*n*
Dehaene, Stanislas, 310*n*
Dehghani, Morteza, 282, 296*n*
Dennett, Daniel, 310*n*
Depoortere, Inge, 295*n*
depressão, 126, 288*n*; *ver também* tristeza
Derting, Terry L., 298*n*
Descartes, René, 274
Devor, Marshall, 307-8*n*
Dhabhar, Firdaus S., 298*n*
Diener, Edward, 317*n*
Diggle, Stephen P., 286*n*
dinorfina, 138, 298*n*
direitos humanos, 249-50
distúrbios digestivos, 159
diversidade humana, 252
DNA, 49-50, 52; *ver também* genes/genética
doenças hereditárias, 224
Doe-Young Kim, 308*n*
Dolan, Raymond J., 306*n*
Domingos, Pedro, 316*n*
Donald, Merlin, 286*n*
dopamina, 65, 123
dor, 12, 19, 139-41, 160-1, 211, 303*n*; códigos morais e, 233; eliminação da, 228-30; explicações da, 218-9, 260; manejo pela medicina, 240-1
Doudna, Jennifer A., 316*n*
Dreborg, Susanne, 301*n*
drogas, dependência de, 240-1, 298*n*, 315*n*
dualidade, 148, 274, 305*n*

Dum, Richard P., 306*n*
Dunbar, Robin I. M., 316*n*
Durkheim, Émile, 191, 205, 313-4*n*
Duve, Christian de, 50, 52, 288*n*
Dvorak, A. M., 292*n*
Dyson, Freeman, 46, 52, 283, 288*n*

Edelman, Gerald, 294*n*
Edgecombe, Gregory D., 292*n*
Édipo (personagem mitológica), 264
educação, 134, 249, 253, 255-8, 270
efapse, 156, 293*n*
efeito "pico-fim", 165
Einstein, Albert, 253, 318*n*
Eisenhauer, Nico, 287*n*
eixo hipotálamo-hipófise, 138, 298*n*
Éluard, Paul, 49, 288*n*
emoções *ver* respostas emotivas; sentimentos e emoções
empatia, 12, 203, 237, 258, 319*n*
endócrinas, glândulas, 64, 129; *ver também* sistema endócrino
endorfina, 298*n*
Epicuro, 258, 266, 317*n*
equilíbrio, 63, 295*n*
Erill, Ivan, 287*n*, 302*n*
Erland, Lauren A. E., 312*n*
Erro de Descartes, O (António Damásio), 285*n*, 297*n*
escravidão, 258
escrita, sistemas de, 22, 215
Espinosa, Baruch, 48, 53, 274, 288*n*, 305*n*
esponjas, 74-5, 94, 273
esportes, 114, 201
estados mentais *ver* sentimentos e emoções
estresse, 114, 130, 138, 200, 211-2, 298*n*, 309*n*

estrutura musculoesquelética, 103, 161, 171, 175, 177, 181; *ver também* mundo interno novo
Ética (Espinosa), 48
eucariotas, 40, 56, 69, 144, 268
eugenia, 192
evolução da vida, 15, 67-83, 276-8, 291*n*; bactérias na, 67-70; consciência na, 182-7, 273, 319*n*; imperativo homeostático da, 55, 63-4, 66, 69, 87, 187, 268-72; material genético na, 12, 15, 36, 40-1; origem de mentes na, 87-100, 193-8; origens da vida e, 45-56; regulação metabólica e replicação na, 54; sistemas digestivos na, 158-9; sistemas imunes na, 144; sistemas nervosos na, 69-80, 87, 142-5, 273; sociabilidade e cooperação na, 267-270
evolução do sentimento, 14-6, 19-43, 139-50; bactérias e, 28-31, 34; genes e, 40; imperativo homeostático na, 187, 268-72; insetos e, 32-3; primeiros organismos e, 40-2, 140, 143-5, 193-5, 302*n*; sistemas nervosos na, 38, 273-4; *ver também* construção de sentimentos; invenção cultural; homeostase; sentimentos e emoções
evolução humana, 11-3, 19-43, 276, 277-8, 286*n*; cooperação e altruísmo na, 258-9, 268-70; da consciência, 182-7; genes e, 39-40, 55; homeostase na, 36-7, 40-2, 46-8; manipulação genética e, 224; mente cultural na, 193-6, 250-60; origem de mentes na, 87-100, 193-8;
origens da vida e, 45-56; sistemas nervosos e, 38
expansão e enriquecimento de mentes, 101-17; *ver também* mente
extrínsecos, neurônios, 157

fagocitose, 140
Fairness Doctrine [Doutrina da Imparcialidade], revogação da (EUA, 1987), 244
Falstaff (ópera de Verdi), 265, 318*n*
Falstaff (personagem de Shakespeare), 264-5
fantasma do corpo, perspectiva do, 171, 175-6, 239, 272; *ver também* homeostase; valência
Farah, Martha J., 295*n*
Farina, Simona, 302-3*n*
fascismo, 214; *ver também* nazismo
Faulkner, William, 49, 288*n*
felicidade, 243-4, 266, 317*n*
Fermi, Enrico, 50
Ferry, Luc, 316*n*
Feynman, Richard, 287*n*
fibras A-delta, 154
fibras C, 139, 154
ficção científica, 227, 237
Fields, Bert, 282
Fields, R. Douglas, 308*n*
filogenia, 302*n*
filosofia/investigação filosófica, 206, 210
Finkel, Steven E., 30, 282, 287*n*
fisiologia dos sentimentos, 145, 147-50, 161-2; *ver também* parceria corpo-cérebro; construção de sentimentos; evolução de sentimentos; sentimentos e emoções
Fitzgerald, F. Scott, 44, 288*n*

Flajnik, Martin F., 292n, 305n
Flinker, Adeen, 300n
fogo, domínio do, 220-2
Foley, Robert A., 290n
formação de imagens *ver* mapeamento e formação de imagens
Foster, Jane A., 308n
Foucault, Michel, 282, 288n, 314n
Fox, Glenn R., 300n, 309n
Frank, Dan, 283
Franklin, Rosalind, 49
Freud, Sigmund, 32, 191, 253-5, 313n
Fricchione, Gregory L., 301n
Fromm, Hillel, 312n

gainers [ganhadores] (comunidades on-line), 315n
gânglios da raiz dorsal, 153, 160
Gang Wu, 307n
Gánti, Tibor, 50-1, 289n
Gardner, Howard, 283, 319n
Gautama, 203, 266
Gazzaniga, Michael S., 312n
genes/genética: homeostase e, 55, 269; manipulações de genoma, 224; metabolismo e, 51; origens dos, 49-51; transmissão de cultura e, 217
Genet, Jean, 281
geniculados, núcleos, 99, 106
Geschwind, Norman, 274
Gibson, Daniel G., 290n
Gimbel, Sarah I., 296n, 317n
glândulas: endócrinas, 64, 129
glóbulos brancos, 140
Godfrey-Smith, Peter, 319n
Gordon, Andrew S., 297n
governos: educação cívica dos cidadãos, 244-6, 258; supervisão de, 248, 276

Gowlett, John A. J., 220, 316n
Grabowski, Thomas J., 296n, 299n, 306n
Graff Zivin, Joshua S., 290n
Graham, Jorie, 283, 288n
gramáticas, 215
grandes primatas, 26, 201
gratidão, 200, 258, 262, 270, 308-9n
Gray, John, 260, 318n
Greene, Joshua D., 204, 314n
Greuter, Cyril C., 300n
guerras, 201, 204-5; Guerra Fria, 242, 249; Primeira Guerra Mundial, 253; Segunda Guerra Mundial, 242, 250
Guggenheim, Barbara, 282
Guyot, Gary W., 301n

Haari, Rita, 126-7, 297n
Habibi, Assal, 282, 314-5n
Haidt, Jonathan, 204, 253, 314n
Hal (robô), 237, 239
Haldane, J. B. S., 52
Hamlet (Shakespeare), 264
Harari, Yuval Noah, 235-6, 316n, 318n
Harnad, Steven, 319n
Harris, Julia J., 308n
Harris, Sam, 317n
Hashiguchi, Yasuko, 305n
Hauser, M., 314n
He-Bin Tang, 307n
Heimer, Karen, 318n
Hejnol, Andreas, 293n
Henning, Max, 282, 300n, 309n, 315n
Hénon, Sylvie, 287n, 302n
Henrique IV (Shakespeare), 264
hereditariedade, 53; doenças hereditárias, 224
"heterostase", 64

hibridação humano-máquina, 227
hidras, 74-5, 94, 143, 273
Higgs, Paul G., 289n
hipocampo, 78, 113-4, 296n
hipófise, 138, 298n
hipotálamo, 64, 77-8, 130, 138, 181, 275, 298n
Hitchcock, Alfred, 236, 299n
Hobbes, Thomas, 259, 318n
"homeodinâmica", 65
homeostase, 14-6, 34, 36-7, 40-2, 57-66, 97-8; agrupamentos humanos e, 43; automática, 59, 62; códigos de conduta e, 39; consciente, 62, 80; construção de sentimentos e, 139-42, 162-3, 303n; correção homeostática, 211; definições de, 35, 47, 57-8; desenvolvimento tecnológico e, 59-60; em bactérias e organismos simples, 29-31, 34, 46, 66, 80, 193-5; em células, 29-32, 34, 46-8, 143, 193-5; em plantas e animais, 62-6; evolução de espécies e, 36, 39-40, 62-4, 66; fibras nervosas amielínicas na, 154-5, 159, 307n; genes/genética e, 55, 269; imortalidade, 228-9; imperativo homeostático, 35, 39, 52, 55-6, 69, 83, 87, 142, 180, 187, 193, 214, 226, 232, 269; invenção da cultura e, 34, 36-7, 40-2, 59, 80-3, 185-7, 192-202, 251-60; mediada pelo sistema nervoso, 70-83, 144; medicina e, 224-8; processos regulatórios complexos da, 41, 58-60, 70, 82-3, 196-8; reprodução e, 194; "segundo cérebro" e, 157; tipos de, 60-2; *ver também* construção de sentimentos; respostas emotivas; sentimentos e emoções

Homero, 205
Horkheimer, Max, 260, 318n
hormônio liberador de corticotrofina (CRH), 298n
Hubel, David, 294n
Hudspeth, A. J., 292n, 295n
Hughes, David T., 287n
humanismo, 236
Hume, David, 314n
humoral, sinalização, 152
Hurley, Alexis, 283
Hustvedt, Siri, 319n
Huxley, Aldous, 236
Huynh, Jean-Baptiste, 281

Icard-Arcizet, Delphine, 287n, 302n
Iluminismo, 211, 260
imagens, formação de *ver* mapeamento e formação de imagens
imaginação, 30, 81, 91, 108, 115, 117, 129, 136, 139, 144, 185, 188, 191, 199, 215-6, 218, 229, 277-8
Immordino-Yang, Mary Helen, 282, 296n, 298-9n, 319n
imortalidade, 227-9, 235, 240-1
impulsos, 31, 41, 77-8, 102, 119, 128, 131-2, 135, 152, 156, 196, 234, 253, 255, 285n, 301n
imunidade *ver* sistemas imunes
inflamação/resposta inflamatória, 140, 200, 302n
informações sensoriais, 114; dor e, 139-41, 160, 303n; em bactérias e organismos simples, 88-90, 92, 140, 294n; formação de imagens e, 173-4, 176-7, 180; integração de, 104-8, 110, 179-81, 183-4; intensificação tecnológica de, 226; mecanismo de controle subcortical de, 131, 133-4;

memória e, 112-7; narcodependência e, 240; percepção de, 150; respostas emotivas e, 103-4, 118-9, 128; sistema nervoso periférico e, 151-3, 159-61, 275; sistema somatossensorial e, 175; *telessentidos*, 150
insetos: comportamentos culturais complexos em, 195; habilidades de mapeamento de, 95; sentimento e consciência de, 145-6; sociabilidade entre, 32-3, 267
intelecto, 12-4, 23-5; evolução do, 41-2; intelectualização de sentimentos, 122, 137, 297n; invenção cultural e, 266; *versus* sentimentos, 23, 24, 25; *ver também* mente
inteligência artificial, 226, 229-30, 265, 274
inteligência criativa, 14, 24, 27, 32, 51, 88, 185, 188, 191, 194, 199, 215, 217, 234
interocepção, 72, 154
intestino *ver* trato gastrointestinal
Intriga internacional (filme de Hitchcock), 236
intrínsecos, neurônios, 157
intuição, 239
invenção cultural, 12-6, 24, 87-8, 184, 195, 277; altruísmo e, 30, 32, 262, 270; base biológica da, 13-6, 191-5, 277-8, 313n; códigos de conduta e, 39; consciência e, 184-7; contexto específico do organismo da, 185; evolução de sentimentos na, 19-43; homeostase consciente e, 62, 80; motivação da, 23-5; sociabilidade e, 135-6, 193-5, 219, 300n; surgimento de sistemas nervosos na, 80-3
Isay, Jane, 283

James, William, 312-3n
Jessell, Thomas M., 292n, 295n
Johnson, Mark, 204, 282, 314n, 319n
Jousset, Alexandre, 287n
Joyce, Gerald F., 289n
judaísmo, 219
Jung, Carl, 32

Kahneman, Daniel, 165, 309n, 317n
Kandel, Eric, 292-3n, 295n, 299n
Kanwisher, Nancy, 294n
Kaplan, Jonas T., 282, 295-6n, 300n, 309n, 317n
Kasahara, Masanori, 292n, 305n
Kauffman, Stuart, 52, 289n
Kearns, Daniel B., 287n, 302n
Keller, Laurent, 287n
Kiernan, J. A., 307n
Kirschner, Sebastian, 315n
Klein, Colin, 303n, 305n, 319n
Klop, Esther-Marije, 306n
Koch, Christof, 310n
Kosslyn, Stephen M., 294n
Kotas, Maya E., 290n
Kram, Karin E., 287n
Kringelbach, Morten L., 286n, 290n, 298-9n
Kubrick, Stanley, 237
Kuhl, Patricia, 296n
Kurzweil, Ray, 316n

La Russa, Federica, 302-3n
Land, Benjamin B., 299n
Lauritsen, Janet L., 318n
Le Doux, Joseph, 285n, 299n
Le Pera, Domenica, 302-3n
Le Roith, Derek, 292n
Leakey, Richard, 286n
Leçons sur les phénomènes de la vie

communs aux animaux et aux végétaux [Lições sobre os fenômenos da vida comuns a animais e plantas] (Claude Bernard), 65
Legg, David A., 292n
Lehman, Niles, 289n
Leigh, Janet, 299n
leucócitos, 140
Levant, Oscar, 101, 296n
Levi, Margaret, 283
Levin, Michael, 293n
Levinthal, David J., 306n
Lévi-Strauss, Claude, 314n
Lewis, Jason E., 315n
Lewontin, Richard C., 313n
límbico, cérebro, 151
linguagem, 12-3, 24, 191, 194, 215, 218; evolução da, 41-2, 78, 94; formação de sentido, 107, 111, 277, 296n
Livro do desassossego (Fernando Pessoa), 101
Lloyd, David, 65, 291n
lobo frontal, setor ventromedial do, 151
Louveau, Antoine, 306n
Loy, David, 305n
lucro, 270
Luisi, P. L., 52
Lynch, James P., 318n

Macbeth (Shakespeare), 264-5
Machelska, Halina, 302n
Macho, Alberto P., 305n
Mahabharata , 205
Mal-estar na civilização, O (Sigmund Freud), 253
Malthus, Thomas, 192
mamíferos: afetos em, 27; estados de sentimentos em camadas de, 137;

grooming (limpeza mútua do pelo), 211; impulsos e motivações de, 135, 300-1n; mentes mapeadoras de, 95; resposta emotiva de, 131; sistemas nervosos entéricos de, 158; sociabilidade de, 300n
Man, Kingson, 282, 295n, 305n
Mancuso, Stefano, 292n, 294n, 312n
maníacos, estados, 126
mapeamento e formação de imagens, 76-8, 92-100, 118, 143-4, 191, 277-8; consciência e, 107, 174, 176-8, 180-1; contextos específicos do organismo na, 185; de estados internos, 92-3, 97-100, 102-4, 107; de mundos externos, 92-3, 96, 103-6, 150, 181, 214; expansão de mentes e, 101-17, 194; formação de significado e pensamento simbólico no, 107, 277; homeostase e, 97; integração de experiência no, 178-81; integração sensorial no, 104-10; memória e, 88, 108, 110-5, 214-5; narrativa e contagem de história no, 109, 115, 185; produção de sentimentos e, 119-23, 144-5; subjetividade e, 173-4, 176-8, 309-10n
Margalit, Avishai, 297n, 317n
Margulis, Lynn, 69, 291n
Marx, Karl, 205, 314n
masoquismo, 126, 315n
Materne, Eva, 287n
Mather, Mara, 309n
Maturana, Humberto R., 52, 290n
Maupertuis, Pierre Louis Moreau de, 47-8, 287-8n
Mayer, Emeran, 308n
McComb, Karen, 300n
McCulloch, Warren S., 274, 293n

McDermott, Rose, 283
McEwen, Bruce S., 291n, 298n
McFall-Ngai, Margaret J., 68, 291n
McKenna, Charles, 282
McKenzie, Ian A., 307-8n
McKinley, Michael J., 307n
McMahon, Stephen B., 302-3n
medicina, 12-3, 223-7; ferramentas tradicionais e tecnologia da, 224; inteligência artificial e diagnósticos em, 226; manejo da dor em, 240-1; manipulação genética em, 224; robótica em, 226
meditação, 178
medula espinhal, 74, 77, 97, 153, 157, 160, 275
Medzhitov, Ruslan, 290n
memória, 77-8, 87-8, 191, 194, 277, 297n; de atividades relacionadas a movimento, 114; formação de imagens e, 88, 108, 110-5, 214-5; hipocampo e, 113; imaginação e, 115, 215, 277; memória de longo prazo, 113; predição do futuro e, 116, 166; raciocínio e, 114, 215; resposta emotiva e, 133; transformação de sentimentos recordados na, 164-5
mente, 38-9; afetos e, 118-37, 191; consciência e subjetividade da, 167-87, 191, 265-6, 271-2; expansão e enriquecimento da, 101-17; homeostase consciente e, 62, 80; imaginação, 30, 81, 91, 108, 115, 117, 129, 136, 139, 144, 185, 188, 191, 199, 215-6, 218, 229, 277-8; inteligência criativa, 14, 24, 27, 32, 51, 88, 185, 188, 191, 194, 199, 215, 217, 234; ponto de perspectiva da, 188; portais e mecanismos sensoriais da, 96-106; raciocínio, 114-5, 117, 121, 153-4, 185-6, 188, 191, 194-5, 202-3, 206, 214-5, 253, 256-7, 297n, 309n; surgimento da, 87-100, 143-4; *ver também* intelecto; invenção cultural; mente cultural; sentimentos e emoções; sistemas nervosos

mente cultural, 191-222, 250-60; artes, ciências e filosofia da, 206-11; brincar e, 215-6; consciência e, 220; contradições da, 212-3; cooperatividade e, 216; cultura (definições), 22; domínio do fogo e, 220-2; efeitos homeostáticos negativos da, 205-6, 212-3, 217, 315n; efeitos homeostáticos positivos da, 203-11, 217; evolução da, 193-6; inteligência criativa da, 88, 115, 117, 191, 194, 197-8, 200-2, 215-9; interface sentimento-razão da, 198-202; invenções e avanços da, 217-9; monitoração e avaliação na, 23-4, 37-42; movimento e, 216; negociação e regulação na, 197-8, 214-9; religião, códigos morais e governança, 203-6, 212-3, 233
metabolismo, 42, 46, 50-4, 64-5, 72, 94, 97, 126, 129, 149, 270; interocepção química no, 72; "metabolismo primeiro", 50, 52; papel de genes no, 51; *ver também* homeostase
metazoários, 69
Meyer, Kaspar, 295n, 312n
Meyer, Richard A., 307-8n
mídia digital, 198, 249
mídia noticiosa, 244-50
mielina, 154-5, 158
Miller, Bennett, 283

Miller, Gregory E., 298n
Miller, Stanley L., 51, 289n
Miselis, Richard R., 307n
Mithen, Steven, 286n
Mix, Lucas John, 290n
Moisés, 266
Monahan-Earley, R., 292n
Monod, Jacques, 50
Monterosso, John, 282
Morrison, I., 307n
morte, 227-9; "pulsão de morte", 253-4
Moser, E., 296n
Moser, M. H., 296n
Mots et les choses, Les [As palavras e as coisas] (Michel Foucault), 282
movimento, 216
mucosas, 96, 99, 102, 123, 159
mundo externo, 89, 93, 95-8, 100, 103-5, 121, 128, 154, 171, 183, 185, 214; *ver também* informações sensoriais
mundo interno, 41, 89, 92, 95, 97-8, 100, 102-4, 123, 143, 171; antigo, 95, 97-8, 100, 103; antigo, 171; novo, 100, 171; *ver também* estrutura musculoesquelética
músculos, 65, 71, 73, 93, 97-9, 123, 129, 149, 307n; estrutura musculoesquelética, 103, 161, 171, 175, 177, 181
música, 207-8, 213, 219

Nakamura, Denise, 283
"não dualidade", 305n
narcodependência, 13, 240-1, 298n, 315n
narrativas, construção de *ver* contagem de histórias/narrativas
náusea, 159
Naviaux, Robert K., 287n, 302n

nazismo, 192, 253; *ver também* fascismo
Nealson, Kenneth H., 286n
nervo vago, 156-7, 159
neurociência, 147, 230, 293n, 296n
neurogênese, 114
neurônios, 65, 68, 71, 74-5, 79-81, 91, 106, 114, 130, 143, 152-60, 292-3n, 302n, 307n; do tipo c, 139, 154, 307n; extrínsecos, 157; intrínsecos, 157; pseudounipolares, 160; *ver também* cérebro; sistemas nervosos
neurotransmissores, 71, 159, 307n
Nicolelis, Miguel A., 316n
Nietzsche, Friedrich, 93
nociceptores, 302n
nódulos de Ranvier, 155
noradrenalina, 65
núcleo parabraquial, 152
núcleos coliculares, 106
núcleos da base, 77-8, 114
núcleos geniculados, 99, 106
núcleos talâmicos, 181
nucleus accumbens, 131
Nummenmaa, Lauri, 297n
Nunez, Cinthya, 283
Nussbaum, Martha C., 204, 250, 314n, 317n

O que é vida? (Erwin Schrödinger), 16, 53
O'Keefe, J., 296n
O'Neill, Onora, 317n
obesidade mórbida, 212, 315n
Öhman, Arne, 306n
Olausson, Håkan, 307n
olfato, 38, 77, 91, 95-6, 108, 136, 150; córtices iniciais de associação do, 105-6; formação de imagens e, 218; portal sensitivo do, 174

olhos, 66, 89, 99, 124, 132, 174-5, 225, 259, 311n; *ver também* visão
opioides: analgésicos, 140; endógenos, 123, 200; receptores delta, 301n; receptores kappa (KOR), 298n, 301n; receptores mu (MOR), 298n, 301n; receptores opioides, 140, 240, 301n
orangotangos, 27
Ordem das coisas, A (Michel Foucault), 282
ordem de surgimento de estruturas e faculdades em organismos vivos, 14, 267-79
orelhas, 89, 99, 174; *ver também* audição
organelas, 69, 143, 268
organismos multicelulares, 40-1, 52-3, 56, 58, 65, 69-70, 73, 79, 94, 158
organismos unicelulares, 28, 56, 71, 112, 135, 195, 267, 272-3, 292-3n, 300n, 302n, 304n, 312n; *ver também* bactérias e organismos simples
órgãos circunventriculares, 149, 153
Orgel, Leslie, 50
origens da cultura *ver* invenção cultural
origens da vida, 45-56; *ver também* evolução da vida
origens de sentimentos *ver* construção de sentimentos; evolução do sentimento
Orwell, George, 247
Otelo (Shakespeare), 264-5
oxitocina, 123

paladar, 38, 77, 91, 96, 136, 150; córtices iniciais de associação do, 105-6; formação de imagens e, 174; portal sensitivo do, 174
Panksepp, Jaak, 135, 216, 285n, 299n, 301n, 312n, 315n, 319n

parabraquial, núcleo, 152
parceria corpo-cérebro, 15, 20, 87, 147-8, 150-1, 156, 161, 169, 274
Park, Euni, 291n
Parsons, Talcott, 36, 193, 288n, 313n, 318n
Parvizi, Josef, 299n, 306n, 312n
Pascal, Robert, 289n
Patapoutian, Ardem, 303n
percepção, 150; *ver também* informações sensoriais
peristalse, 143
Persat, Alexandre, 287n
Pessoa, Fernando, 101
Peterson, Dale, 318n
Picasso, Pablo, 281
Pinker, Steven, 250, 318n
pintura, 16, 186, 207, 210
Pitts, Walter, 293n
plantas, 146, 183
Platão, 258, 266
plexo mientérico de Auerbach, 158
Poeppel, David, 300n
Pollan, Michael, 290n
polvos, 272
ponto de perspectiva, 179-80, 312n
Porges, Stephen W., 286n, 301n
portais sensitivos, 98, 100, 103, 148, 171, 175, 177, 181
"pós-humanismo", 235
posteromediais, córtices, 181
Postman, Neil, 244, 317n
prazer, 12, 19-20, 228-9, 233, 260; interpretações humanistas sobre o, 236
pressão arterial, 57, 73
Pressman, Abe, 289n
primatas, 27, 75, 254, 300n, 306n; grandes primatas, 26, 201

Primeira Guerra Mundial, 253
princípio da mínima ação, 47-8
procariotas, 40, 66, 69
proencefalina, 140
prosencéfalo basal, 77, 131, 181, 295n, 299n
próteses, 226-7
Proust, Marcel, 137
pseudounipolares, neurônios, 160
psicologia evolucionária, 192
Pufendorf, Samuel von, 202, 313n
"pulsão de morte", 253-4

qualia, 119, 128, 171, 173, 271-2
quorum sensing [percepção de quórum], 28

raciocínio, 114-5, 117, 121, 153-4, 185-6, 188, 191, 194-5, 202-3, 206, 214-5, 253, 256-7, 297n, 309n
Raichle, Marcus, 297n
Rainey, Katrina, 286n
Rainey, Paul B., 286n
raiva, 16, 20, 25, 32, 119, 130, 135, 202, 203, 204, 242, 247, 248, 254, 255
Ranvier, nódulos de, 155
Reber, Arthur S., 312n, 319n
receptores de opioides, 140, 240, 301n; delta, 301n; kappa, 298n, 301n; mu, 298n, 301n
receptores do tipo *toll-like* (TLR), 302n
"rede em modo padrão" (*default mode network*), 110, 295n, 297n
redes sociais, 247, 276
região cingulada anterior, 151
regiões corticais mediais, 181
regulação da vida, 58-9, 65, 82, 100, 125, 127, 143, 145, 163, 193, 197, 217, 252, 260-1, 273; *ver também* homeostase
Rei Lear (Shakespeare), 264
religião, 202-6, 212, 219
Rentzsch, Fabian, 293n
"replicador primeiro", 50-1
reprodução, 53, 195
reptiliano, cérebro, 151
respostas emotivas, 118-9, 128, 130-4, 136, 152, 165, 171, 178, 196, 272; *ver também* sentimentos e emoções
retina, 95, 99, 152, 175; implantes de retina artificial, 227; *ver também* visão
retroativação, 113
Richert, Alain, 287n, 302n
RNA, 49, 51
robótica, 226, 230, 235-40, 257, 260
Rousseau, Jean-Jacques, 259, 313n, 318n
Ruiz-Mirazo, Kepa, 289n
Russell, Bertrand, 317n

Sachs, Matthew, 282, 315n
Sallee, Betsy, 283
Salzet, Beatrice, 301n
Salzet, Michel, 302n
Sampson, Timothy R., 308n
Santoni, Giorgio, 303n
Scheu, Stefan, 287n
Schrödinger, Erwin, 16, 53-4, 290n
Schwann, células de, 155
Schwartz, Andrew B., 316n
Schwartz, James H., 292n
Schwarz, Norbert, 317n
Segerstrom, Suzanne C., 298n
Segunda Guerra Mundial, 242, 250
"segundo cérebro" (sistema nervoso entérico), 157

seleção natural, 12, 15, 32, 36, 40-3, 54-6, 87, 134, 155, 185, 194, 212, 261; *ver também* evolução da vida
Sell, Aaron, 313*n*
Semple, Stuart, 300*n*
Sen, Amartya, 317*n*
sentimentos e emoções, 11-6, 141; altruísmo, 30, 32, 262, 270; ausência de, 120; como fenômenos distintos, 119; consciência e, 172, 177-8, 184-7; conteúdos de, 122-3; definições de, 121, 124-5, 184, 297*n*; em camadas, 137; em robôs, 236-9; fisiologia de, 146-50; intelectualização de, 122, 137, 297*n*; inteligência criativa e, 88; localização de, 159-61; negociação e regulação por, 23, 40-2, 45, 197-8, 214-9; parceria corpo-cérebro, 15, 20, 87, 147-8, 150-1, 156, 161, 169, 274; precursores de, 80; realizações de, 19-20; recordação do passado e, 164-5; "sentimentaria", 177, 179, 187; sentimentos espontâneos, 118, 127, 129-30, 178; sentimentos positivos, 35, 139, 208, 300*n*; sentimentos provocados, 119, 199; sistema nervoso entérico e, 156-60; sistemas nervosos e, 38, 56, 69-80, 155-6, 158-9; sociabilidade de, 135-6, 193-5, 219, 300*n*; tipos de, 127-9; valência e, 122, 124, 126-7, 142, 145, 150, 184, 297*n*, 301*n*; *versus* intelecto, 23-5; *ver também* afetos; construção de sentimentos; evolução do sentimento; invenção cultural; homeostase; respostas emotivas
sentimentos negativos, 37, 217, 288*n*, 299*n*; depressão, 16, 126, 288*n*; estresse crônico, 138, 298*n*; "pulsão de morte" freudiana e, 253-4; raiva, 16, 20, 25, 32, 119, 130, 135, 202-4, 242, 247-8, 254-5; tristeza, 20, 119, 132, 135, 138, 164, 199-200, 217, 254, 288*n*, 308*n*
serotonina, 65, 123, 159
Seth, Anil K., 293*n*, 319*n*
setor ventromedial do lobo frontal, 151
Shackman, Alexander J., 306*n*
Shakespeare, William, 205, 264-5
Shannon, Claude, 274
Shapiro, Robert, E., 307*n*
Shenoy, Krishna V., 316*n*
Sheridan, Scott C., 290*n*, 318*n*
Shuyler, Brianna, S., 317*n*
Simão, Talita Prado, 315*n*
Simmons, W. Kyle, 294*n*
sinalização humoral, 152
sinalização visceral, 64, 72, 123, 148; de dor, 139; imagens conscientes de, 171; mapeamento e formação de imagens na, 92, 97-8, 99-100, 103-4; métodos de sinalização na, 103-4, 153; resposta emotiva e, 130; sistema nervoso entérico e, 75, 156, 158-9
sinapses, 71, 79, 156, 293*n*
Singer, Peter, 250, 318*n*
Sísifo (personagem mitológica), 257
sistema endócrino, 64, 70, 90, 94, 129, 139, 144, 194, 291-2*n*
sistema somatossensorial, 175
sistema vestibular, 96, 295*n*
sistemas circulatórios, 70, 144, 252, 291-2*n*
sistemas imunes, 70, 90, 139, 144, 275, 291-2*n*, 298*n*, 302*n*, 305*n*; adaptativos, 144, 292*n*; inatos, 144

sistemas nervosos, 38, 56, 69-80; comunicação atípica e, 79, 103, 153; dor e, 139-42, 160, 303*n*; estruturas periféricas de, 71, 77, 80, 151-2, 275; evolução, 69-80, 87, 142-5, 273; fontes de sinais em, 92-104, 296*n*; integração de imagens em, 104-10, 179-81; localização de sentimentos em, 159-61; mediação da homeostase por, 80-3, 144; origem de mentes e, 87-100, 144, 194-8; portais e mecanismos sensoriais de, 96-106; processadores centrais agregados de, 77; redes nervosas, 74-6, 143, 158, 303*n*; sentimentos e emoções e, 38, 56, 69-80, 155-6, 158-9; sinalização bioelétrica em, 71; sinalização humoral em, 152; sistema nervoso central, 95, 97, 103-6, 129, 153, 157-8, 271, 275, 296*n*; sistema nervoso entérico, 75, 156-9; sistema nervoso periférico, 106, 147, 151, 159, 275, 307*n*; sistemas interoceptivos (não sinápticos) de, 154; *ver também* cérebro; córtices cerebrais; mente; neurônios

Smirnov, Igor, 306*n*
Smith, John Maynard, 289*n*
Snow, C. P., 313*n*
sociabilidade, 12-4, 24-5, 33, 70, 135, 200, 205, 207, 301*n*; de bactérias e organismos multicelulares, 68, 193-5, 267-9; de impulsos, motivações e emoções, 135, 136, 300*n*; de insetos, 32-3, 267
sociobiologia, 192, 313*n*
Sokabe, Takaaki, 303*n*
Soll, Jacob, 282
Solms, Mark, 286*n*

somatossensorial, sistema, 175
Soros, George, 318*n*
Sousa, Maria de, 283
Spencer, Herbert, 192
Sperandio, Vanessa, 287*n*, 292*n*
Spitzer, Jan, 289*n*
Stefano, George B., 301*n*
Stein, Christoph, 302*n*
Strick, Peter L., 306*n*
subcorticais, regiões/estruturas, 131, 300*n*
subjetividade, 61, 77, 88, 100, 109, 142, 215, 309-10*n*; como condição natural da homeostase, 251-2; consciência e, 168, 172, 186, 262, 271; dualidade da, 148, 305*n*; formação de imagens e, 173-4, 176-7, 194; invenção cultural e, 184; "sentimentaria" e, 177; *ver também* mente; sentimentos e emoções
substância cinzenta periaquedutal, 130
Surette, Michael G., 287*n*
Swanson, Larry W., 293*n*
Szathmáry, Eörs, 289*n*
Szilard, Leo, 50

tálamo, 77, 160
tato, 38, 75, 77, 91-2, 96, 107, 109, 150, 152, 154; córtices iniciais e de associação do, 105; imagens táteis, 174; percepção do, 150; portal sensitivo do, 152
Tattersall, Ian, 286*n*
Taylor, Charles, 313*n*
"teatro cartesiano", 168, 310*n*
tecnologia/desenvolvimento tecnológico, 59-60, 226; *ver também* inteligência artificial; "Big Data"
telencéfalo, 78, 106, 153, 182, 271

telessentidos, 150
temperamento, 134, 171, 252, 255, 260
teto cerebral, 106
Thompson, D'Arcy Wentworth, 269, 319n
Tinazzi, Michelle, 302-3n
toll-like, receptores do tipo (TLR), 302n
Tomasello, Michael, 216, 286n, 315n
Tominaga, Makoto, 303n
Tooby, John, 313n, 318n
Tootell, Roger B. H., 294n
Torday, John, 63, 291n
Touraine, Alain, 288n, 314n, 317n
Tranel, Daniel, 285-6n, 295-6n, 300n, 310n, 314n
transmissão não sináptica, 156, 307n
"transmissão", uso do termo, 148
"transumanismo", 229
trato gastrointestinal, 68, 70, 73-5, 90, 96-7, 123, 156-9; nervo vago, 156-7, 159; *ver também* sinalização visceral
Trewavas, Anthony J., 290n
tristeza, 20, 119, 132, 135, 138, 164, 199-200, 217, 254, 288n, 308n; *ver também* depressão
tronco encefálico, 74, 77-8, 80, 104-6, 130, 143, 152-3, 160-1, 180-2, 271-2, 275, 295n, 299n, 306n
Turkle, Sherry, 317n
Tversky, Amos, 165, 309n

Ungaro, Emanuel, 281
Ungaro, Laura, 281
Urey, Harold, 51

valência, 100, 142, 184; afetos e, 122, 124, 126-7, 297n, 301n; fisiologia dos sentimentos e, 145, 150
Valeriani, Massimiliano, 302-3n

Varela, Francisco J., 52, 290n
Veiga, Ryan, 283
Velkley, Richard L., 313n
Verdi, Giuseppe, 265, 318n
Verweij, Marco, 282
vida celular: apoptose na, 47; consciência e, 183-4, 311n; homeostase na, 29-32, 34, 46-8, 143, 193-5; memória na, 112; metabolismo na, 46; origens da, 49-56; redes nervosas na, 74-5, 143, 158; sentir e responder na, 88-90, 92, 140, 143-5, 272, 293n, 302n, 304n, 311n; sistemas digestivos na, 158; sistemas imunes inatos na, 144, 292n; *ver também* bactérias e organismos simples; organismos multicelulares; organismos unicelulares
vida, evolução da *ver* evolução da vida; evolução humana
violência e agressão, 200-5, 258; diferenças de gênero na, 201, 255, 313n; raiva e crueldade na, 254-5; respostas a, 202-4
visão, 38, 92, 96, 109, 154, 271, 295n; córtices iniciais e de associação da, 105-6, 112; formação de imagens e, 173-4, 176-7; intensificação protética da, 226; memória e, 111-2; percepção da, 149; portais sensitivos da, 99-100, 175
vísceras *ver* sinalização visceral
viscerocepção, 72
Vitória, rainha da Inglaterra, 27, 286n

Wagner, Richard, 318-9n
Wall, Patrick D., 308n
Walter, W. Grey, 238, 317n
Watson, James, 49, 53

Welles, Orson, 299-300*n*
Wessberg, Johan, 316*n*
Wiener, Malcolm, 314*n*
Wiener, Norbert, 274
Wiesel, Torsten, 294*n*
Wiessner, Polly W., 222, 316*n*
Wilson, David Sloan, 318-9*n*
Wilson, Edward O., 33, 287*n*, 313*n*
Wood, Alex M., 309*n*

Wordsworth, William, 127, 297*n*
Wrangham, Richard, 318*n*

Young, Lianne, 204, 314*n*
Yo-Yo Ma, 283

Zarkadakis, George, 317*n*
Zipfel, Cyril, 305*n*

1ª EDIÇÃO [2018] 5 reimpressões

ESTA OBRA FOI COMPOSTA PELA SPRESS EM MINION E IMPRESSA
EM OFSETE PELA LIS GRÁFICA SOBRE PAPEL PÓLEN NATURAL DA
SUZANO S.A. PARA A EDITORA SCHWARCZ EM JULHO DE 2023

A marca FSC® é a garantia de que a madeira utilizada na fabricação do papel deste livro provém de florestas que foram gerenciadas de maneira ambientalmente correta, socialmente justa e economicamente viável, além de outras fontes de origem controlada.